La conjugaison du verbe réussir et des auxiliaires avoir et être

D1240406

réussir	avoir	être
Présent (de l'indicatif)		
je réussis	j'ai	je suis
tu réussis	tu as	tu es
il, elle réussit	il, elle a	il, elle est
nous réussissons	nous avons	nous sommes
vous réussissez	vous avez	vous êtes
ils, elles réussissent	ils, elles ont	ils, elles sont
Futur (de l'indicatif)		
je réussirai	j'aurai	je serai
tu réussiras	tu auras	tu seras
il, elle réussira	il, elle aura	il, elle sera
nous réussirons	nous aurons	nous serons
vous réussirez	vous aurez	vous serez
ils, elles réussiront	ils, elles auront	ils, elles seront
Passé composé (de l'indicatif)		
j'ai réussi	j'ai eu	j'ai été
tu as réussi	tu as eu	tu as été
il, elle a réussi	il, elle a eu	il, elle a été
nous avons réussi	nous avons eu	nous avons été
vous avez réussi	vous avez eu	vous avez été
ils, elles ont réussi	ils, elles ont eu	ils, elles ont été
Imparfait (de l'indicatif)		
je réussissais	j'avais	j'étais
tu réussissais	tu avais	tu étais
il, elle réussissait	il, elle avait	il, elle était
nous réussissions	nous avions	nous étions
vous réussissiez	vous aviez	vous étiez
ils, elles réussissaient	ils, elles avaient	ils, elles étaient
Passé simple (de l'indicatif)		
je réussis	j'eus	je fus
tu réussis	tu eus	tu fus
il, elle réussit	il, elle eut	il, elle fut
nous réussîmes	nous eûmes	nous fûmes
vous réussîtes	vous eûtes	vous fûtes
ils, elles réussirent	ils, elles eurent	ils, elles furent
Présent (de l'impératif)		
réussis – réussissons – réussissez	aie – ayons – ayez	sois – soyons – soyez

CM1
Cycle 3

Français
Livre unique

Pascal DUPONT
Professeur formateur à l'IUFM Midi-Pyrénées

Sophie RAIMBERT
Professeur des écoles

Jean-Manuel RÉNIER
Directeur d'une école d'application

istra

Responsable de projet : Marie LUCAS

Relecture critique du manuscrit d'étude de la langue : Véronique PAWLOWSKI et Christine VANETTI, conseillères pédagogiques dans le Val-de-Marne (académie de Créteil)

Création et exécution de la maquette de couverture : Estelle CHANDELIER

Illustration de la couverture : Mélanie ALLAG

Création de la maquette intérieure : Estelle CHANDELIER

Mise en pages : TYPO-VIRGULE

Illustrations : Mélanie ALLAG (pages 12-13, 16, 20, 24, 162-163, 166-167), Laurent AUDOIN (pages 190, 192-195, 198), Paul BEAUPÈRE (pages 46, 50, 56, 71, 182-183, 187), Géraldine BESNARD (pages 104, 108, 112, 116, 118, 122, 126, 220-222), Sylvain BOURRIÈRES (pages 148, 152, 156, 242-243), Crescence BOUVAREL (pages 28, 32, 36, 120, 124, 128, 131, 172, 174, 175-177, 224-225), Jérôme BRASSEUR (pages 60, 64, 68, 78, 84, 146, 150, 154, 159, 230-231 [frise « mur »], 241), Amélie DUFOUR (pages 30, 34, 40, 169-171, 180), Guy MÉRAT (page 52), Patrice DE MONTAIS (pages 244-245, 247-249), Benoît PERROUD (pages 44, 48, 54, 184-185), Marie-Noëlle PICHARD (pages 58, 62, 66, 106, 110, 114, 134, 138, 142, 188-189, 218-219, 238-239), Gilles POING (pages 211, 252), Antoine RONZON (pages 136, 140, 144, 236-237, 250), Ghyslaine VAYSSET (pages 14, 18, 22, 164-165, 179).

Recherche iconographique : Nataliya KRUGLOVA et Marie LUCAS

Relecture typographique : Jean-Pierre LEBLAN

Fabrication : Nicolas SCHOTT

ISBN : 978-2-01-117445-1

© Hachette Livre 2009, 43 quai de Grenelle, 75905 Paris Cedex 15.

Avant-propos

Les nouveaux programmes de l'école primaire s'inscrivent dans le cadre du socle commun de connaissances et de compétences qui en constitue la référence. La maîtrise de la langue française – qui prend appui sur un programme d'étude de la langue et de lecture-écriture accordant une large place à la littérature – est placée au centre de l'apprentissage. C'est dans l'esprit de ces nouveaux programmes qu'a été créée chez Istra la nouvelle collection « Caribou ».

Au CM1, l'ouvrage est structuré en **deux parties** : « **Étude de la langue** » et « **Lecture** ». Elles peuvent être traitées **indépendamment** ou **en liaison constante**. L'enseignant, tout en conservant une grande liberté pédagogique, peut ainsi aménager des liens entre les activités spécifiques de l'étude de la langue et l'expression, la lecture et l'écriture.

- **Dans la partie « Étude de la langue »,** les leçons de grammaire, conjugaison, orthographe et vocabulaire sont **articulées de manière logique et progressive**. Pour chaque leçon, sont proposés :
  - des activités de repérage, de comparaison et de réflexion, menées à partir d'extraits de textes authentiques, pour aborder chaque notion (« **Je lis et je réfléchis** ») ;
  - une synthèse des découvertes faites par les élèves structurée sous la forme d'un résumé illustré par des exemples faciles à retenir (« **Je retiens** ») ;
  - des exercices d'entraînement, classés par niveau de difficulté, afin de **faciliter la différenciation** (« **Je m'exerce** ») ;
  - **un renvoi aux textes de lecture** (« **Je repère dans un texte** ») et **un court travail d'écriture** pour réinvestir la leçon (« **J'écris** »).

À la fin de chaque chapitre, des pages « **Clés de lecture** » confrontent les élèves à des difficultés de lecture en relation avec la langue et leur donnent les clés pour les résoudre. Une double page « **Évaluation** » permet enfin de faire le point sur les acquisitions de chaque élève.

- **Dans la partie « Lecture », les cinq chapitres proposent** un choix de textes **variés et de qualité** (conte, roman, documentaire, presse, poésie, théâtre…). Chaque chapitre comprend quatre textes de lecture de longueur variée, répartis dans deux thèmes pour explorer une grande diversité d'univers imaginaires et de références culturelles.

L'étude des textes menée avec les élèves a pour objectifs :
- la compréhension du texte (« **Je comprends** ») ;
- le repérage des traits distinctifs du texte, qui en font la cohérence (« **Je repère** ») ;
- la mise en voix d'un passage du texte, pour en favoriser l'appropriation et la mémorisation (« **Je dis** ») ;
- l'expression de réactions vis-à-vis des personnages ou du texte lui-même, qui participent à la construction de l'interprétation des textes et au partage des lectures (« **Je débats** ») ;
- la rédaction de courts textes pour réinvestir une notion d'étude de la langue ou préparer l'« **Atelier d'écriture** » qui clôt le thème.

Dans chaque thème, les textes de lecture sont suivis de deux pages :
- un « **Atelier de lecture** » aide les élèves à mieux caractériser un genre ou un type de texte et à construire des connaissances ;
- un « **Atelier d'écriture** » mobilise l'ensemble des activités de lecture et des activités d'étude de la langue du thème étudié. L'écriture fait ainsi l'objet d'un apprentissage régulier et progressif.

Chaque chapitre se termine par :
- une page « **Expression orale** » pour apprendre aux élèves à prendre la parole devant les autres dans différentes situations (raconter, décrire, donner son avis…) ;
- une page « **Bilan** » pour permettre de faire une synthèse sur chaque type de texte abordé et proposer une bibliographie.

Ce manuel se veut un outil de référence pour l'élève en français. Il se doit d'être un appui fiable pour que l'enseignant puisse développer une pédagogie vivante et diversifiée – gage de progrès et de réussite des élèves.

Les auteurs

Sommaire étude de la langue

Sommaire lecture

* Ouvrages issus de la liste du ministère de l'Éducation nationale pour le cycle 3.

■ Sommaire étude de la langue

■ Sommaire lecture

■ Sommaire étude de la langue

■ Sommaire lecture

* Ouvrages issus de la liste du ministère de l'Éducation nationale pour le cycle 3.

étude de la langue

Les types de phrases

Je lis et je réfléchis

Le matin, les sept nains partaient dans la montagne travailler dans la mine.
Le soir, lorsqu'ils rentraient, Blanche-Neige avait préparé le repas.
Toute la journée, elle restait seule. Les sept nains lui conseillèrent d'être
très prudente : « Prends garde à ta belle-mère, elle saura bientôt que tu es ici !
Surtout ne laisse entrer personne ! »
Mais la reine [...] était sûre d'être redevenue la plus belle de
toutes les femmes. Elle se mit devant son miroir et dit : « Petit miroir,
petit miroir chéri, dis-moi quelle est la plus belle du pays ? »

Jacob et Wilhelm Grimm, *Blanche-Neige*, *Mon Premier Larousse des contes*, tome I, © Larousse, 2004.

1. Lis le texte plusieurs fois. Comment fais-tu pour mettre le ton qui convient ?
2. Quel personnage pose une question ? À quoi le vois-tu ?
3. Comment appelle-t-on ce type de phrase ?
4. Dans quelles phrases les nains donnent-ils des conseils à Blanche-Neige ?
5. Par quel signe de ponctuation se terminent ces phrases ? Comment les appelle-t-on ?

Je retiens

Il existe quatre types de phrases :
- **La phrase déclarative** sert à donner une information, une opinion ou à faire une description.
  Elle se termine par **un point**.

  > Le vent commence à se lever.   Je n'ai pas faim.

- **La phrase interrogative** sert à poser une question.
  Elle se termine par **un point d'interrogation**.

  > Va-t-il pleuvoir ?   Ne faut-il pas se dépêcher ?

- **La phrase exclamative** sert à exprimer des émotions ou des sentiments.
  Elle se termine par **un point d'exclamation**.

  > Que c'est beau !   Ce n'est pas gentil !

- **La phrase impérative** sert à donner un conseil ou un ordre.
  Elle se termine par **un point** ou **un point d'exclamation**.

  > Prends soin de toi. (conseil)   Ne bouge plus ! (ordre)

Rappel : Une phrase commence toujours par **une majuscule** et se termine toujours par **un point**.

Je m'exerce

1 ★ **Lis ces phrases à voix haute. Pense à mettre le ton qui convient !**
- Comment peut-on faire une chose pareille ?
- Mais arrêtez de dire n'importe quoi !
- Un livre ? Quel livre ?
- Léo a changé de chaussures pour aller jouer au basket.
- Sortons sans bruit.

2 ★ **Construis un tableau à 3 colonnes** (phrases déclaratives, phrases interrogatives **et** phrases exclamatives) **et classe ces phrases.**
- Le soleil reviendra-t-il cette année ?
- Zélie fait du judo tous les week-ends.
- Quel beau spectacle !
- Ce n'est pas prudent de rouler de nuit !
- J'ai essayé de les appeler mais personne ne répond.

3 ★ **Recopie uniquement les phrases déclaratives.**
- Sois gentil avec ton frère.
- Jade adore jouer au volley-ball.
- Faire du sport est bon pour la santé.
- Mets un pull avant de sortir.
- Je passerai chez toi dans l'après-midi.
- Ne va pas te baigner juste après manger.

4 ★ **Recopie uniquement les phrases impératives.**
- Va chercher ton ballon chez les voisins !
- Quelle performance !
- Comme il a grandi !
- Ne sois pas impolie !
- Parfait !
- Ne partez pas !

5 ★★ **Construis un tableau à 2 colonnes** (phrases impératives **et** phrases exclamatives) **et classe ces phrases. Attention ! il y a des intrus !**
- Quel joli jardin !
- Comment t'appelles-tu ?
- Ne touche pas au feu !
- Génial !
- Quand arrivez-vous ?
- Comme il fait chaud !
- Pense à prendre un manteau.

6 ★★ **Recopie ces phrases et indique de quel type elles sont.**
- N'oublie jamais ce que je viens de te dire.
- Quel festin !
- Comment s'appelle-t-il ?
- Nous aurions pu l'attendre un peu.
- Ne faut-il pas le répéter ?
- Cette exposition était inoubliable !
- N'attendez pas davantage.

7 ★★ **Recopie et complète ces phrases avec le point qui convient.**
- Où pourrions-nous aller maintenant…
- Cet inconnu m'a simplement demandé son chemin…
- Est-ce le livre dont la maîtresse a parlé…
- Quel parfum envoûtant…
- Mes cousins viendront chez nous pour les vacances…
- Revenez rapidement…
- Qu'est-ce qu'on s'ennuie, ici…
- Vite, allons déjeuner…

8 ★★ **Transforme ces phrases déclaratives en phrases interrogatives. Utilise l'expression** Est-ce que.
Ex. : Lin vient jouer cet après-midi.
→ **Est-ce que** Lin vient jouer cet après-midi ?
- Le train arrivera à huit heures.
- Le chat est rentré de sa promenade.
- C'est une bonne idée d'inviter le maire à l'école.
- Le repas est bientôt prêt.

9 ★★★ **Transforme ces phrases déclaratives en phrases exclamatives. Utilise** comme, que **ou** quel(le).
Ex. : Vous êtes insouciants.
→ **Que** vous êtes insouciants !
- Il est drôle, ce clown.
- Nous avons eu raison de le prendre avec nous.
- C'est une vedette, ce garçon.
- Elle est agréable, ta copine.

10 ★★★ **Écris les questions qui correspondent à ces réponses.**
Ex. : J'ai 9 ans. → **Quel âge as-tu ?**
- Je m'appelle Jules.
- Je suis en CM1.
- J'aime partir en vacances à la mer.
- Il est 8 heures.

11 ★★★ **Recopie ce texte et souligne en rouge les phrases déclaratives, en vert les phrases interrogatives et en noir les phrases exclamatives.**
Ce matin, Lili m'a appelé après le petit déjeuner :
« Salut, Hugo ! Comment vas-tu ?
– Bien, merci ; et toi ?
– Très bien. Il fait très beau aujourd'hui ! Est-ce que tu veux venir avec moi au parc ?
– Bonne idée, j'arrive ! À tout de suite. »

Je repère dans un texte

Dans le texte pp. 164-165, combien y a-t-il de phrases exclamatives de la ligne 10 à la ligne 19 ?

J'écris

Recopie et complète la suite de la discussion entre la reine et son miroir. Utilise les quatre types de phrases.
Le miroir répondit : « … »
La reine dit alors : « … »

Objectifs : Connaître et utiliser les différents signes de ponctuation.
Texte en lien : *Les Trois Petits Cochons*, p. 166.

La ponctuation

Je lis et je réfléchis

Renart et les poissons

Quel froid ! Tout est gelé, couvert de neige. Rien à chasser, rien à manger...
Trottant, flairant, quêtant, Renart sent tout à coup une exquise odeur de poisson.
« Des poissons ? Quelle aubaine ! » se dit-il. Renart en bave d'envie et rêve déjà
aux anguilles, aux harengs, aux soles, aux carpes et aux tanches dont il va se régaler.

D'après *Le Roman de Renart*.

1. Lis le texte plusieurs fois en mettant le ton qui convient.
2. Relève les phrases déclaratives. Par quels signes de ponctuation se terminent-elles ?
3. Relève les phrases interrogatives. Par quels signes de ponctuation se terminent-elles ?
4. Relève les phrases exclamatives. Par quels signes de ponctuation se terminent-elles ?
5. Dans quelle partie du texte Renart se parle-t-il à lui-même ? À quoi le vois-tu ?
6. Quel signe de ponctuation sépare les noms des poissons auxquels rêve Renart ?

Je retiens

- **Les signes de ponctuation** sont indispensables pour comprendre un texte. Ils nous indiquent également comment le lire, c'est-à-dire quel ton adopter et où marquer des pauses dans la lecture.
- Certains signes de ponctuation, comme **les points**, se mettent **à la fin des phrases** (. ? ! ...).
  Les points de suspension (...) permettent d'imaginer qu'il y a une suite à ce qui est écrit.
  Le ciel commence à se couvrir.   Des poissons ?   Quel froid !
  Elle vend des bagues, des colliers, des bracelets...
- D'autres signes de ponctuation se placent **à l'intérieur des phrases** :
  – **La virgule** (,) sert à séparer des mots ou des groupes de mots en faisant une petite pause :
    Chaque soir, à vingt heures, mon voisin sort promener son chien.
  – **Les deux-points** (:) introduisent une explication, une énumération ou un dialogue :
    Nous sommes enfin arrivés : ce voyage était très long !
  – **Les guillemets** (« ») encadrent des paroles rapportées : Elle lui dit : « Tu reviendras me voir ? »

Je m'exerce

1 ★ **Recopie ces phrases et indique par quel signe de ponctuation elles se terminent.**
- Où partent ces oiseaux en automne ?
- Des amis étrangers viennent passer quelques jours chez nous.
- C'est un pays fantastique !
- Il y avait des Belges, des Croates, des Allemands, des Italiens, des Espagnols...
- Au revoir !

2 ★ **Recopie ces phrases et entoure tous les signes de ponctuation.**
- Arthur va parfois à la montagne : c'est son lieu de vacances préféré, l'hiver.
- Quelle pluie ! On aurait dit que les nuages déversaient des seaux d'eau.
- Quel cadeau choisir : un livre, un disque, un bouquet... ?
- Ce vieux voilier a longé les côtes d'Europe, d'Afrique, d'Asie, d'Amérique...

3 ★ Recopie et complète ces phrases par un point ou un point d'interrogation.

• Abdel a trouvé la réponse à son problème…
• Que complotez-vous encore…
• Chloé, combien font 8 et 4…
• Prenez vos cahiers…
• C'était un endroit très agréable, n'est-ce pas…
• Qui a retrouvé les lunettes de Maxime…

4 ★★ Recopie et complète ces phrases par un point ou par un point d'exclamation. Pour vérifier ton choix, relis les phrases en mettant le ton.

• Qu'est-ce que c'est doux…
• Mais enfin… Tu vas te dépêcher un peu…
• Les cloches sonnaient chaque jour à midi…
• Il n'y a personne dans les rues, ce matin…
• Bonne idée…
• Lou a emporté son filet à papillons…

5 ★★ Recopie et complète ces phrases par un point ou des points de suspension.

• Au zoo, il a vu des girafes plus grandes que les murs…
• L'homme ajouta d'un air songeur : « Oui, peut-être… »
• Antoine possédait des timbres de France, de Grande-Bretagne, de Suisse, de Belgique…
• La vieille dame n'avait plus que quelques pièces dans son porte-monnaie…
• « Moi, faire une chose pareille… On voit que tu me connais mal… »

6 ★★ Recopie ces phrases et ajoute les points (. ? !) et les virgules nécessaires.

• Ouvrez-moi cette porte…
• Qu'avez-vous à vendre…
• Un œuf… où ça…
• Vite… Filons…
• Les voleurs ferment le portail derrière eux…
• Au zoo… nous avons vu énormément d'animaux sauvages : des lions… des tigres… des zèbres… des girafes et des gorilles…

7 ★★ Recopie ce texte et place les virgules nécessaires.

Un jour à la pêche Kéni aperçut une énorme carpe qui nageait lentement sous la surface de l'eau. Il rentra en courant à la maison attrapa une longue épuisette puis revint à la rivière. Mais la carpe qui devait peser plus de trois kilos s'éloigna du bord tranquillement.

8 ★★ Recopie ces phrases en ajoutant les virgules ou les deux-points nécessaires.

• Parfois… les adultes font des erreurs aussi.
• Alors un gros rat apparut… c'était un rat tout gris.
• Le clown a un gros nez rouge… un chapeau… de grandes savates et un nœud papillon.
• Votre maison est en pierre… la nôtre est en bois.
• Elle m'a dit… « Viens dormir à la maison ! »

9 ★★★ Recopie ces phrases et ajoute les deux-points et les guillemets nécessaires.

• Ammata dit… …Je ne viendrai pas avec vous !…
• Lorsque les deux frères tombèrent dans le puits, ils s'écrièrent… …Zut ! Nous voilà coincés !…
• À chaque fois que ma copine Julie voit mon chat, elle crie… …Enferme-le tout de suite !…
• …Pas de panique !… s'écria l'inspecteur.

10 ★★★ Recopie ce texte et ajoute la ponctuation qui convient (points, virgules, deux-points et guillemets).

C'était pendant les vacances d'été… Le papa de Quentin vint le voir dans sa cabane… celle qu'ils avaient construite dans le bois… derrière la maison… … Est-ce que ça te dirait de fabriquer un arc … … lui demanda-t-il… …Un vrai… avec des flèches… un carquois et une cible pour t'entraîner…

11 ★★★ Écris une phrase en utilisant les signes de ponctuation indiqués.

Ex. : Un point d'interrogation
→ **Qu'est-ce que tu lis ?**

• Un point d'exclamation → …
• Des points de suspension → …
• Des virgules → …
• Deux-points → …
• Des guillemets → …
• Deux-points et des virgules → …

Je repère dans un texte

Dans le texte pp. 166-167, relève cinq signes de ponctuation différents.

J'écris

Raconte comment Renart va s'y prendre pour manger les poissons dont il rêve. Utilise au moins quatre signes de ponctuation différents.

Les temps : passé, présent, futur

Je lis et je réfléchis

Il y a bien longtemps, loin au fond des océans, vivait le Roi de la Mer. Il était veuf et c'est sa vieille maman qui tenait sa maison. C'était une femme intelligente, qui aimait infiniment les sirènes, filles de son fils. Elles étaient six enfants charmantes, mais la plus jeune était la plus belle de toutes, la peau fine et transparente tel un pétale de rose blanche, les yeux bleus comme l'océan profond... mais comme toutes les autres, elle n'avait pas de pieds, son corps se terminait en queue de poisson.

D'après *La Petite Sirène*, Hans Christian Andersen.

1. À quel moment se passe cette histoire ?
2. Relis la première phrase en remplaçant **Il y a bien longtemps** par **En ce moment**. Quel mot a changé ?
3. Comment s'appelle ce type de mot ? À quel temps est-il maintenant ?
4. Relis le texte en le commençant par **Demain**. À quel temps est-il maintenant ?

Je retiens

- Dans un texte, le temps change selon **le moment où se déroule l'action**. Il existe trois temps :
  - **Le passé**, pour parler de ce qui a déjà eu lieu : La petite sirène **contempla** la statue. – La petite sirène **a contemplé** la statue. – La petite sirène **contemplait** la statue.
  - **Le présent**, pour exprimer ce qui se passe en ce moment : La petite sirène **contemple** la statue.
  - **Le futur** pour décrire ce qui va se passer : La petite sirène **contemplera** la statue.
- Le mot qui change en fonction du temps est **le verbe** : on dit que le verbe se conjugue.
- Certains mots permettent de savoir si la phrase est au passé, au présent ou au futur. Ce sont **des indicateurs de temps** : l'an dernier – hier – en ce moment – demain...

Je m'exerce

1 ★ **Recopie uniquement les phrases au présent.**
- Nos correspondants viendront en France.
- Ce matin, je prends l'avion pour la Chine.
- Les hirondelles se posent sur les fils électriques.
- Liliana aimait se promener sur la plage le soir.
- Les limaces mangent les feuilles de salade.

2 ★ **Recopie uniquement les phrases au passé.**
- Dans un an, je serai en classe de CM2.
- Qu'avez-vous fait de vos anciens livres ?
- Les foins ont été coupés avant la pluie.
- J'aperçois un vautour dans le ciel.
- As-tu étudié la leçon de géométrie ?

3 ★ **Recopie uniquement les phrases au futur.**
- Les grenouilles se cachent sous les nénuphars de jour comme de nuit.
- Axel, Félix et Léa prendront le train pour aller à Lille.
- Le footballeur a tenté une jolie feinte.
- Nous déciderons de notre itinéraire plus tard, lorsque Sylvain sera là.
- Le prix des lecteurs MP3 commence à baisser.
- Je devrai bientôt changer mon ordinateur, sinon il sera trop vieux.
- Cet endroit sera bientôt entièrement transformé.

4 ★ **Recopie et relie pour construire des phrases correctes.**

Autrefois, •   • j'ai mangé une tarte aux fraises.

La semaine prochaine, •   • j'irai à la piscine tous les jours.

Actuellement, •   • les nobles portaient des perruques.

Hier, •   • je ne me sens pas très bien.

5 ★★ **Recopie ces phrases. Entoure les indicateurs de temps puis indique si chaque phrase est au passé, au présent ou au futur.**
- Autrefois, les chevaliers assiégeaient les châteaux.
- Le film diffusé ce soir me plaît beaucoup.
- Mes cousines avaient tellement de choses à me raconter quand elles sont venues hier !
- Dans quelques années, des hommes iront se poser sur Mars.
- Il neige en ce moment dans les Alpes.
- Les inondations annoncées pour la semaine prochaine feront encore de gros dégâts.

6 ★★ **Recopie ces phrases et indique si elles sont au passé, au présent ou au futur.**
- Aimes-tu les oranges ?
- Elle était à la maison quand il est arrivé.
- Vous n'oublierez pas de vous laver les mains.
- Les oiseaux migrateurs sont déjà repartis.
- Léa ne viendra pas à l'école cet après-midi.
- Le maçon construit un mur en briques.

7 ★★ **Construis un tableau à 3 colonnes (passé, présent et futur) et classe ces verbes conjugués.**

vous écoutez – nous viendrons – ils sont partis – il fera – je prends – tu riais – elle finira – j'ai chanté – tu vas

8 ★★★ **Recopie et complète ces phrases avec les indicateurs de temps qui conviennent. Attention au sens des phrases !**

jadis – l'été dernier – dans quelque temps – à notre époque
- Tu parviendras à monter à cheval.
- Nous étions en vacances à la montagne.
- Les outils étaient essentiellement en bois.
- Les grands voyages se font en avion.

9 ★★★ **Barre l'intrus de chaque série.**
- elle a chanté – il courait – nous mangions – vous prendrez – j'ai lu
- tu finiras – il ira – je peignais – ils détruiront – vous ferez
- ils dansent – nous sortons – tu as entendu – vous dites – elles appellent
- vous entendiez – ils parlèrent – tu marches – nous lisions – elle lavait

10 ★★★ **Les phrases du texte suivant ont été mélangées. Remets-les dans l'ordre chronologique.**

a. Autrefois, les femmes n'avaient pas le droit de vote en France. En effet, on considérait qu'elles n'étaient pas capables de se forger une opinion.
b. Mais l'égalité des hommes et des femmes n'est pas encore totale : les femmes auront encore d'autres combats à mener pour éliminer les discriminations.
c. En 1948, elles ont enfin obtenu gain de cause et, aujourd'hui, les femmes votent comme les hommes.
d. Au fil du temps, de nombreuses femmes se sont battues pour obtenir ce droit et, de manière générale, les mêmes droits que les hommes.

11 ★★★ **Recopie ces phrases et choisis les bons verbes conjugués.**
- C'est parti ! Le match (peut / pourra) commencer !
- Il y a quinze jours, ma tante (a eu / aura) un accident de voiture.
- Quand le vent (se lève / se lèvera), il (faut / fallait) vite fermer les parasols.
- Le chat (a pu / peut) rentrer car j'(avais laissé / ai laissé) la fenêtre ouverte.
- La semaine prochaine, la vendange (commence / commencera) car les raisins (sont / étaient) presque mûrs.

Je repère dans un texte

Dans le texte pp. 166-167, trouve une phrase au passé, une au présent et une au futur.

J'écris

Hier, c'était ton anniversaire. Tu souhaiterais organiser une fête. Écris une invitation pour tes camarades. Utilise au moins une phrase au passé, une phrase au présent et une phrase au futur.

Objectifs : Savoir ce que sont le genre et le nombre.
Connaître les règles concernant le féminin
et le pluriel des noms.
Texte en lien : *La Princesse au petit pois*, p. 164.

Le genre et le nombre des noms

Je lis et je réfléchis

Hélas, il y a cinq cents ans, **la** douleur et la désolation s'abattirent sur Hamelin. **Une** nuit, **un** habitant sujet aux insomnies se promenait sur les remparts. Soudain, il vit au loin une masse sombre.

Elle avança rapidement, se déroula, puis s'élargit à l'approche des <u>murailles</u>. Ce fut comme une immense vague qui arracha tout sur **son** passage. On donna l'alerte et la population fut prise d'un terrible effroi : des milliers de rats grouillaient, se pressaient et se bousculaient dans l'obscurité !

Robert Browning, *Les Plus Beaux Contes du monde*, © EDDL – Mme Torres.

1. Observe les mots en gras. Quelle indication te donnent-ils sur les noms qui les suivent ?
2. Observe le mot souligné. Que t'indique le mot placé devant lui ?
3. Comment peux-tu savoir s'il s'agit d'un mot féminin ou d'un mot masculin ?
4. Relève dans le texte un nom masculin pluriel. Explique ta réponse.

Je retiens

- Les noms ont **un genre** (**masculin** ou **féminin**) et **un nombre** (**singulier** ou **pluriel**) :
  la douleur (féminin singulier) – les rats (masculin pluriel)
- Un nom est du genre **masculin** lorsqu'il peut être précédé de **un** ou **le** au singulier.
  Il est du genre **féminin** lorsqu'il peut être précédé de **une** ou **la** :
  un habitant – **le** passage (masculin) / **une** nuit – **la** muraille (féminin)
- Le féminin des noms des êtres animés se forme souvent en ajoutant un **e** au nom masculin :
  un habitant → une habitant**e**
- Parfois, le mot féminin a une forme différente du mot masculin : un homme → une femme
- La marque du pluriel est le plus souvent le **s** : le rempart → les rempart**s** – une vague → des vague**s**
- Les noms qui se terminent par **-s**, **-x** et **-z** au singulier ne changent pas au pluriel :
  un puit**s** → des puit**s** – une croi**x** → des croi**x** – un ne**z** → des ne**z**
- Les noms qui se terminent par **-ou** au singulier prennent un **-s** au pluriel : un fou → des fou**s**
  Il y a sept exceptions, dont le pluriel se termine en **-x** : des bijou**x** – des caillou**x** – des chou**x** –
  des genou**x** – des hibou**x** – des joujou**x** – des pou**x**
- Les noms qui se terminent par **-al** au singulier s'écrivent **-aux** au pluriel : un cheval → des chev**aux**
  Il y a six exceptions, dont le pluriel se temine en **-s** : des bal**s** – des chacal**s** – des festival**s** –
  des récital**s** – des régal**s** – des carnaval**s**

Je m'exerce

1 ★ **Construis un tableau à 2 colonnes** (noms masculins **et** noms féminins) **et classe ces noms.**

un chapeau – une rivière – la barque –
ce garage – un œuf – cette voisine –
leur voiture – sa tante – leur ami – cet avion

2 ★ **Construis un tableau à 2 colonnes** (noms au singulier **et** noms au pluriel) **et classe ces noms.**

des lucioles – un chapeau – cette femme –
les chevaux – l'ami – les voix – ces personnes –
la ruche – le chien – ses vêtements

3 ★ **Recopie ces phrases et souligne les noms au pluriel.**
- Les feuilles des arbres tombent en automne.
- Lequel de tes amis s'est cassé le nez pendant les vacances ?
- Les voix de la chorale s'élèvent dans la salle.
- Les enfants partent se promener dans le bois.

4 ★ **Recopie ces phrases et place les mots le, la ou les devant les noms.**
- … souris attrape … morceau de fromage.
- … lampe sur … bureau est allumée.
- … soleil éclaire toutes … maisons.
- … boulangers doivent se lever très tôt pour faire cuire … pain.
- … mère d'Emma l'accompagne chez … dentiste.
- … clowns faisaient hurler de rire … enfants.

5 ★★ **Recopie et indique le genre des noms suivants (masculin ou féminin). Pour t'aider, place un ou une devant chaque mot.**
vache – épicière – boxeur – grenouille – armoire – train – poulain – cerf – marionnette – clou

6 ★★ **Recopie ces phrases et mets les noms entre parenthèses au féminin.**
- Ma (voisin) arrose ses plantes tous les jours.
- Cette (employé) fait très bien son travail.
- Il y a beaucoup de (commerçants) ici.
- Cette (étudiant) doit repasser ses examens.
- Qui a vu la (cousin) Rebecca dernièrement ?

7 ★★ **Recopie les noms en rouge et indique leur genre. Tu peux t'aider du dictionnaire.**
L'équipe de basket se prépare à jouer le match le plus important de l'année. Plus l'heure du match approche, plus l'atmosphère est tendue et les joueurs concentrés. L'entraîneur les réunit une dernière fois pour récapituler la stratégie choisie. Les joueurs entrent ensuite sur le terrain et l'arbitre siffle le début du match.

8 ★★ **Recopie ces phrases et mets les noms entre parenthèses au pluriel.**
- Khader aime beaucoup les (chat).
- Les (voyou) sont toujours punis un jour.
- Ces (tapis) turcs sont de toute beauté !
- Il me manque six (chaise) pour la fête de ce soir.
- Il n'a pas toujours fait les bons (choix).
- Les (animal) de ce zoo sont très bien traités.

9 ★★★ **Relève tous les noms au pluriel contenus dans ce texte.**
Cet été, je suis allé presque tous les jours voir les travaux sur le canal près de chez nous. Régulièrement, les ouvriers bloquaient les arrivées d'eau avec les écluses après avoir laissé passer les péniches. Parfois, des bateaux de plaisanciers devaient attendre plusieurs heures avant de poursuivre leur voyage. Un jour, j'ai même vu arriver une péniche tirée avec des cordes par quatre chevaux. J'ai d'abord pensé que ce devait être des fous pour traiter ainsi les animaux ; mais mes parents m'ont expliqué que c'était comme ça que les péniches étaient tractées avant l'invention des moteurs.

10 ★★★ **Pour chaque mot en rouge, recopie la bonne forme du pluriel. Tu peux t'aider de la leçon et d'un dictionnaire.**
- un bocal → des bocaux – des bocals
- un loup → des loupx – des loups
- un gaz → des gaz – des gazs
- un trou → des trous – des troux
- un carnaval → des carnavaux – des carnavals
- un pou → des poux – des pous

11 ★★★ **Écris le féminin de ces noms. Tu peux t'aider d'un dictionnaire.**
maître – paysan – lion – directeur – vendeur – passager – tigre – gardien – prince – acteur

12 ★★★ **Écris le masculin de ces noms. Tu peux t'aider d'un dictionnaire.**
jument – tante – mère – reine – fille – brebis – biche – guenon – nièce – sœur – cane – dinde

Je repère dans un texte

Dans les lignes 1 à 5 du texte pp. 164-165, relève un mot que l'on trouve au masculin singulier, au féminin singulier et au féminin pluriel. Puis entoure la partie du mot qui change.

J'écris

Décris le jardin de tes rêves. Tu peux utiliser les noms suivants, au singulier ou au pluriel :
arbre – fleur – barrière – clôture – allée – maison – haie – balançoire.

Objectifs : Savoir identifier le radical et la terminaison d'un verbe. Connaître et manipuler les pronoms de conjugaison.
Texte en lien : *Les Trois Petits Cochons*, p. 166.

Personnes, radical et terminaisons

Je lis et je réfléchis

Jack **vivait** seul avec sa mère. Ils **travaillaient** dur tous les deux mais ils étaient très pauvres. Un jour, leur vieille vache ne donna plus de lait et la mère de Jack décida de la **vendre**.

– C'est moi qui vais la conduire au marché, dit Jack.

– Si tu veux, mais ne te laisse pas faire, répondit sa mère, demandes-en au moins dix pièces d'argent.

« Jack et le Haricot magique », *Mille Ans de contes*, tome I, © éd. Milan, 2007.

1. Observe les verbes en gras. Quelles sont leurs terminaisons ?

2. Comment appelle-t-on le petit mot placé devant le verbe souligné ?

3. Mets la deuxième phrase au présent et remplace **Ils** par **Nous**. Qu'est-ce qui change dans le verbe ?

4. Trouve au moins deux autres pronoms de conjugaison dans le texte.

Je retiens

- Le verbe, qu'il soit à l'infinitif ou conjugué, est toujours composé d'**un radical** et d'**une terminaison** :

  travaill/er   travaill/aient   épous/era   mang/eais

  radical terminaison

- Le radical ne change pas et garde toujours la même orthographe quand on conjugue le verbe, sauf s'il est irrégulier : demand/er → je demand/e (verbe régulier) – aller → je v/ais (verbe irrégulier)

- Les terminaisons changent selon **le temps** de la phrase et **la personne** à laquelle le verbe est conjugué. Il existe six personnes :

1re personne du singulier : **je ou j'**	1re personne du pluriel : **nous**
2e personne du singulier : **tu**	2e personne du pluriel : **vous**
3e personne du singulier : **il, elle**	3e personne du pluriel : **ils, elles**

- Les mots **je, tu, il, elle, nous, vous, ils** et **elles** sont des **pronoms de conjugaison**.

Je m'exerce

1 ★ **Recopie cette liste et entoure les pronoms de conjugaison.**

maison – jamais – tu – cette – mon – je – ont – vous – le – avez – elles – quelques

2 ★ **Recopie ces verbes, puis souligne leur radical en bleu et leur terminaison en orange.**

calculer – améliorent – faiblir – modifiera – glisser – rougit – coller – fendre – partiront

3 ★ **Recopie ces phrases et souligne les pronoms de conjugaison.**

- Crois-tu que nous pouvons passer sur ce pont ?
- Les feuilles jaunissent ; elles vont bientôt tomber.
- Je te rejoindrai dès que j'aurai terminé mon travail.
- Rien ne sert de courir : il faut partir à point.
- Avez-vous aperçu notre chat ?
- Mon frère et moi préparons un cadeau pour maman ; nous voulons lui faire une surprise.

4 ★ **Construis un tableau à 2 colonnes** (pronoms singuliers **et** pronoms pluriels) **et classe les pronoms de conjugaison présents dans ces phrases.**
• Ils seront joignables sur leur portable.
• Veux-tu venir à la piscine cet après-midi ?
• Ce matin, vous avez eu un cours de français.
• Les étoiles brillent la nuit, mais elles sont invisibles le jour.
• Nous n'aurons pas assez d'essence.
• Je ne crois pas à ce qu'il raconte.

5 ★ **Recopie et associe 2 à 2 les verbes qui ont le même radical.**
tu marches – elle marchandait – j'aime –
ils marcheront – nous accordons –
vous marchandez – ils aimaient – il accorde

6 ★★ **Recopie ces verbes, entoure leur terminaison et indique à quelle personne ils sont conjugués.**
tu lis – nous dirons – vous riez – elles encouragent –
elle pleurait – nous dormions – je rendais

7 ★★ **Recopie ces phrases et remplace le groupe de mots en rouge par un pronom de conjugaison qui convient.**
• Mes parents et moi allons régulièrement en Bretagne.
• Des chevreuils et des sangliers traversent parfois cette route.
• Les fleurs et les plantes poussent bien dans ce jardin.
• Djamila et toi êtes amies depuis toujours.
• Est-ce que ces arbres gardent leurs feuilles en hiver ?
• Les poules, les canards et les pintades se précipitaient sur les graines.

8 ★★ **Recopie ces phrases, encadre la terminaison des verbes et indique à quelle personne ils sont conjugués.**
Ex. : La boulangère rang⬚e les baguettes.
→ 3ᵉ personne du singulier
• Les ordinateurs actuels possèdent une grande capacité de mémoire.
• L'orage gronde depuis plus d'une heure.
• Certaines planètes tournent autour du Soleil.
• Nous traversons les Pyrénées.
• Sabrina et moi répétons notre danse.
• Ta mère et toi partez bientôt en vacances.

9 ★★★ **Recopie ces phrases et remplace les pronoms de conjugaison par des noms propres ou des noms communs de ton choix.**
• Il arrive de Grèce.
• Elle s'approche de la sortie.
• Ils mangeront au restaurant.
• Vous dormirez plus tard.
• Est-ce qu'elle vient avec nous ?

10 ★★★ **Recopie et complète avec le pronom de conjugaison qui convient.**
vous – ils – nous – tu – je
• … adorons aller nous promener à bicyclette.
• … font en sorte que la journée se passe bien.
• Penses-… que tu auras assez d'argent pour tes vacances ?
• Comprenez-… les indications ?
• … m'exerce tous les jours au piano.

11 ★★★ **Réécris ces phrases et utilise des pronoms de conjugaison pour éviter les répétitions.**
Ex. : Cette histoire m'a bien plu. Pourtant cette histoire était triste.
→ Cette histoire m'a bien plu. Pourtant **elle** était triste.
• Ces livres sont en très bon état. Ces livres ont été bien conservés.
• L'herbe de la pelouse était trop haute. L'herbe a été tondue.
• Le pot de colle a été renversé. Le pot de colle est presque vide.
• Tina et Rachida jouent avec leurs poupées. Tina et Rachida font beaucoup de bruit.
• Ta sœur et toi n'avez qu'un an de différence. Ta sœur et toi êtes très proches.

Je repère dans un texte

Dans le texte pp. 166-167, recopie ce que dit la mère aux petits cochons (lignes 6-11). Entoure les verbes conjugués et indique à quelles personnes ils sont conjugués.

J'écris

Raconte à la 1ʳᵉ personne du singulier ce que tu fais le matin avant d'aller à l'école.
Tu peux utiliser les verbes suivants : se lever –
déjeuner – se laver – brosser – faire – s'habiller…

Objectifs : Reconnaître et produire la forme infinitive des verbes. Différencier les groupes de verbes.
Texte en lien : *Les Trois Petits Cochons*, p. 166.

Le verbe : l'infinitif et les groupes

Je lis et je réfléchis

Comme prévu, le loup qui avait vu <u>partir</u> la mère, courut <u>trouver</u> les chevreaux.
Il frappa à la porte et voici ce qu'il leur dit : « Ouvrez-moi ! C'est moi, votre mère…
Je vous rapporte plein de jolis cadeaux ! »
Heureusement, les sept chevreaux ne tombèrent pas dans son piège. « Ta voix **est**
rauque, crièrent-ils tous en même temps. Tu **es** le loup ! Nous ne t'**ouvrirons** pas… »
Rusé comme pas deux, le loup fila chez l'épicier et acheta un gros bloc de craie pour
s'adoucir la voix. De nouveau, les chevreaux **entendirent** frapper à la porte.

> *Le Loup et les Sept Chevreaux*, conte de Grimm adapté par Olivier de Vleeschouwer,
> © Hachette Jeunesse, 1996.

1. Dans la première phrase du texte, recopie les verbes soulignés et entoure leur terminaison.
2. Comment appelle-t-on cette forme du verbe ?
3. Recherche d'autres verbes non conjugués dans la suite du texte.
4. Quel est l'infinitif de chacun des verbes en gras ? Écris-le.
5. Souligne le radical et entoure la terminaison des deux derniers verbes que tu viens de trouver.

Je retiens

- Le verbe a **plusieurs formes** :
  - une forme **non conjuguée** qui s'appelle **l'infinitif** : trouver – partir – entendre
  - des formes **conjuguées** : je trouvais – tu **trouves** – tu **trouveras**
- Il existe **trois groupes de verbes** :
  - **Le 1ᵉʳ groupe** comprend tous les verbes dont l'infinitif se termine par **-er**, sauf le verbe **aller**
    (3ᵉ groupe) : dans**er** – coup**er** – pli**er**…
  - **Le 2ᵉ groupe** est composé de tous les verbes dont l'infinitif se termine par **-ir** et qui
    se conjuguent comme le verbe **finir** au pluriel : fin**ir** → **nous** fin**issons** –
    roug**ir** → **nous** roug**issons**…
  - Les autres verbes (3ᵉ **groupe**) ont des terminaisons diverses à l'infinitif et ont parfois
    des formes conjuguées irrégulières : prendre → nous **pren**ons – faire → ils **fais**aient –
    apercevoir → elle **aper**çut – venir → ils **vien**dront…
- Les verbes **être** et **avoir** peuvent être utilisés seuls mais servent aussi à la conjugaison des autres
  verbes aux temps composés : dans ce cas, ce sont des **auxiliaires**. Ils n'appartiennent à aucun groupe.

Je m'exerce

1 ★ **Recopie uniquement les verbes
à l'infinitif. Sépare par un trait vertical
le radical de la terminaison.**

coupera – sentir – aimais – mettre – plier –
parler – vouloir – entendent – offrir –
descendre – noircissait – dites – prennent –
nager – avez – liras – jouer – écrivons

2 ★ **Recopie ces phrases et souligne
les verbes à l'infinitif.**

- Je suis allé faire un tour près de la rivière.
- Nous les avons vus danser sur scène.
- Les maçons viennent de bâtir une maison.
- Il va falloir fendre du bois pour l'hiver.
- Que vas-tu lui offrir pour sa fête ?

3 ★ **Recopie uniquement les verbes du 1er groupe.**

passer – jouer – saisir – apprendre – bondir – arriver – annoncer – croire – dire – étirer – lire – lier – courir – parler

4 ★ **Recopie uniquement les verbes du 2e groupe. N'oublie pas : ils se conjuguent comme** finir.

venir – abolir – définir – tenir – haïr – sortir – saisir – sentir – adoucir – partir – réussir

5 ★★ **Construis un tableau à 3 colonnes (1er groupe, 2e groupe et 3e groupe) et classe ces verbes.**

choisir – descendre – craindre – attacher – relier – franchir – blanchir – pouvoir – parier

6 ★★ **Recopie et barre l'intrus dans chaque série. Explique ton choix.**

• parier – jouer – manger – plaire – mouiller
• croire – crier – défendre – mettre – vivre
• noircir – bâtir – partir – applaudir – garnir
• vouloir – partir – atterrir – valoir – pouvoir

7 ★★ **Trouve les infinitifs de ces verbes et indique leur groupe.**

ils s'étendirent – elles viennent – tu prendras – il éblouit – vous apercevez – nous jouons

8 ★★ **Recopie et transforme les phrases comme dans l'exemple.**

Ex. : Tu nettoies ta table.
   → Tu **dois nettoyer** ta table.
• Lou coiffe ses cheveux. → Elle doit…
• Nous mangeons des légumes. → Nous devons…
• Les enfants font moins de bruit. → Ils doivent…
• Vous sortez dans le calme. → Vous devez…
• Je choisis un nouveau livre. → Je dois…

9 ★★★ **Recopie cette recette de cuisine et remplace les verbes en rouge par leur infinitif.**

Mélange trois œufs, un verre de crème fraîche et une pincée de sel dans un saladier. **Épluche** et **découpe** un oignon. **Fais** revenir l'oignon avec quelques lardons dans une poêle. Dans un plat à tarte, **dispose** une pâte feuilletée. **Verse** le contenu du saladier, l'oignon et les lardons sur la pâte. **Place** la quiche dans le four et **laisse** cuire environ 35 minutes.

10 ★★★ **Lis ce texte, donne l'infinitif des verbes conjugués en rouge et indique à quel groupe ils appartiennent.**

Josef ne dort pas. La lune diffuse une lueur inquiétante à l'intérieur de sa chambre. Elle blanchit les jouets sur les étagères de manière étrange. Josef quitte son lit, va dans la cuisine et boit un grand verre d'eau. Il retourne alors dans son lit et s'endort paisiblement.

11 ★★★ **Recopie et complète cette grille à l'aide des définitions suivantes (ce sont tous des verbes à l'infinitif).**

1. Sortir d'un lieu (3e groupe)
2. Se saisir de quelque chose (3e groupe)
3. Ne pas réussir (1er groupe)
4. Pousser des gémissements (2e groupe)
5. Décorer avec des dessins ou des photographies (1er groupe).
6. Choisir par un vote (3e groupe)
7. Devenir grand (2e groupe)

Je repère dans un texte

Dans le texte pp. 166-167, relève les six verbes à l'infinitif du premier paragraphe (lignes 1 à 13) et indique leur groupe.

J'écris

Donne des conseils aux sept chevreaux pour échapper au loup. Commence tes phrases par des verbes à l'infinitif.

Objectifs : Connaître l'ordre alphabétique.
Savoir chercher dans un dictionnaire.
Texte en lien : *Les Trois Petits Cochons*, p. 166.

Se repérer dans le dictionnaire

Je lis et je réfléchis

> ### frotter
>
> a
> b
> c
> d
> e
> **f**
> g
>
> **frotter** (verbe) ▶ conjug. n°3
> **1.** Appuyer une chose sur une autre en faisant des mouvements de va-et-vient. *Benjamin **frotte** le buffet avec un chiffon pour l'astiquer.* **2.** Accrocher et racler contre quelque chose. *Ce tiroir **frotte** quand on le ferme.* **3.** Se frotter à quelqu'un : l'attaquer ou le provoquer. *C'est un chien dangereux, il vaut mieux ne pas **s'y frotter**.*
>
> **froussard, arde** (adjectif et nom)
> Synonyme familier de peureux.
>
> **frousse** (nom féminin)
> Synonyme familier de peur.
>
> **fruste** (adjectif)
> Qui manque de raffinement. *Les bergers mènent une vie **fruste** dans la montagne.* (Syn. grossier, rude.)
>
> **frustration** (nom féminin)
> Sentiment pénible de celui qui est frustré. *Clément a ressenti une **frustration** quand ses amis sont partis en vacances sans lui.*
>
> **frustrer** (verbe) ▶ conjug. n°3
> Priver quelqu'un d'une chose sur laquelle il comptait. *Anna **est frustrée** parce qu'elle est la seule à n'avoir rien gagné à la tombola.*

Dictionnaire Hachette Junior, © Hachette Livre, 2006.

1. Observe le haut de cette page de dictionnaire. Quel repère permet de savoir par quelle lettre commencent les mots expliqués ?

2. Quel est le premier mot expliqué ?

3. À quel endroit de la page retrouve-t-on ce premier mot ? Pourquoi ?

4. Pourquoi le mot **frousse** est-il placé après le mot **froussard** ?

5. Repère les verbes. Sous quelle forme sont-ils écrits ?

Je retiens

- Dans un dictionnaire, les mots sont rangés dans l'**ordre alphabétique** :
  a – b – c – d – e – f – g – h – i – j – k – l – m – n – o – p – q – r – s – t – u – v – w – x – y – z
- **Des mots-repères** sont placés en haut des pages, pour indiquer le premier et le dernier mot de la double page.
- Quand deux mots commencent par la même lettre, on regarde les lettres qui suivent jusqu'à ce qu'il y ait deux lettres différentes : le mot **frust<u>e</u>** est rangé avant le mot **frust<u>r</u>ation** car les sixièmes lettres de ces mots sont **e** et **r** et que, dans l'alphabet, **e** est avant **r**.
- Les noms sont écrits au singulier, les adjectifs au masculin singulier et les verbes à l'infinitif.

Je m'exerce

1 ★ Recopie chaque lettre et encadre-la avec la lettre qui précède et la lettre qui suit dans l'ordre alphabétique.

... t ... – ... n ... – ... f ... – ... x ... –
... j ... – ... e ... – ... q ... – ... s ... –
... c ... – ... r ...

2 ★ Range chaque série de lettres dans l'ordre alphabétique.

- C – B – F – A – E – D
- V – U – R – T – S – W
- K – L – H – J – I – M
- Q – N – O – P – M – L
- J – I – E – G – H – F

3 ★ **Range chaque série de groupes de lettres dans l'ordre alphabétique.**

• ep – op – ap – ip – yp
• af – ac – ag – ar – ab
• opr – opp – opa – ope – opl
• frou – froi – frot – frol – fros
• boule – boulu – bouli – boula

4 ★ **Range les mots suivants dans l'ordre alphabétique.**

• chacun – bal – âme – hiver – dire
• tapis – nouveau – promesse – quarante – mesure
• yeux – voyage – tendrement – wagon – zèbre
• doux – ici – gamin – justement – inscrire

5 ★★ **Recopie chaque série de mots et barre celui qui n'est pas rangé dans l'ordre alphabétique.**

• magnifique – menteur – mouvement – musique – minuit
• grenier – gauche – gerbe – gibier – globe
• canon – chemise – comme – clochette – créateur
• pièce – plaie – pendule – postal – problème
• écrire – emporter – escalier – entier – et

6 ★★ **Recopie et range les mots suivants dans l'ordre alphabétique.**

• faussaire – faute – fautif – faucille – faux
• charmant – chariot – char – charcutier – charrette
• moderne – mode – modestie – modèle – modeste
• mercredi – mer – merci – merveilleux – merle
• indiscret – indiscutable – indignation – indirect – individuel

7 ★★ **Recopie chaque mot en gras et choisis dans la parenthèse le mot qui vient juste avant et celui qui vient juste après dans l'ordre alphabétique.**

Ex. : … **marchandise** … (marcher – mare – mardi – marche – marcassin)
    → marcassin – **marchandise** – marche

• … **coupole** … (coupure – courageux – couplet – courant – coupon)
• … **fourrure** … (fracassant – fourré – fourrière – foyer – fracasser)
• … **pneu** … (pochoir – pluvieux – poêle – poche – pluviomètre)
• … **turban** … (turboréacteur – tunisien – turbine – tunnel – turbulence)

8 ★★ **Relève les verbes écrits en gras dans ces phrases et cherche-les dans le dictionnaire.**

• On **annonce** le retour du beau temps.
• Les oiseaux **migrent** vers le sud.
• Les élèves **finissent** leur exercice.
• Victor Hugo **était** un grand poète.
• Les athlètes **s'inscrivent** pour la prochaine course.
• Ce couple d'amis **vit** à la campagne.
• Les élèves de CM2 **vont** en classe de mer.

9 ★★★ **Recopie et complète par un mot qui convient en respectant l'ordre alphabétique.**

• couper … couronne
• calepin … caméléon
• empereur … s'empresser
• pompe … pop-corn

10 ★★★ **Cherche 5 noms d'animaux dans ton dictionnaire. Indique les mots-repères des pages où tu les as trouvés.**

11 ★★★ **Recopie les affirmations suivantes et indique si elles sont vraies (V) ou fausses (F).**

• Le mot docteur peut se trouver entre les mots-repères division et domestique.
• Le mot hauteur peut se trouver entre les mots-repères hélice et hennissement.
• Le mot parce que peut se trouver entre les mots-repères parc et parchemin.
• Le mot kérosène peut se trouver entre les mots-repères karaté et kermesse.

12 ★★★ **Cherche dans ton dictionnaire la définition des mots suivants puis écris une phrase avec chacun d'eux.**

un bonsaï – exproprier – opiniâtre – indubitablement

Je repère dans un texte

Relève dans le texte pp. 166-167 les matériaux utilisés par les trois petits cochons pour construire leurs maisons.
Classe-les dans l'ordre alphabétique.

J'écris

Cherche le mot **embarcation** dans ton dictionnaire et recopie le mot-repère de la page où il se trouve, ainsi que le mot qui le précède et le mot qui le suit.

Les formes de phrases

Je lis et je réfléchis

Tous les enfants crient en même temps : « Le Père Noël ! Le Père Noël ! »,
et plus fort encore : « Où sont nos cadeaux, Père Noël ? »
Le Petit Chaperon rouge en a les oreilles toutes cassées. Père Noël ?
Le Petit Chaperon rouge n'y comprend rien : son père, **elle ne
le connaît pas ; on n'en parle même jamais à la maison**.
Et qu'est-ce que c'est que cette histoire de cadeaux ?
Les enfants la pressent et la bousculent de plus en plus…
Ils regardent dans ses poches, ils fouillent dans son panier ! Ils mettent
les doigts dans le beurre ! Quelle pagaille !

Le Petit Chaperon rouge a des soucis, Anne-Sophie de Monsabert,
avec l'aimable autorisation des éditions Albin Michel.

1. Observe la partie de phrase en gras. A-t-elle le même sens si tu supprimes les mots en vert ?
2. À quoi servent ces mots ?
3. Quel mot encadrent-ils ?
4. Comment appelle-t-on ce genre de phrase ?
5. Trouve dans le texte une phrase affirmative et transforme-la en phrase négative.

Je retiens

- Il existe deux formes de phrases :
  – la **forme affirmative** : Elle le connaît.
  – la **forme négative** : Elle **ne** le connaît **pas**.
- Pour former une phrase négative, on utilise **des mots de négation** (ne … pas, ne … plus,
  ne … jamais, ne … rien…) qui **encadrent le verbe** : Cette vieille dame **n'**entend **pas**.
- Dans une liste de plusieurs mots, on emploie la négation **ne … ni …, ni …** :
  Hugo **ne** joue **ni** du violon, **ni** de la clarinette, **ni** du saxophone.
- Tous les types de phrases peuvent être à la forme affirmative ou à la forme négative.
  Nous (ne) livrons (pas) à domicile.   Nous (ne) livrons (pas) à domicile !
  (Ne) livrons-nous (pas) à domicile ?   (Ne) livrons (pas) à domicile.

Je m'exerce

1 ★ **Construis un tableau à 2 colonnes**
(phrases affirmatives **et** phrases négatives)
et classe ces phrases.
- Reviendra-t-elle nous voir ?
- Arrêtez de tricher.
- Elena n'a plus de stylos dans sa trousse.
- Les plantes manquent d'eau.
- Faut-il vous l'apporter maintenant ?
- N'allez surtout pas voir ce film !

2 ★ **Recopie uniquement les phrases
négatives.**
- Elles ne sortent jamais après 20 heures.
- Le courage lui manque souvent.
- Zoé et Malika ne s'entendent guère.
- Il n'y a presque personne au cinéma l'après-midi.
- Reste-t-il des yaourts dans le réfrigérateur ?
- Ne faites pas attention à lui.
- N'avez-vous pas lu ce livre ?

3 ★ **Recopie ces phrases et entoure les mots qui expriment la négation.**
- Ici, on n'est pas gêné par le bruit.
- Enzo n'a plus de monnaie sur lui.
- Abdel n'aime jouer ni au football, ni au basket.
- N'ont-ils rien d'autre à nous raconter ?
- Je n'ai reconnu aucune star dans cette émission.

4 ★ **Écris 4 phrases affirmatives puis mets-les à la forme négative.**

5 ★★ **Les phrases suivantes ne sont pas correctes. Réécris-les en les corrigeant.**
Ex. : J'ai plus faim. → Je **n'**ai **plus** faim.
- J'ai pas trouvé mes chaussettes de foot.
- M'embête pas !
- Il y a plus rien à manger dans le buffet.
- Mes cousines ont encore jamais vu la mer.
- Bryan a pas gagné le tournoi de badminton.

6 ★★ **Recopie et mets ces phrases à la forme affirmative.**
- Il n'y a plus d'eau dans la casserole.
- Les bergers n'ont pas retrouvé la brebis disparue.
- Les rennes n'existent plus en Europe.
- Personne n'a aidé cet homme à traverser la rue.
- Les touristes n'ont guère de chance avec la météo.
- Félix n'est jamais monté à cheval.

7 ★★ **Recopie et mets ces phrases à la forme négative.**
- Fermez cette fenêtre.
- Est-ce que vous souhaitez rester ?
- J'ai toujours aimé les westerns.
- Ces toitures en chaume sont souvent très résistantes.
- Florian a encore mal aux dents.
- Samia raffole des éclairs au chocolat, des flans et des tartelettes aux fraises.

8 ★★ **Recopie et mets ces phrases à la forme négative en utilisant 2 structures différentes.**
Ex. : Élise fera du deltaplane.
→ Élise **ne** fera **plus** de deltaplane.
Élise **ne** fera **jamais** de deltaplane.
- Passez par ce raccourci !
- Il est interdit de chanter.
- La vache doit manger du trèfle à profusion.
- Je pourrais traverser cette rivière à la nage.
- Elle court le plus vite possible.

9 ★★★ **Transforme ces phrases déclaratives affirmatives en phrases interrogatives négatives.**
Ex. : Laura danse tous les samedis.
→ Laura **ne** danse-t-elle **pas** tous les samedis ?
- L'autocar a un peu de retard.
- Mon voisin a cassé un vase précieux.
- Cette porte est très résistante.
- La couleuvre pond des œufs.
- L'ordinateur a été remplacé.

10 ★★★ **Recopie ces phrases et indique leur type** (déclarative, interrogative, impérative, exclamative) **et leur forme** (affirmative **ou** négative**).**
- Ces oiseaux n'ont pas encore migré.
- Les feuilles se détachent lentement des branches.
- N'ont-ils pas eu une merveilleuse idée ?
- Il n'aurait jamais dû quitter son village.
- Cessez ce jeu immédiatement !
- Ne parlez jamais à des inconnus !

11 ★★★ **Écris :**
- 1 phrase déclarative à la forme négative ;
- 1 phrase interrogative à la forme affirmative ;
- 1 phrase exclamative à la forme négative.

12 ★★★ **Transforme les phrases négatives en phrases affirmatives et les phrases affirmatives en phrases négatives.**
Julie ouvre la porte. Personne n'est là. Elle a donc rêvé. Pourtant, le crissement des graviers l'a alertée. Mais elle est en sécurité.

13 ★★★ **Réponds à ces questions par des phrases négatives.**
- Manges-tu régulièrement à la cantine ?
- Pendant les vacances de Noël, comptes-tu partir ?
- As-tu bien terminé tes devoirs ?
- Est-ce que tu peux rester pour nous aider ?

Je repère dans un texte

Dans le texte pp. 172-177, relève une phrase affirmative et une phrase négative entre les lignes 24 et 40.

J'écris

Écris le règlement de ta classe en n'utilisant que des phrases négatives.

Objectifs : Connaître les classes de mots et savoir classer des mots selon leur nature.
Texte en lien : *Un tour de cochon*, p. 172.

Les classes de mots

Je lis et je réfléchis

Il était une fois un <u>roi</u> et une reine qui ne savaient plus quoi faire avec leur petite fille. En effet, la <u>princesse</u> <u>Lola</u> était une véritable casse-pieds ! **Elle** brisait toute la <u>vaisselle</u>, embêtait les <u>serviteurs</u>, tirait la <u>langue</u> aux visiteurs importants… Toutes ses <u>nounous</u> avaient rendu leur tablier et ses parents ne savaient plus comment **la** calmer. Un jour, la reine entendit parler d'une <u>nounou</u> terrible et très laide, qui était réputée pour avoir remis sur le droit chemin les pires garnements… à l'aide d'une aiguille très spéciale !

1. Comment appelle-t-on les mots soulignés ? Que désignent-ils ?
2. Fais la liste des mots placés juste devant les noms soulignés en rouge. Comment appelle-t-on ces mots ?
3. Pourquoi le mot souligné en vert commence-t-il par une majuscule alors qu'il n'est pas en début de phrase ? Comment appelle-t-on ce type de mots ?
4. Qui désignent les mots en gras ?
5. Relève au moins un verbe conjugué et un verbe à l'infinitif.
6. Relève les verbes de la troisième phrase. Que t'indiquent-ils ?
7. Que sait-on de la nounou ? Quels mots t'aideraient à la dessiner ?
8. Comment appelle-t-on ces mots ? Trouves-en deux autres dans le texte.

Je retiens

- Les mots peuvent être classés dans des catégories que l'on appelle **des classes de mots**. On dit également que chaque mot a **une nature** : nature du mot **vaisselle** : **nom**
- On distingue les classes de mots suivantes :
  - les **noms** (**noms propres** et **noms communs**) : Lola (nom propre) / roi – vaisselle (noms communs)
  - les **déterminants** : une – les – ses…
  - les **adjectifs qualificatifs** : petit – terrible – laide…
  - les **verbes** (conjugués ou à l'infinitif) : était – faire – cassait…
  - les **pronoms** : **personnels** (elle – je – la…) et **relatifs** (qui, que). Ils remplacent souvent un nom.
  - les **adverbes** : soudain – donc – beaucoup – lentement… Ils sont invariables.
  - les **prépositions** : à – près – contre – vers – en… Elles sont invariables.

Je m'exerce

1 ★ **Recopie ces mots et entoure les noms en bleu et les verbes en vert.**

rivière – chapeau – a – Félix – aperçoit –
vont – liberté – jardin – planter – lampe –
éclairage – allumeront – carrefour – jeu –
partons – découvrir – campagne – faire –
observera – plongeon – espacer – poche –
téléguideraient – chose – Afrique – partira –
agrafeuse – exécution

2 ★ **Recopie ces phrases. Entoure les noms puis souligne les déterminants.**

- La nuit, les planètes et les étoiles illuminent la voûte céleste.
- Des savants ont risqué leur vie pour faire progresser la science.
- Pour son goûter, Hakim a pris du pain, du chocolat et un fruit.
- Ma sœur et moi sommes allées à l'épicerie.

3 ★ **Recopie cette liste et barre les mots qui ne sont pas des adjectifs qualificatifs.**

plume – pinson – formidable – recouvrir – finesse – magique – lourd – des – contre – dégagerai – joyeux – trouvé – grande – scientifique – poilu – illimité

4 ★ **Recopie et relie chaque mot à sa nature.**

bibliothèque •
courageux •
voyager •
des •
Anita •
nous •

• nom
• pronom
• déterminant
• verbe
• adjectif qualificatif

5 ★★ **Cherche un mot pour chacune de ces classes de mots et fais une phrase avec.**

adjectif qualificatif – verbe – nom – préposition

6 ★★ **Recopie l'intrus de chacune de ces séries. Explique ton choix.**

• joyeux – lettre – magnifique – bon – grande
• enfant – barrière – courir – Laurent
• déboucher – raconte – nous – lire – savoir
• ils – elle – nous – donc – tu – je
• dans – à – chez – jolie – contre

7 ★★ **Construis un tableau à 4 colonnes** (déterminants, noms, adjectifs qualificatifs et verbes) **et classe les mots de ces phrases.**

• Les danseuses portent un costume bleu.
• Les coureurs amorcent une descente vertigineuse.
• Mon adorable chatte blanche est malade.
• L'air frais est agréable.
• Le public admiratif applaudit la chanteuse.
• La forêt sombre semblait abriter des êtres menaçants.

8 ★★ **Recopie ces phrases et entoure les pronoms en bleu.**

• Mon père était furieux : il venait d'accrocher sa voiture.
• Elles passaient leurs vacances en Suède.
• Mes voisines affirment vous avoir vu entrer dans cette maison.
• Aurons-nous suffisamment de temps pour terminer cet exercice ?
• Les voleurs se sont enfuis, mais les chiens les ont poursuivis jusqu'au matin.
• Timothée est allé voir sa mère, qui ne va pas très bien.

9 ★★★ **Indique la nature des mots en rouge, puis recopie ces phrases en les remplaçant par un mot de même nature.**
Tu peux t'aider d'un dictionnaire.

Ex. : Ce tableau est très **beau**. (adjectif qualificatif)
→ Ce tableau est très **grand**.

• J'aime beaucoup aller à la piscine.
• Lin vient de manger un très gros gâteau.
• Tous les samedis, nous partons faire une balade.
• Ils s'aiment énormément.
• Elles peuvent venir si tu veux.

10 ★★★ **Lis ces couples de phrases. Relève les pronoms de la deuxième phrase et indique quels mots de la première phrase ils remplacent.**

Ex. : Le peintre a terminé ses tableaux.
Ils sont exposés dans la salle des fêtes.
→ **Ils** remplace **ses tableaux**.

• Héloïse aimerait aller voir sa copine Shana. Elle demande la permission à sa mère.
• Les lionnes s'approchent du dresseur. Affamées, elles se jettent sur la nourriture qu'il lance.
• Kenzo a un examen demain. Stressé comme il est, il va avoir du mal à s'endormir.

11 ★★★ **Cherche 5 adverbes dans ton dictionnaire et écris une phrase avec chacun d'eux.**

12 ★★★ **Indique la classe de mots à laquelle appartiennent les mots en rouge.**

Soudain, la porte s'ouvrit bruyamment. Tom regarda derrière son épaule. Clara lui montra la porte en tremblant et se laissa tomber sur une chaise. Un chien à l'air féroce se trouvait sur le pas de la porte et les fixait en grognant.

Je repère dans un texte

Dans le texte pp. 172-177, relève deux verbes, deux noms communs, deux déterminants et deux adjectifs qualificatifs entre les lignes 1 et 15.

J'écris

Invente un petit texte pour dire ce que fait la princesse Lola quand arrive la nouvelle nounou. Utilise au moins cinq noms communs, deux verbes et cinq adjectifs qualificatifs.

Objectif : Identifier le verbe conjugué dans une phrase simple.
Texte en lien : *La Princesse à la boule de bowling*, p. 170.

Le verbe conjugué

Je lis et je réfléchis

Les Trois Ours étaient très fâchés : Boucles d'or avait goûté leurs céréales, cassé une chaise, essayé leurs lits…

« Cours après elle ! » ordonna Papa Ours. « Tâche de voir où elle habite. »

Petit Ours prit sa trottinette et se lança à la poursuite de Boucles d'or.

Il revient hors d'haleine.

« Elle habite à l'autre bout de la forêt », dit-il. « <u>Elle vient de **ressortir**</u>, et elle n'a pas fermé sa porte. »

« Très bien ! » dit Maman Ours. « Qu'attendons-nous ? Nous allons voir si elle apprécie, elle, qu'on lui rende visite sans avoir été invité ! »

Gwyneth Williamson et Alan Macdonald, *La Revanche des Trois Ours*, traduction de Nelle Hainaut-Baertsoen, © Mijade, 1998.

1. Relis la phrase en vert en la mettant au futur. Quel mot est modifié ? Pourquoi ?
2. Quelle est la nature de ce mot ?
3. Quelles informations te donne-t-il ?
4. Maintenant, remplace **Elle** par **Nous** dans le groupe de mots souligné. Que remarques-tu ?
5. Le verbe en gras est-il modifié ? Pourquoi ?
6. Relève cinq autres verbes conjugués dans le texte. Explique comment tu les as repérés.

Je retiens

- Dans une phrase, le verbe conjugué est **le mot qui** :
  - **exprime ce que fait le sujet** (verbe d'action) : La maison **s'écroula**.
  - **décrit l'état du sujet** (verbe d'état) : Je **suis** un ours. – Il **paraît** petit. – Elle **devient** grande. – Ils **semblent** tristes. – Nous **restons** ce soir.
- On identifie le verbe conjugué **grâce à sa terminaison** qui change selon :
  - **la personne sujet** : tu chant**es** (2e personne du singulier) – elles chant**ent** (3e personne du pluriel) – nous chant**ons** (1re personne du pluriel)
  - **le temps du texte** : elle par**t** (présent) – elle part**ait** (passé) – elle part**ira** (futur)

Je m'exerce

1 ★ **Recopie ces phrases et souligne les verbes.**

- Je travaille sur un exposé.
- Elles nagent dans la piscine.
- Nous faisions un gâteau.
- Les voitures roulent lentement.
- De belles peintures illustraient son album.

2 ★ **Recopie uniquement les verbes conjugués.**

courons – applaudissiez – agilité – sont – tranquille – sentir – perçoit – avaient – même – ennui – roue – farcit – troues – appel – bouger – fidèle – tourne – friture – boulanger – ferma – arrêtait – pleut

3 ★ **Recopie uniquement les phrases qui contiennent un verbe.**
- Nous avons bien travaillé ce matin.
- Quel talent, cet artiste !
- Arthur attendait patiemment.
- « Bilan de l'épreuve : 16 sur 20. »
- Vite ! Sortons d'ici !

4 ★★ **Recopie ces phrases et souligne les verbes conjugués. Pour t'aider à les trouver, change le temps de la phrase.**
- Les abeilles volent au-dessus des fleurs.
- Certains soirs, nous entendons le hibou dans la forêt.
- Nos amis viendront bientôt dîner chez nous.
- Nina et Paul aimaient bien jouer ensemble.
- Qui chantait le mieux à ce festival ?

5 ★★ **Recopie ces phrases. Entoure les verbes conjugués et souligne les verbes à l'infinitif.**
- Nous allons à la piscine tous les mercredis pour nager et jouer dans l'eau.
- Manger, regarder la télévision et faire une promenade dans le jardin étaient les seules activités de sa journée.
- Le mois prochain, nous partirons en Italie pour visiter Rome et Florence et passer quelques jours au bord de la mer.
- Zoé doit débarrasser la table et ranger sa chambre avant de pouvoir jouer avec Jules.
- Quelques passants observaient de loin le pauvre homme qui essayait de se relever seul.

6 ★★ **Recopie et relie pour former des phrases correctes.**

Nous •   • nous a raccompagnés en classe.
Les gendarmes •   • ai un sac à dos.
Ma petite sœur •   • avons perdu le ballon.
Un professeur •   • se garent devant la mairie.
J' •   • a retrouvé sa poupée.

7 ★★ **Recopie ces phrases. Souligne le radical des verbes et entoure leur terminaison.**
Ex. : Le journaliste parle à la radio.
- Théo range sa chambre.
- Elle jouait dans la cour.
- La Lune brille beaucoup.
- La mère d'Afeida travaille.
- Qui sonne à la maison ?

8 ★★ **Recopie uniquement les phrases dans lesquelles le verbe exprime une action.**
- Les élèves de CE2 fabriquent une mangeoire pour les oiseaux.
- La maman de Julien paraît fatiguée.
- Vous lirez ce roman captivant.
- Tu courais dans l'herbe fraîchement coupée.
- Les couleurs de ces affiches deviennent très ternes.

9 ★★ **Recopie ces phrases. Souligne les verbes et donne leur infinitif.**
- Le pêcheur dirige sa barque jusqu'au rivage.
- Ce travail me donne beaucoup de mal.
- Surprise par le réveil, Mélanie sursaute dans son lit.
- Dans la vallée, la fonte de la neige commençait.

10 ★★★ **Recopie ces phrases. Souligne les verbes conjugués et écris s'ils expriment une action ou un état.**
- Les troupeaux progressaient lentement dans la savane.
- Le Centre social restera ouvert cet été.
- Jouez-vous d'un instrument de musique ?
- Les mésanges restent à proximité de leur nid.
- On décorera la salle pour la fête.
- Nous sommes en retard dans notre projet.

11 ★★★ **Recopie ce texte. Souligne les verbes conjugués (il y en a 10) et donne leur infinitif.**
En partant à la pêche, Julien s'aperçoit que la roue de son vélo est à plat. « Je dois la réparer, sinon je ne pourrai pas rouler bien longtemps », se dit-il. Il cale une pédale contre la première marche de l'escalier pour maintenir la bicyclette, puis il démonte la roue. Le trou paraît minuscule, mais il suffit à dégonfler la chambre à air. Un peu de colle, une rustine, un coup de pompe, et Julien peut à nouveau enfourcher son vélo !

Je repère dans un texte

Dans le texte pp. 170-171, relève les verbes conjugués des trois dernières phrases.

J'écris

Écris trois phrases pour décrire ce que font les Trois Ours chez Boucles d'or. Utilise au moins deux verbes qui expriment un état et deux verbes qui expriment une action.

Objectif : Savoir conjuguer les verbes des 1er et 2e groupes au présent de l'indicatif.
Texte en lien : *Un tour de cochon*, p. 172.

Le présent des verbes des 1er et 2e groupes

Je lis et je réfléchis

– Pardon monsieur. Je suis un petit diable et je voudrais devenir gentil. Que dois-je faire ?

Le prêtre ouvrit de grands yeux :

– Tu me **demandes** ce que tu dois faire ?

– Oui, pour devenir gentil. Qu'est-ce qu'on fait, à mon âge, pour devenir gentil ?

– On <u>obéit</u> à ses parents, dit le prêtre, sans réfléchir.

– Mais je ne peux pas, monsieur. Mes parents, eux, voudraient que je devienne méchant !

Pierre Gripari, « Le Gentil Petit Diable », *Contes de la rue Broca*,
© éd. de La Table Ronde, 1967.

1. Donne l'infinitif du verbe en gras. À quel groupe appartient-il ?
2. À quelle personne et à quel temps est-il conjugué ?
3. Quelle est sa terminaison ?
4. Donne l'infinitif du verbe souligné. Appartient-il au 2e ou au 3e groupe ? Comment le sais-tu ?
5. À quelle personne et à quel temps est-il conjugué ?
6. Quelle est sa terminaison ?

Je retiens

• Au présent de l'indicatif, tous les verbes du **1er groupe** ont **les mêmes terminaisons** :
-e, -es, -e, -ons, -ez, -ent.

| je demand**e** | il, elle demand**e** | vous demand**ez** |
| tu demand**es** | nous demand**ons** | ils, elles demand**ent** |

Attention ! pour les verbes dont l'infinitif se termine en **-cer** et **-ger**, à la 1ère personne du pluriel, le **c** prend une cédille et le **g** est suivi d'un e devant **-o** (voir leçon p. 84).

• Les verbes du **2e groupe** ont aussi **les mêmes terminaisons** au présent de l'indicatif :
-is, -is, -it, -issons, -issez, -issent.

| j'obé**is** | il, elle obé**it** | vous obé**issez** |
| tu obé**is** | nous obé**issons** | ils, elles obé**issent** |

• Pour conjuguer correctement un verbe au présent de l'indicatif, il faut d'abord connaître son groupe, donc chercher son infinitif dans le dictionnaire.

Je m'exerce

1 ★ **Construis un tableau à 2 colonnes** (verbes du 1er groupe **et** verbes du 2e groupe) **et classe ces verbes conjugués au présent de l'indicatif.**

je faiblis – nous parlons – vous frémissez – tu aplatis – elles rêvent – vous grandissez – il unit – elle mange – nous bâtissons – elle adore – ils compatissent

2 ★ **Recopie ces phrases et souligne les verbes du 1er groupe conjugués au présent de l'indicatif. Entoure leurs terminaisons.**

• Qu'aimez-vous manger au petit déjeuner ?
• Les danseuses bavardent gaiement.
• C'est incroyable ce que tu ressembles à ta mère !
• Je tremble tellement que je ne peux pas boire.
• Nous jetons trop de déchets dans la nature.

3 ★ **Recopie ces phrases et souligne les verbes du 2e groupe conjugués au présent de l'indicatif. Entoure leurs terminaisons.**

- Les lionnes surgissent de la savane.
- Elle est plus mince : ça la grandit.
- Je t'avertis : c'est la dernière fois que tu viens !
- Ma sœur et moi désobéissons à nos parents, même si nous savons que c'est mal.
- Vous choisissez bien vos amis.
- Pourquoi démolis-tu ton château de sable ?

4 ★ **Recopie et complète avec e ou t.**

il s'évanoui… – on se mari… – elle rôti… – il te remerci… – elle pli… – il noirci… – il guéri… – elle se réfugi… – il obéi… – elle surgi… – il cri… – on ralenti…

5 ★★ **Conjugue les verbes suivants aux 1res personnes du singulier et du pluriel du présent de l'indicatif.**

repasser – grandir – agir – réussir – amasser

6 ★★ **Écris toutes les solutions possibles en associant les pronoms de conjugaison et les verbes conjugués.**

tu •	• plient
elle •	• rayes
elles •	• saisis
je •	• finissent
ils •	• recopie
il •	• continue

7 ★★ **Recopie et complète avec tous les pronoms de conjugaison possibles.**

Ex. : … distribue → **je, il, elle** distribue

- … épaissis
- … atterrit
- … ramassez
- … arrondissent
- … oublie

8 ★★ **Recopie et complète ces phrases avec la forme du verbe entre parenthèses qui convient.**

- L'alpiniste (franchis / franchit) un col très difficile.
- Tu (recopies / recopit) ton problème.
- Les renards (agrandissent / agrandent) leur terrier.
- Clara (échangent / échange) des perles avec sa tante.
- Le soleil (éblouit / éblouie) l'automobiliste.
- Je ne (tutoie / tutoies) personne.

9 ★★ **Recopie ces phrases et conjugue les verbes entre parenthèses au présent de l'indicatif.**

- Ils (bâtir) un nouveau hangar.
- Elle (trier) les fruits.
- Vous (réussir) votre exercice.
- Elle (agir) toujours sans réfléchir !
- Tu (apprécier) ce compliment.
- Il (distribuer) le courrier.

10 ★★★ **Recopie ces phrases et remplace les mots soulignés par un pronom de conjugaison. Conjugue les verbes entre parenthèses au présent de l'indicatif.**

- Le blé (blondir) quand vient l'été.
- Luc et toi (rajeunir) de jour en jour !
- Ma mère et moi (atterrir) à Los Angeles.
- Les associations humanitaires (nourrir) les populations déplacées.
- Les arbres de la cour (grandir) à vue d'œil.
- La luminosité (faiblir) quand les nuages s'(épaissir).

11 ★★★ **Recopie et conjugue les verbes entre parenthèses au présent de l'indicatif.**

Ma sœur (confier) ses secrets à son journal intime. Elle y (raconter) sa vie de tous les jours. J'(aimer) bien le lire quand elle n'est pas là. J'y ai appris que ses amies ne se (réjouir) pas que je joue avec elles.

12 ★★★ **Réécris ce texte au présent de l'indicatif. Les verbes à modifier sont en rouge.**

Après le dîner, Kévin a essuyé la vaisselle. Ensuite, il a franchi la porte de la cuisine et s'est retrouvé nez à nez avec… des voleurs ! Leurs silhouettes obscurcissaient toute la pièce et Kévin a bondi en les apercevant. Trop tard ! Heureusement, les parents de Kévin sont rentrés à ce moment-là. Son père, qui est policier, les a arrêtés.

Je repère dans un texte

Dans le texte pp. 172-177, trouve un verbe du 2e groupe entre les lignes 16 et 40. Conjugue-le à toutes les personnes du présent de l'indicatif.

J'écris

Utilise les verbes suivants dans un petit texte écrit au présent : regarder – applaudir – finir.

Objectifs : Connaître et manipuler les différents types d'accents et le tréma.
Texte en lien : *La Princesse à la boule de bowling*, p. 170.

Les accents et le tréma

Je lis et je réfléchis

Il était une fois une petite **sirène** qui vivait au fin fond des océans. Elle était la fille du roi des Crabes et était amoureuse du prince des Moules. Celui-ci faisait semblant d'être amoureux et profitait en **réalité** de la <u>naïveté</u> de la petite sirène : il voulait simplement l'épouser pour récupérer les trésors fabuleux de son père. Son **goût** pour les belles choses était pourtant connu de tous mais la sirène lui faisait confiance. Un beau jour, il l'emmena **à** la **fête** des crabes pour lui demander sa main.

1. Relève les différents accents présents dans ce texte.
2. Sur quelles lettres les trouve-t-on ?
3. Sur quelles autres lettres peut-on trouver chacun d'eux ?
4. Essaie maintenant de lire les mots en gras sans les accents. Que remarques-tu ?
5. Repère les différents accents placés sur la lettre **e**. Quels sons produisent-ils ?
6. Comment lis-tu le mot souligné ?
7. Que se passe-t-il si tu remplaces le **ï** par un **i** ?

Je retiens

- Les voyelles **a**, **e**, **i**, **o** et **u** prennent parfois un accent, **qui modifie généralement leur prononciation** :
  - **L'accent aigu** n'existe que sur le **e** et se prononce **[e]** : la réalité
  - **L'accent grave** peut se placer sur le **e**, qui se prononce alors **[ɛ]** : la sirène. Il se place aussi parfois sur le **a** ou le **u**. Il change la nature des mots mais ne modifie par leur prononciation :
    Il **a** faim. (verbe **avoir** conjugué au présent) / Il va **à** la piscine (préposition)
    Où es-tu ? (indique un lieu) / J'irai au cinéma **ou** à la piscine. (indique un choix)
  - **L'accent circonflexe** peut se placer sur le **e**, qui se prononce alors **[ɛ]** : la fête. Il se place aussi parfois sur les voyelles **a**, **i**, **o** et **u** mais ne modifie généralement pas leur prononciation :
    l'âne – le gîte – bientôt – le goût
- **Le tréma** se place sur le **e** ou le **i**. Il indique qu'il faut prononcer séparément les deux voyelles qui se suivent : la naïveté (na/iveté) – Noël (No/el)
Attention ! le son **[ɛ]** peut être formé par un **e** sans accent, un **e** avec accent grave ou un **e** avec accent circonflexe selon les lettres qui l'entourent : une sirène – la mer – une personne – la tête
En cas de doute, vérifie dans ton dictionnaire.

Je m'exerce

1 ★ **Construis un tableau à 3 colonnes** (accent aigu, accent grave **et** accent circonflexe) **et classe ces mots.**
méchant – un siège – frôler – une lèvre – la charité – abîmer – un frère – la lumière – une bêche – l'âge – la bonté – ménager – le musée – le cortège – août – la récréation – une fenêtre

2 ★ **Recopie et complète par é ou è. Tu peux t'aider d'un dictionnaire.**
la beaut... – un foss... – ma grand-m...re – du caf... – l'...cole – une ann...e – la rivi...re – une vip...re – la matin...e – les paupi...res – une poup...e – fi...rement – ...carter – une fl...che – g...mir

**3 ★ Recopie et complète par è ou ê.
Tu peux t'aider d'un dictionnaire.**

une gu…pe – le fr…re – arr…ter –
une enqu…te – la col…re – la gr…le –
la lumi…re – pr…ter – extr…me – la lisi…re –
le coll…ge – …tre

**4 ★ Recopie et place les accents graves
sur les e quand c'est nécessaire.**

vert – la sorciere – cher – la guerre –
un service – la mere – une averse – apres –
exprimer – un réverbere – une nouvelle –
un cimetiere – le tonnerre

**5 ★ Recopie ces mots et place les accents
qui manquent.**

une fee – menacer – reveler – le fer – relever –
la bonte – la misere – une fermeture –
une fleche – l'eternite – le succes

6 ★★ Mets ces mots au masculin.

amère → …   familière → …
la bouchère → …   une pionnière → …
la caissière → …   fière → …
une écolière → …   particulière → …

7 ★★ Mets ces mots au féminin.

un boulanger → …   premier → …
un cuisinier → …   un étranger → …
un couturier → …   entier → …
un infirmier → …   un prisonnier → …
un épicier → …   un fermier → …

**8 ★★ Recopie ces mots et place l'accent
circonflexe sur la voyelle qui convient.
Tu peux t'aider d'un dictionnaire.**

un baton – drole – une ile – un role – aussitot –
un batiment – le diner – grace – couter – palir –
la fraicheur – murir – un roti – un traineau –
une patisserie – un hotel

**9 ★★★ Lis ces phrases puis recopie-les
en plaçant les accents nécessaires.**

• Mon pere a decide de me faire faire des dictees
  et des redactions.
• Nous avons visite une etable et une bergerie
  dans une ferme.
• Par la lucarne, Louis a aperçu un lievre.
• L'ane marchait derriere son maitre.
• Cette assiette de cereales etait delicieuse.

**10 ★★★ Lis ces phrases puis recopie-les
en plaçant les accents aigus et graves
nécessaires. Attention ! tu dois aussi placer
10 accents circonflexes.**

• Ma grand-mere est partie a l'hopital pour passer
  un examen medical de controle.
• J'ai un gout desagreable dans la bouche : l'oseille
  dans cette salade etait trop amere.
• Le bucheron a coupe des chenes et des hetres
  a l'entree de la foret.
• Apres une serieuse enquete, le commissaire
  a retrouve le criminel.
• Malgre son jeune age, cette fillette est tres mure.

**11 ★★★ Recopie ces mots et ajoute
un tréma ou un point sur les i.**

naif – mélodieux – le mais – un buisson –
haissable – la gaieté – une mosaique – égoiste –
une coincidence – de la faience

**12 ★★★ Recopie et place un accent grave
sur le u quand c'est nécessaire. N'oublie pas :
où indique un lieu et ou un choix !**

• Préfères-tu faire la sieste ou aller à cette fête ?
• T'a-t-il dit ou il allait ?
• Partir ou rester, telle est la question !
• J'hésite entre deux possibilités : y aller à vélo
  ou prendre la voiture.
• Je me demande ou ils sont tous passés.

**13 ★★★ Trouve les mots qui correspondent
à ces définitions et écris-les avec l'accent
qui convient.**

• Je suis très méchante et apparais souvent
  dans les contes.
• On peut m'ouvrir quand il fait chaud.
• C'est là que vivent les fourmis.
• C'est la saison la plus chaude.

Je repère dans un texte

Dans le texte pp. 170-171, relève tous les mots
qui ont un accent entre les lignes 1 et 8.
Classe-les dans un tableau.

J'écris

Écris ce qui arrive à la petite sirène à la fête
des crabes. Utilise au moins un mot avec chaque
type d'accent et un mot avec un tréma.

Objectifs : Savoir lire et comprendre un article de dictionnaire.
Texte en lien : *Un tour de cochon*, p. 172.

Comprendre les articles du dictionnaire

Je lis et je réfléchis

arrangeant

a
b
c
d
e
f
g
h

arrangeant, ante (adjectif)
Qui accepte de s'arranger, de se mettre d'accord. *Il a payé son loyer avec un peu de retard mais sa propriétaire est **arrangeante**.* (Syn. accommodant, conciliant.)

arrangement (nom masculin)
1. Manière d'arranger. *Avec ce nouveau bureau, il faudra changer l'**arrangement** de ta chambre.* 2. Accord pour résoudre un conflit. *Au lieu de faire un procès, il vaudrait mieux trouver un **arrangement**.*

arrêter (verbe) ▶ conjug. n°3
1. Empêcher quelqu'un ou quelque chose d'avancer. *Papa **a arrêté** sa voiture devant la porte.* 2. Faire cesser. *On a dû **arrêter** le match à cause de la pluie. Zoé **s'est** brusquement **arrêtée** de pleurer.* 3. Faire prisonnier. *Les policiers **ont arrêté** les cambrioleurs.* 4. Fixer son choix. *Nous devons **arrêter** la date de notre départ avant de retenir nos billets.* (Syn. décider.) 5. S'arrêter : cesser de fonctionner. *La pendule vient de s'**arrêter**.* 6. S'arrêter : faire une halte, un arrêt. *Pierre **s'est arrêté** pour se reposer.* ☺ Famille du mot : arrestation, arrêt, arrêté.

1. Quels sont les mots expliqués dans ces articles de dictionnaire ?
2. À quelle classe grammaticale appartient chacun d'eux ?
3. Pourquoi le mot **arrangeant** est-il immédiatement suivi de **,ante** ?

4. À quoi servent les phrases écrites en italique ?
5. Combien y a-t-il de définitions données pour le mot **arrêter** ? À quoi correspondent ces différentes définitions ?
6. Par quoi se termine cet article ?
7. Lis la parenthèse à la fin de la définition de **arrangeant**. Que signifie **Syn.** ? Relève d'autres abréviations.

Je retiens

• Les articles du dictionnaire présentent pour chaque mot sa **classe** (nom, adjectif, verbe...), **sa définition** et **des exemples** qui aident à comprendre sa signification :
Arrestation (nom féminin) – Fait d'arrêter quelqu'un pour l'emprisonner. *Le commissaire a procédé à l'arrestation de plusieurs suspects.*
• Quand le mot défini est un nom ou un adjectif, il est souvent suivi de sa forme au féminin : chanteur, se – arrangeant, e
• Quand un mot a plusieurs sens, les différentes définitions sont numérotées.
• En plus des définitions, l'article peut contenir beaucoup d'autres renseignements, comme par exemple **les mots de même famille** ou **les expressions formées avec le mot** : la définition de l'expression **en avoir le cœur net** se trouve dans l'article du mot **cœur**
• Il peut également renvoyer à **des tableaux** ou à d'autres articles : **arrêter (verbe) → conjug. 3** renvoie à un tableau de conjugaison présent dans le dictionnaire.
• Certains dictionnaires utilisent **des abréviations** pour gagner de la place :
v. → verbe – syn. → synonyme – cont. → contraire

Je m'exerce

1 ★ **Recopie et relie chaque mot à son abréviation.**

synonyme •	• fig.	familier •	• nom m.
adjectif •	• v.	nom masculin •	• adv.
figuré •	• conj.	nom féminin •	• contr.
verbe •	• adj.	contraire •	• nom f.
conjugaison •	• syn.	adverbe •	• fam.

2 ★ **Cherche ces mots dans ton dictionnaire et trouve à quelle classe ils appartiennent.**

vivier – farouche – moi – brièvement – opter

3 ★ **Cherche ces mots dans ton dictionnaire et recopie leur définition.**

larynx – diaphane – voilage – ostréiculture

4 ★ **Recopie l'article ci-dessous et souligne :**
– la classe du mot en vert ;
– la définition en bleu ;
– les exemples en rouge ;
– les autres informations en noir.

Pondre (verbe) ➤ conjug. n° 31
Produire un œuf. *Les oiseaux, les reptiles, les poissons, les insectes* **pondent** *des œufs.* Pondre vient du latin *ponere* qui signifie « déposer ».

Dictionnaire Hachette Junior, © Hachette Livre, 2006.

5 ★★ **Cherche ces mots dans ton dictionnaire, puis relève des mots de même famille.**

sincère – journal – ponctuel – animer – vingt

6 ★★ **Cherche dans ton dictionnaire des expressions formées à partir des mots suivants.**

prix – pied – œil

7 ★★ **Cherche les mots en rouge de ces phrases dans ton dictionnaire et recopie la définition qui correspond au sens de la phrase.**
• Le skieur descendra la pente à vive allure.
• Cette jeune femme se remet de la poudre.
• À cause de son rhume, il garderait bien le lit.
• Attends que l'eau refroidisse avant de la boire !
• Mon père a acheté une vieille voiture.
• Le vent violent balaie tout sur son passage.

8 ★★★ **Recherche les mots en rouge dans le dictionnaire puis recopie seulement la phrase qui correspond à leur sens.**
• nostalgique :
a) Un chant d'amour nostalgique est très gai.
b) Ce chant nostalgique me rend triste.
c) Un chant nostalgique n'a pas de refrain.
• funeste :
a) Un avenir funeste est un avenir prometteur.
b) Un avenir funeste est un avenir malheureux.
c) Un avenir funeste est un avenir joyeux.

• se pavaner :
a) Se pavaner signifie se faire remarquer en se donnant de l'importance.
b) Se pavaner signifie faire une bonne affaire.
c) Se pavaner signifie se promener.

9 ★★★ **Ces définitions et ces exemples contenus dans des articles de dictionnaire ont été mélangés. Réécris ce qui va ensemble.**
• Définitions :
a) Caractérisé par une douleur aiguë qui s'atténue puis revient.
b) Synonyme de coléreux.
c) Se déformer en se bombant.
d) Qui a entre quatre-vingts et quatre-vingt-neuf ans.
e) Qui est en pente raide.
• Exemples :
1. *L'arrière-grand-mère de Fatima est* **octogénaire**.
2. *Sa blessure lui provoque des douleurs* **lancinantes**.
3. *Un sentier* **escarpé** *mène au sommet de la colline.*
4. *Son mal de dents le rend très* **irascible**.
5. *Le carton a reçu la pluie ; il s'est* **gondolé**.

10 ★★★ **Cherche ces mots dans le dictionnaire et écris une phrase pour chacun de leurs sens.**

éclair – incorrect – côte – œuvre – désigner

11 ★★★ **À quel mot faut-il chercher chacune des expressions suivantes dans le dictionnaire ?**
• Être en bonne intelligence avec quelqu'un.
• Faire honneur à un repas.
• Avoir la folie des grandeurs.
• Être dans ses petits souliers.

Je repère dans un texte

Dans le texte pp. 172-177, retrouve une expression formée à partir du mot **ventre** entre les lignes 41 et 55. Cherche ensuite dans ton dictionnaire d'autres expressions formées à partir de ce mot.

J'écris

Choisis un mot et écris un article de dictionnaire sur lui. Attention ! n'oublie aucune rubrique.

Ponctuer un dialogue

Je cherche

1. Lis le début de *Poucette*.

Il y avait une fois une femme qui aurait bien voulu avoir un tout petit enfant,
mais elle ne savait pas du tout comment elle pourrait se le procurer ; elle alla donc
trouver une vieille sorcière, et lui dit :

« J'aurais grande envie d'avoir un petit enfant, ne veux-tu pas me dire où
je pourrai m'en procurer un ?

– Si, nous allons bien en venir à bout ! dit la sorcière. Tiens voilà un grain d'orge,
il n'est pas du tout de l'espèce qui pousse dans le champ du paysan, ou qu'on donne
à manger aux poules, mets-le dans un pot, et tu verras ! »

H. C. Andersen, traduit par A. C. La Chesnais, *Poucette et autres contes*, © Le Livre de Poche Jeunesse, 2003.

2. Quels signes de ponctuation indiquent que la femme va prendre la parole ?

3. Quel signe de ponctuation indique qu'un autre personnage prend la parole ?

4. Quel signe de ponctuation indique la fin du dialogue ?

Je réfléchis

1. Voici un extrait de *Blanche-Neige*. Lis-le une première fois en entier.

Quelques instants après, [...] sept petits hommes entrèrent. [...]

« Qui s'est assis sur ma chaise ? demanda le premier.

– Qui a mangé dans mon assiette ? fit le deuxième.

– Qui a touché à mon pain ? s'écria le troisième.

– Qui a mangé de mes légumes ? murmura le quatrième. »

Jacob et Wilhelm Grimm, « Blanche-Neige », *Contes de Grimm*,
adapté par Gisèle Vallerey, © Fernand Nathan, 1934.

2. Fais la liste des verbes qui indiquent qu'un personnage parle (ce sont des verbes de parole).

Je m'exerce

1. Recopie la suite du conte et rétablis la ponctuation du dialogue qui a disparu.

Les nains se regardèrent Si tu veux, fit l'un d'eux, tu peux rester chez nous Seulement,
je te préviens, il te faudra travailler J'aime mieux travailler que d'avoir toujours peur,
dit Blanche-Neige en souriant de plaisir Que faudra-t-il faire Il faudra tenir notre
maison, dit l'un Faire la cuisine et les lits, ajouta l'autre.

J'ai compris

- La ponctuation du dialogue sert à **indiquer que des personnages prennent la parole** :
  - **les deux-points** indiquent qu'un dialogue va commencer ;
  - **les guillemets** indiquent le début et la fin du dialogue ;
  - **les tirets** indiquent qu'un autre personnage prend la parole.
- **Certaines phrases indiquent qui parle** : elles ne sont pas prononcées par les personnages.

Désigner un personnage

Je cherche

1. Lis ce texte.

Quand il arriva tout en haut, sur le plus haut sommet, il se trouva devant un énorme géant qui était là, assis, et qui contemplait placidement le paysage devant **lui**.
– Salut, **camarade** ! lui lança le petit tailleur. Alors, on contemple le vaste monde ? Moi, je viens juste de me mettre en route pour aller à l'aventure. Cela **te** dirait de m'accompagner ?
Le géant le considéra dédaigneusement et dit :
– Minable avorton ! Pauvre guenille !
– Vraiment ? fit le petit tailleur en ouvrant sa veste pour laisser voir sa ceinture au géant : là, **tu** peux lire quelle sorte d'homme je suis !
« SEPT D'UN COUP », lut le géant ; et, croyant qu'il s'agissait d'hommes que le tailleur avait tués, **il** accorda au petit homme un tout petit peu plus de considération.

Jacob et Wilhelm Grimm, *Le Vaillant Petit Tailleur*, traduction d'Armel Guerne,
coll. « Castor Poche », © Flammarion.

2. Combien de personnages prennent la parole dans ce texte ? Nomme-les.
3. Observe les mots en gras. Quel personnage désignent-ils ?

Je réfléchis

1. Lis ces phrases qui résument *La Belle au bois dormant*.

Il y avait dans le temps un roi et une reine qui voulaient avoir un enfant. La reine donna enfin naissance à une fille ; mais le jour de ses quinze ans, la jeune princesse se piqua à un fuseau. Elle tomba dans un profond sommeil. Bientôt, circula dans le pays la légende de la belle Fleur-d'Épine endormie sous les ronces.

2. Relève les mots ou groupes de mots qui désignent l'héroïne du conte.
3. À quelle classe de mots appartiennent-ils ?

Je m'exerce

1. Recopie le texte suivant et complète-le avec des mots ou groupes de mots qui conviennent.

Il était une fois un bûcheron et une bûcheronne qui avaient …, tous garçons. … n'avait que sept ans. … n'était guère plus gros que le pouce, ce qui fit qu'on l'appela … .

J'ai compris

• Un personnage peut être désigné par :
– **son nom** : la Belle au bois dormant
– **un pronom** : Le géant le considéra dédaigneusement. → **Il** le considéra dédaigneusement.
– un groupe de mots appelé **un substitut** : la jeune princesse – Fleur-d'Épine
• L'utilisation des pronoms et des substituts pour reprendre le nom du personnage permet d'**éviter les répétitions**.

Évaluation

Grammaire

1 **Quel est le type de cette phrase ?**

Jouez à ce que vous voulez, mais cessez de pousser des hurlements.

a. déclarative

b. interrogative

c. exclamative

d. impérative
Voir p. 14

2 **Quel signe de ponctuation manque-t-il à la fin de cette phrase ?**

Aurons-nous assez de pommes pour faire une tarte pour huit personnes …

a. un point d'exclamation

b. un point d'interrogation

c. une virgule

d. deux-points
Voir p. 16

3 **Par quel signe de ponctuation faut-il compléter cette phrase ?**

Au musée d'Orsay… j'ai vu ce tableau de Courbet.

a. trois points de suspension

b. deux-points

c. une virgule

d. des guillemets
Voir p. 16

4 **Quelle phrase est à la forme affirmative ?**

a. Elles n'ont lu aucun livre pendant les vacances.

b. Mélyne a-t-elle fait une sieste ?

c. Joseph et Abdel n'ont jamais été amis.

d. Il ne pleut plus depuis des semaines.
Voir p. 28

5 **À quelle classe appartiennent ces mots ?**

chaise – table – chapeau – renard

a. déterminants

b. adverbes

c. adjectifs qualificatifs

d. noms communs
Voir p. 30

6 **Quelle liste contient des adjectifs qualificatifs ?**

a. pouvoir – faiblir – découper

b. de – vers – contre

c. fade – courageuse – important

d. mes – notre – leur
Voir p. 30

Conjugaison

7 **À quel temps cette phrase est-elle ?**

Après une ascension difficile, les grimpeurs arrivèrent enfin au sommet du massif.

a. passé

b. présent

c. futur
Voir p. 18

8 **Observe le verbe en rouge dans cette phrase. Où se situe la bonne séparation entre le radical et la terminaison du verbe ?**

Aujourd'hui encore, le lapin échappera aux chasseurs.

a. échap/pera

b. échapper/a

c. échapp/era

d. échappe/ra
Voir p. 22

9 **À quelle personne correspond le pronom de conjugaison en rouge dans cette phrase ?**

Vous pourriez être un peu plus gentils avec ta petite sœur.

a. 1re personne du singulier

b. 3e personne du pluriel

c. 2e personne du pluriel

d. 2e personne du singulier
Voir p. 22

10 **Quel est l'infinitif du verbe en rouge dans cette phrase ?**

Les pompiers sauveront les accidentés.

a. savoir

b. sauver

c. savourer

d. sauter
Voir p. 24

11 **À quel groupe appartiennent les verbes** choisir **et** rugir **?**

a. 1er groupe

b. 2e groupe

c. 3e groupe

d. aucun, ce sont des auxiliaires
Voir p. 24

12 Quel mot est le verbe conjugué dans cette phrase ?

Dans la bonne humeur, les enfants décoraient leurs vélos pour la fête.

a. humeur
b. enfants
c. décoraient
d. fête Voir p. 32

13 Dans quelle phrase le verbe exprime-t-il un état ?

a. Hafida et Noélie jouent à chat perché.
b. L'orage semble violent.
c. Le peintre nettoie soigneusement ses pinceaux.
d. Les mariés échangent leurs alliances. Voir p. 32

14 Quelle est la forme correcte du verbe continuer conjugué au présent de l'indicatif et à la 1re personne du singulier ?

a. je continu
b. je continus
c. je continue
d. je continut Voir p. 34

15 Dans quelle phrase le verbe rugir est-il conjugué au présent de l'indicatif ?

a. Le lion a rugi de plaisir.
b. Le lion rugit de plaisir.
c. Le lion rugira de plaisir.
d. Le lion rugissait de plaisir. Voir p. 34

Orthographe

16 Recopie et relie chaque nom au nombre et au genre qui conviennent.

```
                    •   poire   •
masculin •          •   tables  •        • singulier
féminin •           •   cailloux •       • pluriel
                    •   tabouret •
                    • téléphones •
```
Voir p. 20

17 Quelle phrase est correctement écrite ?

a. Les sorciers sur leurs balaix entrent dans le château par le pont-levis.
b. Les sorcières sur leurs balais sont entrées dans le châteaux.
c. Les sorcières sur leurs balais entrent dans le château par le pont-levis.
d. Les sorcières sur leurs balais entrent dans le château par la pont-levis. Voir p. 20

18 Dans quelle liste les e en rouge devraient-ils avoir un accent grave ?

a. la fete – une fenetre – la tete
b. une riviere – un lievre – une infirmiere
c. la mer – terrible – une perdrix
d. une annee – la bonte – une dictee Voir p. 36

19 Dans quelle liste les lettres en rouge devraient-elles avoir un tréma ?

a. mélodieux – un buisson – moelleux
b. la croute – brulant – une ile
c. la gaieté – citoyen – aigu
d. une mosaique – égoiste – du mais Voir p. 36

Vocabulaire

20 Observe cette liste de mots classés dans l'ordre alphabétique. Entre quels mots devrais-tu ranger le mot devoir ?

dévisager – devise – dévisser – dévoiler – dévolu – dévorer – dévouement

a. entre dévisager et devise
b. entre dévisser et dévoiler
c. entre dévoiler et dévolu
d. entre dévorer et dévouement Voir p. 26

21 Dans le dictionnaire, à quel mot vas-tu chercher la définition du verbe de cette phrase ?

L'entraîneur motivera son équipe avant le coup d'envoi.

a. motivera
b. motif
c. motiver
d. motivation Voir p. 26

22 À quel mot va-t-on trouver cet extrait d'article dans le dictionnaire ?

Ce qu'on a décidé de faire. *Nathalie a l'intention d'aller au cinéma ce soir.* (**Syn.** dessein, projet)

a. aller
b. intention
c. cinéma
d. soir Voir p. 38

23 Dans l'article du dictionnaire concernant le mot appeler, que signifie l'indication conjug. 3 ?

a. que c'est un verbe du 3e groupe
b. qu'il faut chercher sa conjugaison à la page 3
c. que sa conjugaison est sur le modèle du tableau de conjugaison n° 3
d. qu'il y a 3 définitions pour ce mot Voir p. 38

Grammaire

Objectifs : Connaître et manipuler les différents composants du groupe nominal.
Texte en lien : *Tirez pas sur le scarabée !*, p. 184.

Le groupe nominal

Je lis et je réfléchis

Le lendemain matin, **la Grue couronnée** fut retrouvée noyée.
– Elle s'est suicidée par désespoir ! crièrent la Chouette rayée de Madagascar, la Mouette aux yeux blancs, la Poule de Barbarie et l'Hirondelle du Sénégal. Elle s'est rendu compte que nous étions aussi belles qu'elle ! Elle ne l'a pas supporté, voilà l'explication.
Sherlock Yack arpentait le ponton. À chaque fois, il manquait de trébucher sur **le cadavre qui avait toujours la tête plongée dans l'eau**. Il vit qu'**un petit papier** flottait tout près. Il s'accroupit et parvint à le saisir. Le papier était mouillé, certes, mais les mots avaient été tracés **au crayon de bois**, si bien qu'ils n'avaient pas été dilués par l'eau.

Michel Amelin, *Sherlock Yack zoo-détective – Qui a zigouillé le Koala ?*, © éd. Milan, 2007.

1. À l'intérieur de chaque groupe en gras, repère le nom principal et supprime le ou les mots qui peuvent l'être.
2. À quelle classe grammaticale appartient chacun des mots qui restent ?
3. À quoi servent les mots que tu as supprimés ?
4. Dans les groupes de mots soulignés, à quelles classes grammaticales appartiennent les mots que tu as supprimés ?

Je retiens

- Le groupe nominal est composé le plus souvent d'au moins **un déterminant et un nom** :
  le ponton – le papier – les mots – la France
- Souvent, d'autres mots apportent des informations supplémentaires sur le nom principal (**nom-noyau**) du groupe nominal. Ce sont :
  - **des adjectifs qualificatifs** : la Grue **couronnée** – un **petit** papier (voir leçon p. 74)
  - **d'autres noms** ou **groupes nominaux** introduits par une préposition :
    un crayon **de** bois – une boîte **en** plastique
  - des groupes de mots dans lesquels on trouve un verbe, appelés **propositions relatives** :
    L'oiseau **qui construit son nid**. (voir leçon p. 146)
  Ces précisions sont appelées **des expansions du nom**. Elles peuvent être supprimées.
- Dans un même groupe nominal, il peut y avoir plusieurs expansions du nom.
  La vieille bicyclette de mon grand-père.
adjectif   groupe nominal

Je m'exerce

1 ★ **Recopie uniquement les groupes nominaux, puis souligne les noms-noyaux.**
une immense plage – Il dort beaucoup. – Écrivez correctement. – la cour de récréation – un petit porte-monnaie en cuir – Bonjour ; tu vas bien ? – une jolie cravate rayée

2 ★ **Recopie chaque groupe nominal. Encadre le nom-noyau et souligne l'expansion du nom.**
un vent favorable – la spécialité de la région – un mouchoir en papier – une bonne affaire – un ami qui pense à toi – une grande caisse à outils

3 ★ **Recopie ces phrases et souligne les groupes nominaux.**

- L'Amérique est un très grand continent.
- Les grands-parents de Damien habitent dans le Sud de la France.
- Nous sommes allés à un festival de jazz.
- Les agents de police vérifient les papiers du conducteur.
- Les promeneurs ont aperçu un chevreuil qui traversait la clairière.

4 ★★ **Recopie ces phrases en ne conservant que le déterminant et le nom-noyau de chaque groupe nominal.**

Ex. : **Des arbres** fruitiers poussent dans **le jardin** de ma tante.
→ Des arbres poussent dans le jardin.

- Des tuiles rouges recouvrent le toit de la maison.
- La reine de ce palais se regarde dans un miroir magique.
- Les vaches qui sont dans le pré broutent l'herbe tendre.
- Les nuages noirs qui s'amoncellent annoncent une averse abondante.
- Dans la boulangerie qui est au coin de la rue, on vend des tartes au citron délicieuses.

5 ★★ **Recopie et complète chaque nom par une expansion du nom.**

- Un lion rugit.
- Ce jeu coûte cher.
- Tu attends près de l'entrée.
- Elle m'a offert un cadeau.
- Les oiseaux gazouillent.

6 ★★ **Construis un tableau à 3 colonnes (adjectifs, noms et propositions relatives) et classe les expansions du nom en rouge dans ce texte.**

Dans un lointain royaume, vivait un roi qui possédait trois chevaux sauvages : un cheval d'or, un cheval d'argent et un cheval de bronze. Un jour, la reine accoucha d'une jolie petite fille. On organisa un somptueux banquet pour fêter cet heureux événement. À la fin du repas, une fée qui avait été invitée prononça ces paroles : « Le jeune homme qui réussira à dompter les chevaux du roi pourra épouser la princesse. »

7 ★★ **Recopie et complète ce texte avec les expansions du nom proposées.**

menaçant – de pierre – qui était couvert de hiéroglyphes – électrique – du musée – des antiquités égyptiennes – immenses

Le gardien … alluma sa torche … et pénétra dans la salle …. Dans l'obscurité, les … statues … prenaient un aspect …. Il s'arrêta devant un sarcophage ….

8 ★★★ **Recopie ces phrases et remplace l'expansion de chaque nom souligné par une expansion de même type.**

Ex. : Elle met son pull dans un <u>sac</u> **de toile**. (nom)
→ Elle met son pull dans un sac **à dos**. (nom)

- La chouette pousse un <u>hululement</u> sinistre.
- Fabrice mange une <u>glace</u> au cassis.
- Le boulanger vend des <u>baguettes</u> croustillantes.
- Une magnifique <u>montgolfière</u> vole dans le ciel bleu.
- La <u>clé</u> de la cave a disparu.

9 ★★★ **Recopie ces phrases et remplace l'expansion de chaque nom souligné par une expansion de type différent.**

Ex. : Mona range son <u>cahier</u> **de textes**. (nom)
→ Mona range son cahier **bleu**. (adjectif)

- Amina achète une <u>plante</u> verte.
- Ces <u>chaussures</u> de sport coûtent cher.
- Elles prennent le <u>sentier</u> qui mène au lac.
- Les élèves jouent avec un <u>ballon</u> de rugby.
- Un <u>parc</u> immense borde ce bâtiment.
- Le <u>film</u> que j'ai vu hier m'a ému.

10 ★★★ **Recopie ce texte et complète les noms en rouge par au moins une expansion du nom.**

Dans le ciel roulaient des nuages. Des gouttes ne tardèrent pas à s'écraser sur le sol. Sur la route, les promeneurs pressèrent le pas.

Je repère dans un texte

Dans le texte pp. 184-185, recopie les groupes nominaux des lignes 1 à 7. Dans chaque groupe, souligne le nom principal, encadre les déterminants et surligne l'expansion du nom.

J'écris

Au cours d'un voyage, tu as découvert un étrange animal. Rédige son portrait détaillé.

Objectifs : Comprendre la fonction du sujet par rapport au verbe. Savoir ce que peut être un sujet.
Texte en lien : *Touchez pas au roquefort !*, p. 182.

La fonction sujet

Je lis et je réfléchis

Maître Renard, Compère Loup et Frère Ours commençaient
à s'impatienter lorsqu'enfin on frappa à la porte.
« Les voilà ! » s'écria Renard en allant ouvrir.
Sur le seuil se tenaient deux énormes dogues à la mine patibulaire.
« Moi, c'est Bull, grogna celui qui portait un chapeau noir.
– Et moi Mastiff, lança d'une voix sourde celui qui portait un chapeau rouge.
– Entrez, fit Maître Renard. Nous vous attendions, mes amis et moi. »
Bull et Mastiff **étaient** deux tueurs à gages de la forêt voisine. Leur nom
suffisait à glacer de terreur même les animaux les plus féroces.

Alain Royer, *Jojo Lapin détective*, © Hachette Jeunesse –
Ma Première Bibliothèque Rose, 2001.

1. Identifie les sujets des verbes en gras. Comment les as-tu trouvés ?
2. Où sont-ils placés par rapport aux verbes ?
3. À quelle classe de mots appartiennent les sujets que tu as trouvés ?
4. Trouve le premier verbe conjugué de la première phrase. Remplace son sujet par le pronom
de conjugaison qui convient. Explique ton choix.
5. Identifie le sujet de chaque verbe souligné. Que remarques-tu ?

Je retiens

• Le verbe s'accorde en genre et en nombre avec son sujet : le sujet **commande** le verbe.
Pour identifier le sujet, on peut reformuler la phrase à l'aide de **C'est... qui...**
(ou **Ce sont... qui...**) : Maître Renard commence à s'impatienter. → **C'est** Maître Renard
qui commence à s'impatienter.
• Le sujet peut être :
 – un nom ou un groupe nominal : **Des animaux féroces** vivent dans la forêt.
 – un nom propre : **Bull** et **Mastiff** étaient deux tueurs à gages.
 – un pronom de conjugaison : **Nous** frappons à la porte.
 Attention ! le sujet est parfois placé après le verbe : c'est un **sujet inversé**. C'est le cas pour
les phrases interrogatives : Où rangez-**vous** vos classeurs ? – Sur quel océan navigue **ce voilier** ?
 • Un sujet peut **commander plusieurs verbes** : **Paul** déjeuna puis rangea sa chambre.

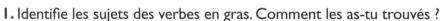

sujet   verbe 1   verbe 2

Je m'exerce

1 ★ **Recopie ces phrases et souligne les sujets. Aide-toi de la formule**
C'est... qui... **ou** Ce sont... qui....
• Thomas prend des cours de guitare.
• Les premiers clients arrivent dans le magasin.
• Au fond de cette vallée coule une petite rivière.
• Dessinez-vous cette fleur ?

2 ★ **Recopie ces phrases. Encadre le verbe et souligne le sujet.**
• Aujourd'hui, Marie fête son anniversaire.
• Je traduis un texte en anglais.
• Sur la piste s'entraînent des athlètes.
• Le chat noir de mon voisin dort au soleil.
• Ton père et toi préparez vos bagages.

3 ★ **Recopie et complète ces phrases avec le sujet qui convient.**

Adèle – Mon chien – Nous – La France – Tu

- … quittons la pièce en courant.
- … rentre à pied de l'école.
- … compte plus de soixante millions d'habitants.
- Mélanges-… le rouge et le bleu ?
- … s'appelle Rex.

4 ★★ **Recopie ce texte. Encadre les verbes et souligne les sujets.**

Les cyclistes roulent depuis plusieurs heures. Sur le bord de la route, quelques spectateurs encouragent les sportifs. « Ils sont maintenant à trente kilomètres de l'arrivée », commente un journaliste. Soudain, trois coureurs accélèrent. Ils sèment rapidement le reste du peloton.

5 ★★ **Construis un tableau à 3 colonnes (groupe nominal, pronom de conjugaison et nom propre) et classe les sujets de ces phrases.**

- Madrid est la capitale de l'Espagne.
- Vous cherchez des renseignements sur Internet.
- Ton neveu allume son téléphone portable.
- Ce soir elles chantent à l'Opéra.
- Soudain surgit un tigre féroce.
- « À quelle heure arrive-t-il ? » demande Zoé.

6 ★★ **Recopie ces phrases et remplace les sujets soulignés par un pronom de conjugaison.**

Ex. : Mon amie et sa sœur se rendent au gymnase.
→ **Elles** se rendent au gymnase.

- Clémence et moi choisissons un cadeau.
- Julien et Moussa partent en classe de neige.
- Ton frère et toi chantez à tue-tête.
- Benoît et sa mère regardent la télévision.
- Elsa et Alice étudient leur leçon de géographie.

7 ★★ **Recopie et remplace le sujet de chaque phrase par un pronom de conjugaison.**

- Tous les animaux de la ferme se réunissent autour du canard.
- Cette princesse est prisonnière d'une sorcière.
- Mes anciens camarades de classe et moi organisons régulièrement des pique-niques.
- Les nageuses de l'équipe nationale participent aux Jeux olympiques.

8 ★★ **Recopie ces phrases et remplace les pronoms de conjugaison sujets par un groupe nominal.**

- Il habite cette maison au milieu des bois.
- Elles dégustent un gâteau au chocolat.
- Elle frappe à la porte.
- Ils essuient la vaisselle.

9 ★★★ **Recopie uniquement les phrases dans lesquelles le mot ou groupe de mots en rouge est un sujet.**

- Le Salon du livre a lieu dans une semaine.
- Au cœur de cette forêt vit un énorme dragon.
- Le directeur de la banque arrive de bonne heure.
- À travers les branches passent les rayons du soleil.
- Hervé et moi écoutons du rap.
- Aimes-tu la glace à la vanille ?

10 ★★★ **Recopie ces phrases et remplace leurs sujets par des sujets de même classe grammaticale.**

Ex. : **Les oiseaux** migrent en hiver. (groupe nominal)
→ **Les hirondelles** migrent en hiver. (groupe nominal)

- Un grand nombre de touristes visitent ce musée.
- Il encourage les joueurs d'une voix forte.
- La lionne chasse pour nourrir ses petits.
- Léa joue très bien du piano.

11 ★★★ **Construis des phrases en inventant un sujet selon la nature demandée entre parenthèses. N'oublie pas de conjuguer les verbes au présent de l'indicatif.**

- (Pronom) participer à un concours de danse.
- (Nom propre) écrire un e-mail à son oncle.
- (Groupe nominal) surveiller attentivement la porte d'entrée.
- (Noms propres) découvrir la tombe d'un pharaon.
- (Groupe nominal) parfumer agréablement la pièce.

Je repère dans un texte

Dans le texte pp. 182-183, relève plusieurs types de sujets (un nom, un groupe nominal et un pronom de conjugaison) entre les lignes 1 et 6. Puis recherche un sujet inversé.

J'écris

Écris quelques phrases pour décrire les dogues du texte de la p. 46. Utilise au moins trois types de sujets différents.

Conjugaison

Objectif : Savoir conjuguer les verbes irréguliers (3ᵉ groupe, **être** et **avoir**) au présent de l'indicatif.
Texte en lien : *Tirez pas sur le scarabée !*, p. 184.

Le présent des verbes irréguliers

Je lis et je réfléchis

Je me dirigeai vers le comptoir pour bavarder avec le patron :

« Hep, Dixie. Tu voudras bien laisser un message à Jake pour moi ?

– Il est là, Bug. Va plutôt lui parler.

– Je **sais**, mais je **veux** m'en aller sans devoir expliquer où ni pourquoi à la puce. Dis seulement à Jake que Bug lui demande de veiller sur la petite jusqu'à nouvel ordre. »

Je me dirigeai vers la porte de derrière.

« Où tu <u>vas</u> ? s'enquit la limace.

– Si tu veux savoir où j'aimerais aller, c'est sur la pelouse, pour prendre le soleil.

Mais là où je <u>vais</u>… c'est une autre histoire. Je <u>vais</u> à la Maison.

Comme l'a dit un jour un sage insecte, « on ne **fait** pas toujours ce qu'on veut ».

Paul Shipton, *Un privé chez les insectes*, © Le Livre de Poche Jeunesse, 2008.

1. Trouve l'infinitif des verbes en gras. À quel temps sont-ils conjugués ? À quel groupe appartiennent-ils ?

2. Quel verbe est conjugué aux trois personnes du singulier ? Que remarques-tu ?

3. Conjugue ce verbe à toutes les personnes. Quelle remarque peux-tu faire à propos de son radical ?

4. Trouve l'infinitif du verbe souligné. À quel groupe appartient-il ? Pourquoi ?

Je retiens

- Au présent de l'indicatif, la plupart des verbes du 3ᵉ groupe se terminent par **-s, -s, -t, -ons, -ez, -ent** comme **voir** : je vois – tu vois – il, elle voit – nous voyons – vous voyez – ils, elles voient

- Certains se terminent par **-ds, -ds, -d, -ons, -ez, -ent** comme **prendre** : je prends – tu prends – il, elle prend – nous prenons – vous prenez – ils, elles prennent

- D'autres se terminent par **-x, -x, -t, -ons, -ez, -ent** comme **pouvoir** : je peux – tu peux – il, elle peut – nous pouvons – vous pouvez – ils, elles peuvent

  Attention ! selon la personne, certains verbes du 3ᵉ groupe changent de radical (voir les tableaux de conjugaison à la fin du manuel).

  venir → je viens – nous venons   aller → je vais – vous allez

  pouvoir → tu peux – nous pouvons   prendre → il prend – ils prennent

- Les auxiliaires **être** et **avoir** ne se conjuguent comme aucun autre verbe (voir les tableaux de conjugaison au début du manuel).

  être → je suis – tu es – il, elle est…   avoir → j'ai – tu as – il, elle a…

Je m'exerce

1 ★ **Recopie uniquement les verbes du 3ᵉ groupe et écris leur infinitif.**

vous étudiez – vous voulez – vous venez – vous grandissez – vous buvez – vous donnez – vous savez – vous agissez – vous prenez – vous tremblez – vous marchez – vous dormez

2 ★ **Recopie uniquement les verbes du 3ᵉ groupe conjugués au présent de l'indicatif et écris leur infinitif.**

ils savent – nous partions – tu fais – ils prennent – tu auras – je dis – vous saviez – je peux – nous voulions – il vint – elles peuvent – tu vas

3 ★ **Recopie et complète ces phrases avec le verbe être ou le verbe avoir conjugué au présent de l'indicatif.**

• Le clown … une grande veste à carreaux.
• Je … contente que mes cousines viennent.
• Nous … une grande salle de bains.
• Vous … capables de gravir cette montagne.
• Mes parents … une voiture bleue.
• Tu … satisfait de tes résultats.

4 ★ **Recopie et complète ces phrases avec la forme du verbe au présent de l'indicatif qui convient.**

• Je (prends / prend) le car tous les matins.
• Nous (faisons / faites) de la poterie.
• Ahmed et Camille (veut / veulent) trouver la solution à cette énigme.
• (Sais / Sait)-tu que cette équipe est qualifiée ?
• Mon chanteur préféré (part / pars) en tournée.

5 ★★ **Recopie et relie chaque pronom de conjugaison aux verbes qui conviennent.**

tu •
je •
vous •
il •

• voulez
• fais
• peux
• prend
• boit
• vas
• sais
• dites

6 ★★ **Recopie et remplace les sujets de ces phrases par les pronoms de conjugaison entre parenthèses.**

• Je vais au cinéma une fois par mois. (ils)
• Mes anciens camarades vont au collège. (tu)
• Sofiane a une angine et il va chez le médecin. (vous)
• Vous êtes très nombreux et vous n'avez pas assez de place pour vous asseoir. (elles)
• Elle est en vacances et elle va à la plage. (nous)

7 ★★ **Recopie ces phrases et conjugue les verbes entre parenthèses au présent de l'indicatif.**

• Ma grand-mère et moi (faire) une partie de dames.
• Amine et son cousin (aller) au parc d'attractions.
• Tes camarades et toi (prendre) le bus à 16 h 42.
• Emma et sa sœur (partir) en colonie tous les étés.
• Ton petit voisin et toi (vouloir) regarder un DVD.

8 ★★ **Réécris ces phrases à la personne du pluriel qui correspond.**

Ex. : **Je** pars au marché dans cinq minutes.
  (1re personne du singulier)
  → **Nous** partons au marché dans cinq minutes.
  (1re personne du pluriel)

• Tu vas régulièrement chez le dentiste.
• Je bois un litre d'eau par jour.
• Elle peut jongler avec six balles en même temps.
• Tu dis que cet ouvrage est de bonne qualité.
• Trop tard ! Il vient juste de partir.
• Quand il va aux Antilles, il fait de la plongée.

9 ★★★ **Écris les définitions de cette grille de mots croisés.**

Ex. : 1. *prends* → verbe **prendre** conjugué au présent de l'indicatif, 1re ou 2e personne du singulier.

```
                                    6
                          5  S  A  V  E  N  T
       1           4            I
       P           F            E
       R     3  A  L  L  O  N  S
       E           I            N
       N           T         7  V  E  U  X
    2  D  I  T  E  S            N
       S           S            T
```

10 ★★★ **Écris des phrases en conjuguant les verbes en rouge à la personne demandée entre parenthèses.**

• partir sans se retourner (3e pers. du sing.)
• vouloir que Jeanne reste pour le dîner (3e pers. du plur.)
• comprendre parfaitement l'espagnol (1re pers. du sing.)
• prévenir la police (1re pers. du plur.)
• refaire les papiers peints du salon (2e pers. du sing.)
• boire un bon chocolat chaud (2e pers. du plur.)

Je repère dans un texte

Dans le texte pp. 184-185, recherche et recopie toutes les formes des verbes **avoir**, **pouvoir** et **vouloir** conjugués au présent de l'indicatif.

J'écris

Tu es en vacances et tu écris une petite lettre à un(e) ami(e) pour lui raconter tes journées. Utilise les verbes **être**, **avoir**, **aller**, **pouvoir**, **faire** et **prendre** conjugués au présent de l'indicatif.

Objectif : Savoir distinguer nom propre et nom commun.
Texte en lien : *Touchez pas au roquefort !*, p. 182.

Le nom propre et le nom commun

Je lis et je réfléchis

Sherlock Heml'Os eut un pressentiment ; il fallait qu'il voie qui abritait la cabane...
Ils déchaussèrent leurs skis et le détective remarqua une vieille luge, un tonneau,
une caisse... Tous recouverts de neige. Une paire de skis était posée sur la caisse ;
de très beaux skis noirs qui étincelaient sous le soleil et, selon toute vraisemblance,
étaient flambant neufs.
Ces objets intriguaient Sherlock Heml'Os et, tandis que son compagnon frappait
à la porte de la cabane, il les examina avec soin. La porte s'ouvrit bientôt sur Bébert
Latrique, un mauvais garçon bien connu à Toutouville.

Jim et Mary Razzi, *Sherlock Heml'Os mène l'enquête*, © Le Livre de Poche Jeunesse, 2007.

1. Observe les mots en couleur. Que désignent-ils ?
2. Quelle est la nature des mots placés juste devant les mots en bleu ?
3. Par quoi commencent les mots en rose ? Pourquoi ?
4. Dans le premier paragraphe, deux noms désignent un même personnage. Lesquels ?
    Quelles différences y a-t-il entre les deux ?
5. Dans la dernière phrase, quel nom désigne un lieu ? Que remarques-tu ?
6. Dans le premier paragraphe, relève les noms d'objets qui intriguent Sherlock Heml'Os.
    Quelle est la nature des mots placés juste devant eux ?

Je retiens

- **Un nom commun** sert à désigner un être animé (personne ou animal), un objet, une idée,
  un lieu, un sentiment **d'une façon générale** :
  un détective – un chien – une cabane – la montagne – un pressentiment...
- Il est précédé d'un **déterminant** qui indique son genre et son nombre :
  la cheminée (féminin singulier) – **les** skieurs (masculin pluriel)
- **Un nom propre** sert à désigner un être animé (personne ou animal), un lieu **en particulier** :
  Juliette – Sherlock Heml'Os – Toutouville
- Il commence toujours par **une majuscule** et est **parfois précédé d'un déterminant** :
  la Seine – **les** Italiens

Je m'exerce

1 ★ **Recopie uniquement les noms.
Ajoute un déterminant quand c'est
nécessaire.**
tomate – reproche – écrire – robe –
vert – Suède – incroyable – tapis –
facile – amitié – demain – musique –
rapidement – avec – carte – prendre –
imprimer – Napoléon – étoile – court

2 ★ **Construis un tableau à 2 colonnes**
(noms communs **et** noms propres) **et classe
ces noms. Ajoute un déterminant quand
c'est nécessaire.**
Joachim – hamsters – Clovis – vase – rose –
neveu – Normandie – beauté – Mexico –
tulipe – Antarctique – Loire – aspirateur –
crayon – manteau – Zora

3 ★ **Recopie ce texte. Souligne les noms communs en vert et les noms propres en orange.**

Dans une semaine, Saïd et ses camarades rencontreront leurs correspondants anglais. Ils prendront l'Eurostar et arriveront deux heures trente plus tard à Londres. De nombreuses visites sont prévues : le palais de Buckingham, où réside la reine Élisabeth, le British Museum, le musée de Mme Tussaud, le quartier de Piccadilly, Big Ben. Saïd est impatient de partir en Angleterre !

4 ★ **Recopie ces phrases et mets des majuscules quand c'est nécessaire.**
• valentin et clara partent en vacances en espagne.
• astérix et obélix luttent contre les romains.
• l'équipe de bordeaux et celle de lille disputeront la demi-finale.
• louis IX fut roi de france de 1226 à 1270.

5 ★★ **Recopie et complète ces phrases avec les noms communs ou les noms propres suivants.**
Jupiter – Asie – cousins – cinéma – Chloé –
planète – Europe – Grenoble – cadeau –
Indiana Jones – anniversaire
• Les amis de … lui offrent un beau … pour son ….
• L'… est un continent plus grand que l'….
• Je rends souvent visite à mes … à ….
• … est mon héros de … favori.
• … est une … du système solaire.

6 ★★ **Recopie ces phrases et remplace chaque groupes de mots souligné par un nom commun précédé d'un déterminant.**
Ex. : Ludivine va chez le coiffeur.
→ **Ma sœur** va chez le coiffeur.
• Monsieur Lecastel lit le journal tous les matins.
• Louis se promène dans la forêt.
• Beaucoup de Canadiens pratiquent le hockey.
• Lucky Luke poursuit des bandits.
• La Loire traverse Orléans.

7 ★★ **Pour chacun des noms communs suivants, écris un nom propre qui convient.**
un fleuve français – un océan – un prénom féminin – un pays européen – une ville française – un musicien – une femme célèbre – un personnage historique – un prénom masculin

8 ★★ **Identifie ce lieu et ces personnages avec un nom commun et un nom propre.**

9 ★★★ **Recopie les noms en rouge et indique ce qu'ils désignent : un être animé (personne ou animal), un objet, une idée, un lieu ou un sentiment.**
• Louis XIV a vécu à Versailles.
• La panthère noire s'éloigna du fleuve.
• David poussa un cri de joie.
• Les bougies éclairaient faiblement la cuisine.
• Elle riait, heureuse d'avoir retrouvé sa liberté.

10 ★★★ **Recopie et complète ce tableau avec des noms communs ou des noms propres qui commencent par les lettres écrites dans la première colonne.**

	Ville	Pays	Prénom	Animal	Objet	Personne célèbre
A						
B						
C						
L						
M						
P						

11 ★★★ **Utilise ces noms pour écrire des phrases.**
les Alpes – un torrent – une randonnée – Julien – Héloïse – un guide – les vacances – la nuit – un refuge – la journée – le paysage – des amis

Je repère dans un texte

Dans le texte pp. 182-183, relève dix noms propres. Comment les as-tu reconnus ?

J'écris

L'un(e) de tes camarades est devenu(e) célèbre. Écris sa biographie (date et lieu de naissance, métier, ce qui l'a rendu(e) célèbre…).

Objectif : Savoir accorder le verbe avec son sujet.
Texte en lien : *Tirez pas sur le scarabée !*, p. 184.

L'accord sujet/verbe

Je lis et je réfléchis

Le lendemain 8 h 00

Bull Mastik et Boris Brun partent pour la Dent du Loup.
Les muscles contractés par l'angoisse, le commissaire
avance dans la poudreuse avec un style chasse-neige-débutant
lamentable… Ses lunettes-loupes lui <u>permettent</u> d'éviter
les skieurs fonçant tout schuss mais ne l'<u>empêchent</u> pas
de tomber sans cesse.

Florence Desmazures, *Les Aventures de Bull Mastik –
Le Loup-Garou de la Dent du Loup*, © éd. Grasset.

1. Observe le groupe de mots en gras. De quel verbe est-il le sujet ?
2. Remplace ce sujet par le pronom de conjugaison qui convient.
   Que se passe-t-il pour le verbe ?
3. Remplace ensuite ce pronom de conjugaison par **il**. Que se passe-t-il pour le verbe ?
4. Identifie le sujet des verbes soulignés. Que remarques-tu ?

Je retiens

• **Le verbe s'accorde toujours avec son sujet,** selon **la personne** (1re, 2e, 3e) et **le nombre**
(singulier ou pluriel).
   Le détective trouve le coupable. (sujet à la 3e personne du singulier → verbe au singulier)
   Les détectives trouvent le coupable. (sujet à la 3e personne du pluriel → verbe au pluriel)
   Tu trouves le coupable. (sujet à la 2e personne du singulier → verbe au singulier)
• **Plusieurs verbes** peuvent avoir **le même sujet.**
   Le conducteur s'installe au volant, **allume** les phares et **démarre.**
   Attention !
   – Le sujet peut être placé **après le verbe** (sujet inversé) : Sur scène **joue un groupe de rock.**
   – Le sujet peut être **éloigné du verbe** : **Bull Mastik**, bien qu'un peu effrayé, **continue** à avancer.

Je m'exerce

1 ★ **Recopie ces phrases. Souligne
les sujets et encadre les terminaisons
des verbes.**
• Pauline achète des stylos.
• Ces roses et ces lilas embellissent le jardin.
• Vous consultez un médecin.
• Il confie un secret à son meilleur ami.
• Mes collègues et moi travaillons sur cette affaire.
• Les animaux de la ferme cherchent un endroit
pour s'abriter du soleil.
• Tu finis ton assiette.

2 ★ **Recopie et complète ces phrases
avec la forme du verbe qui convient.**
• Sous les feuilles mortes le promeneur
(découvrent / découvre) des champignons.
• Les cyclistes (franchissent / franchisses) la ligne
d'arrivée.
• Le guitariste, le pianiste et le violoniste
(joue / jouent) devant une foule nombreuse.
• Ta sœur et toi (rendez / rendons) visite à votre
grand-mère.
• Chaque matin tu (écoute / écoutes) la radio.

3 ★ **Recopie et complète ces phrases avec le sujet qui convient.**

• (Sophie / Manon et Sarah) traverse le fleuve en barque.
• (Les passants / Le passant) regardent les vitrines.
• À quelques kilomètres de là se trouve (les petits villages / le petit village).
• Pourquoi courent-(elle / elles) si vite ?
• Dans le pré, (la vache / les vaches) broute tranquillement.

4 ★ **Recopie et complète ces phrases avec un pronom de conjugaison qui convient.**

• … fournit beaucoup d'efforts.
• À Noël, … décorent le sapin.
• … soupçonnons cet homme d'être un voleur.
• … vernis cette étagère en bois.
• Tous les matins, … achète un pain au chocolat.

5 ★★ **Recopie et forme toutes les phrases possibles en reliant les sujets et les verbes suivants.**

Elles •
Hugo •
Les garçons de la classe •   • déjeunes.
Tu •   • déjeunent.
Le camarade de Léa •   • déjeune.

6 ★★ **Recopie et complète les sujets de ces phrases, lorsque c'est nécessaire.**

• Nora (et) … portent des lunettes.
• Ton petit cousin (et) … participez à un jeu.
• À la terrasse du café, des clients (et) … sirotent un jus de fruits.
• Mes parents (et) … partons en Bretagne.

7 ★★ **Évite les répétitions en ne construisant qu'une seule phrase.**

Ex. : Mathieu **s'installe** à son bureau. Mathieu **allume** son ordinateur. Mathieu **lit** ses e-mails.
→ Mathieu **s'installe** à son bureau, **allume** son ordinateur et **lit** ses e-mails.

• Malika saisit le ballon. Malika traverse le terrain. Malika marque un but.
• Les pompiers déroulent leur lance. Les pompiers montent sur la grande échelle. Les pompiers éteignent l'incendie.
• Vous fermez la porte à clé. Vous descendez l'escalier. Vous sortez de l'immeuble.

8 ★★★ **Réunis chaque paire de phrases en une seule. Attention aux accords !**

Ex. : <u>Théo</u> traverse la rue. <u>Salim</u> traverse la rue.
→ <u>Théo et Salim</u> travers**ent** la rue.

• Ma grande sœur passe un examen. Son amie Lucie passe un examen.
• Victor rentre dans la classe. Je rentre dans la classe.
• Sofia skie vite. Ludovic skie vite.
• Le voyageur arrive tard. Son épouse arrive tard.
• Zoé observe un papillon. Tu observes un papillon.

9 ★★★ **Recopie ces phrases. Encadre les verbes conjugués puis surligne-les ainsi que leurs sujets avec une même couleur.**

Ex. : Margot ouvre son cahier, écrit la date et, après avoir lu la consigne, elle commence l'exercice.

• Les enfants, surpris par la pluie, se réfugient sous le préau.
• Dans cette grotte habitent deux ours ; ils aiment beaucoup dormir.
• Voyant arriver son ennemi, le chevalier, vêtu de son armure, brandit son épée.
• Les pirates ouvrent le coffre, poussent un cri de joie et se partagent les pièces d'or.
• Hannah, Abdel et moi jouons au tennis.

10 ★★★ **Recopie et complète ces phrases en conjuguant les verbes entre parenthèses au présent de l'indicatif.**

• Le petit garçon (échapper) à l'ogre et (s'abriter) sous un rocher creux.
• Les marins (monter) sur le pont et (hisser) la voile.
• Vous (coller) le timbre, (fermer) l'enveloppe et (poster) la lettre.
• Marc et Sébastien (plonger), (nager) rapidement et (arriver) les premiers.
• Au loin (retentir) l'orage et (jaillir) les éclairs.

Je repère dans un texte

Dans le texte pp. 184-185, relève trois formes différentes du verbe **être** au présent de l'indicatif. Indique quel est le sujet de chacune d'elles.

J'écris

Décris l'équipement de Bull Mastik en utilisant les sujets suivants : ses skis – son blouson – ses moufles – son bonnet.

Objectifs : Connaître les notions de synonymes et de contraires. Savoir en utiliser.
Texte en lien : *Tirez pas sur le scarabée !*, p. 184.

Les synonymes et les mots de sens contraire

Je lis et je réfléchis

Le coq aussi, je sais qu'il en agaçait certains, mais les poussins ? Ils étaient inoffensifs ! Ils n'avaient pas d'ennemis ! Le chat des Buziers, c'était d'accord, n'importe qui pouvait avoir envie de le tuer parce que c'était un chat. Le coq, c'était moins évident. Je savais qu'il y avait des histoires, des jalousies de poules, mais même la Rousse en colère n'était pas assez costaude pour le décapiter. Le coq avait dû énerver quelqu'un de plus **fort** qu'une poule, quelqu'un qui n'aimait pas tellement être réveillé le matin... Mais les poussins ? Je ne voyais pas, vraiment pas, ils étaient petits et faibles.

Sophie Dieuaide et Vanessa Hié, *Peur sur la ferme*, © Casterman Cadet, 2006.

1. Regarde le mot en gras. Trouve dans le texte un mot qui a le même sens.
2. À quelle classe grammaticale ces deux mots appartiennent-ils ?
3. Trouve d'autres mots qui ont le même sens que **fort**.
4. Cherche dans le texte un mot qui exprime le contraire de **fort**.
5. De quel mot **ennemis** est-il le contraire ?

Je retiens

* **Les synonymes** sont des mots qui appartiennent à la même classe grammaticale et qui ont un **sens voisin** : **énerver** (verbe) → agacer, exaspérer, horripiler – une **histoire** (nom) → un roman, un récit, un conte – **petit** (adjectif) → minuscule, microscopique
On les utilise pour éviter les répétitions.
* **Les mots de sens contraire (ou antonymes)** sont des mots qui appartiennent à la même classe grammaticale et qui ont un **sens opposé** : **commencer** (verbe) → finir – la **joie** (nom) → la tristesse – **lourd** (adjectif) → léger
Attention ! les synonymes et les mots de sens contraire d'un même mot peuvent être différents selon le contexte :
  – synonymes : un **gros** homme → un homme **corpulent** / une **grosse** averse → une averse **abondante**
  – mots de sens contraire : du pain **frais** → du pain **rassis** / un vent **frais** → un vent **chaud**

Je m'exerce

1 ★ **Recopie et associe les synonymes 2 à 2.**

haut – un visage – dissimuler – immense – gagner – élevé – une bataille – la pluie – un vêtement – délicieux – gigantesque – une lutte – un habit – célèbre – cacher – une figure – excellent – triompher – connu – l'averse

2 ★ **Recopie et relie chaque mot à son contraire.**

une accélération •   • l'humidité
une ombre •   • minuscule
la sécheresse •   • allumer
gigantesque •   • gagner
éteindre •   • un ralentissement
perdre •   • une lumière

3 ★ Recopie et entoure l'intrus dans chaque série.

- s'amuser – se distraire – se déplacer – jouer
- affreux – hideux – joli – laid – horrible
- paix – accord – harmonie – guerre – union
- parler – causer – chanter – discuter – bavarder
- bizarre – nouveau – étrange – insolite – étonnant

4 ★ Recopie ces phrases et remplace les mots en rouge par les synonymes suivants. Attention à l'accord des verbes !

patienter – précision – mauvais – célébrer – un remède – immeuble

- Les supporters **fêtent** la victoire de l'équipe.
- Le bureau de ma mère est au seizième étage d'un grand **bâtiment**.
- Fumer est **dangereux** pour la santé.
- Ces personnes **attendent** devant le guichet.
- Pour soigner sa toux, Vincent doit prendre ce **médicament** pendant huit jours.
- Les calculs de cet astronome font preuve d'une grande **exactitude**.

5 ★★ Recopie ces phrases et remplace les mots en rouge par des synonymes.

- Ce bijoutier vend de **superbes** colliers.
- Il était huit heures quand le **feu** s'est déclaré.
- Juliette **engloutit** un **gros** morceau de gâteau.
- Il faut **frapper** à la porte avant d'entrer.
- Lucas raconte une **blague** très **drôle**.

6 ★★ Recopie ces phrases et remplace les mots en rouge par des mots de sens contraire.

- Nous **ignorons** comment il s'appelle.
- Quelques personnes sont **présentes** aujourd'hui.
- Vous étalez la confiture sur de **fines** biscottes.
- Le guide nous **permet** de parler à voix **basse**.
- On s'attend à une **forte augmentation** des prix.

7 ★★ Recopie chaque phrase et remplace le mot place par l'un des synonymes suivants. Change les déterminants si nécessaire.

disposition – endroit – espace – emploi – classement

- Ce chômeur a perdu sa place il y a trois mois.
- Je ne m'habitue pas à la place des meubles.
- Dans ce parc, il y a beaucoup de place.
- Roxane a obtenu une bonne place à la course.
- Tu as toujours vu ce banc à la même place.

8 ★★★ Recopie chaque phrase et remplace le verbe faire **par un synonyme qui convient.**

- Charlotte et toi faites un château de sable.
- Pour le dessert, tu fais une tarte aux pommes.
- La tour Eiffel fait 324 mètres de haut.
- Mon père fait des photos du carnaval.
- Sami et moi faisons du basket depuis trois ans.
- Le livre et les deux CD font 59 euros.

9 ★★★ Recopie et complète cette grille de mots croisés à l'aide des définitions suivantes.

1. Il n'est pas propre.
2. Ce n'est pas la réalité.
3. Elle n'est pas froide.
4. Il n'est pas rapide.
5. Elle n'est pas vide.
6. Ce n'est pas moderne.
7. Il n'est pas habillé.

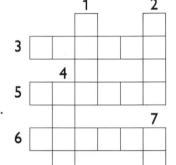

10 ★★★ Recopie ce texte et remplace les mots en rouge par des mots de sens contraire.

La voisine d'Émilie est une **jeune** femme **charmante**. Elle est **élégante** et polie. Ses cheveux **noirs** sont **frisés**. Émilie l'**apprécie** beaucoup. Elle lui rend visite de temps en temps. Elles s'installent dans la **grande** cuisine **propre** et bien **rangée**.

Je repère dans un texte

Dans le texte pp. 184-185, retrouve les phrases dans lesquelles se trouvent les groupes nominaux suivants : un regard glacial – une longue histoire – une nouvelle situation. Écris le contraire de ces phrases en modifiant un seul mot.

J'écris

Imagine et écris les portraits de deux personnages dont les traits physiques et le caractère sont totalement opposés. Tu peux utiliser ce tableau pour noter les mots qui te seront utiles.

	Personnage 1	Personnage 2
adjectif		
verbe		
nom		

Les niveaux de langue

Je lis et je réfléchis

A. Rudy fila dare-dare jusqu'à sa planque. Si les autres rats s'apercevaient qu'il leur avait piqué un fromage, ils le zigouilleraient aussi sec. « <u>T'as pas eu de pépins ?</u> » demanda Ronald. « Non, mais je t'avoue que j'étais mort de trouille ! » répondit Rudy.

B. Rudy se dépêcha de rejoindre **sa cachette**. Si les autres rats s'apercevaient qu'il leur avait **volé** un fromage, ils le tueraient immédiatement. « Tu n'as pas eu d'ennuis ? » demanda Ronald. « Non, mais je t'avoue que j'ai eu très **peur** ! » répondit Rudy.

C. Rudy se hâta de rejoindre son refuge. Si les autres rats s'apercevaient qu'il leur avait dérobé un fromage, ils l'extermineraient sur-le-champ. « Tu n'as pas eu de désagréments ? » demanda Ronald. « Non, mais je t'avoue que mon cœur était rempli d'effroi ! » répondit Rudy.

1. Ces trois textes racontent-ils la même histoire ?
2. Sont-ils identiques ? Pourquoi ?
3. Dans les textes **A** et **C**, trouve des synonymes des mots en gras dans le texte **B**. Quelles différences constates-tu ?
4. Quel mot manque-t-il pour que la phrase soulignée soit correcte ?
5. Dans le texte **A**, relève les mots qui s'emploient plutôt à l'oral.
6. Quel texte est rédigé en langage familier ? en langage courant ? en langage soutenu ?

Je retiens

Selon **le contexte** et **la personne à laquelle on s'adresse** (à l'oral ou à l'écrit), on utilise différents niveaux de langue pour s'exprimer. Il en existe trois.
• **Le langage soutenu**, plus fréquemment employé à l'écrit : Tu n'as pas eu de **désagréments** ?
• **Le langage courant**, employé à l'oral comme à l'écrit : Tu n'as pas eu d'**ennuis** ?
• **Le langage familier**, plus fréquemment employé à l'oral (on y emploie des mots signalés comme **familiers** dans le dictionnaire) : T'as pas eu de **pépins** ?
Dans le registre familier, **la négation est souvent exprimée de façon incomplète** :
Tu **ne** bouges **pas** d'ici. (langage courant) → Tu bouges **pas** d'ici. (langage familier)

Je m'exerce

1 ★ **Recopie et relie chaque mot du langage courant au mot de langage familier qui a le même sens.**

voler •   • bousiller
un nez •   • farfouiller
un enfant •   • un pif
chercher •   • piquer
casser •   • un gosse

2 ★ **Recopie et relie chaque mot du langage courant au mot du langage soutenu qui a le même sens.**

se dépêcher •   • décéder
la peur •   • s'esquiver
partir •   • l'effroi
mourir •   • hilarant
amusant •   • se hâter

3 ★ **Construis un tableau à 3 colonnes** (langage familier, langage courant **et** langage soutenu) **et classe ces mots.**
- la maison – la baraque – la demeure
- s'amuser – s'éclater – se distraire
- un copain – un ami – un pote
- des godasses – des souliers – des chaussures

4 ★ **Associe les synonymes 2 par 2 et souligne celui qui appartient au langage soutenu.**

se nourrir – le vacarme – l'ouvrage – célèbre – la remontrance – égarer – le reproche – illustre – se sustenter – perdre – le bruit – le livre

5 ★★ **Construis un tableau à 2 colonnes** (expressions familières **et** expressions courantes) **et classe ces expressions.**

aider quelqu'un – s'occuper de ses oignons – se moquer de quelqu'un – donner un coup de main à quelqu'un – être paumé – se foutre de quelqu'un – être perdu – s'occuper de ses affaires

6 ★★ **Recopie ces expressions familières et écris une phrase qui veut dire la même chose en utilisant le langage courant.**
- Élodie tombe dans les pommes.
- Elle a passé son examen les doigts dans le nez.
- Florian et Camille se prennent souvent la tête.
- J'ai plus un radis.
- Ce garçon ramène tout le temps sa fraise.

7 ★★ **Recopie et complète ce tableau. Tu peux t'aider d'un dictionnaire.**

Langage soutenu	Langage courant	Langage familier
se désaltérer	…	…
…	travail	…
…	…	engueulade
las	…	…
…	…	esquinter

8 ★★ **Recopie et remplace les groupes de mots en rouge par des expressions familières.**
- Mon frère a de la chance.
- Nadia se met en colère.
- Il s'en va sans dire un mot.
- Ma grand-mère chante faux.

9 ★★★ **Recopie ces phrases et remplace le mot en rouge, qui appartient au langage soutenu, par un mot du langage courant. Tu peux t'aider d'un dictionnaire.**
- Cet exercice est particulièrement fastidieux.
- Je n'ai pas saisi un seul mot de ce discours.
- Samia et moi devisons agréablement.
- Il arrive à un moment importun.
- Puis-je vous emprunter cet opuscule ?
- Il a endommagé mon véhicule.
- Elle a commis une bévue.

10 ★★★ **Recopie ces phrases et remplace les mots qui appartiennent au langage familier par des mots du langage courant. Tu peux t'aider du dictionnaire.**
- Elle est chouette, ta bécane !
- J'ai rencard avec mon pote dans deux heures.
- Catastrophe : les patates ont cramé !
- C'est là que crèche ton frangin ?
- Quel temps de chien ! Il flotte depuis quatre jours !
- Je suis crevé, je file au plumard.
- Ce clébard me file la pétoche.

11 ★★★ **Réécris ce texte en remplaçant les mots ou groupes de mots en rouge, qui appartiennent au langage familier, par des mots qui appartiennent au langage courant.**

Samuel, c'est mon meilleur pote. On se connaît depuis belle lurette. L'autre jour, il a paumé ses binocles pendant la récré. Comme il y voyait que dalle, j'ai fouiné dans toute la cour. J'ai fini par mettre la main dessus : elles étaient planquées dans un petit coin, à côté de la porte du préau.

Je repère dans un texte

Dans le texte pp. 184-185, trouve au moins deux expressions qui appartiennent au langage familier. Recopie les phrases dans lesquelles elles se trouvent et remplace-les par des expressions du langage courant.

J'écris

Écris un court texte où tu racontes ce que tu fais le mercredi en utilisant le langage courant. Puis réécris-le en utilisant le langage familier.

Objectifs : Connaître et utiliser les différents déterminants (article, déterminants possessif, démonstratif et interrogatif).
Texte en lien : *Les Doigts rouges*, p. 190.

Les déterminants

Je lis et je réfléchis

Un soir où on était cachés dans le grand arbre en face de sa ferme, on l'a vu descendre de **sa voiture** avec un gros paquet enveloppé d'**une couverture** dans **les bras**. [...] Alors on a bien réglé **les jumelles**, et à un moment **la couverture** a glissé, et on a vu que **le paquet**, c'était une petite fille, une petite fille qui avait peut-être <u>cinq ans</u>, toute marron, avec de grands cheveux frisés ! Elle ne bougeait pas du tout, et sur le coup, on a cru qu'elle dormait.

Marie et Joseph, *Les Aventures de Cornin Bouchon*,
coll. « Souris Noire », © éd. Syros, 2006.

1. Observe les groupes nominaux en gras. Comment appelle-t-on les mots qui précèdent les noms ?
2. Que t'indiquent-ils sur les noms qui les suivent ?
3. Dans le groupe de mots souligné, quel est le déterminant ?

Je retiens

- **Le déterminant** est un mot qui se place avant le nom. Il indique **le genre** (masculin ou féminin) et **le nombre** (singulier ou pluriel) : **un** soir (masculin singulier) – **les** bras (masculin pluriel) – **cette** couverture (féminin singulier) – **quelles** couvertures ? (féminin pluriel)
- Il existe différents types de déterminants, qui **donnent un sens particulier au groupe nominal** :
  Le garagiste déplace **sa** voiture. (le déterminant **sa** indique à qui appartient la voiture) –
  Le garagiste déplace **trois** voitures. (le déterminant **trois** indique combien il y a de voitures)

	Les articles	Les autres déterminants			
		possessifs	démonstratifs	interrogatifs	numéraux
singuliers	le, la, l' un, une	mon, ton, son, ma, ta, sa, notre, votre, leur	ce, cet, cette	quel, quelle	un
pluriels	les, des	mes, tes, ses, nos, vos, leurs	ces	quels, quelles	deux, trois, dix, cent, mille…

Attention ! les déterminants possessifs masculins singuliers (**mon, ton, son**) sont utilisés devant les noms féminins qui commencent par une voyelle ou un **h** muet : mon amie – son histoire

Je m'exerce

1 ★ **Recopie ces phrases et souligne les déterminants.**
- Les pêches et les abricots sont mes fruits préférés.
- Deux chevaux galopent dans la forêt profonde.
- Cet homme ressemble à mon oncle Tom.

2 ★ **Recopie ces phrases. Entoure les articles en bleu et les autres déterminants en vert.**
- Quels amis veux-tu inviter à ton anniversaire ?
- Votre fils est un élève studieux.
- Quelle pagaille dans la classe !

3 ★ **Construis un tableau à 4 colonnes** (possessifs, démonstratifs, interrogatifs et numéraux) **et classe les déterminants présents dans ces phrases.**
- Ma sœur sort avec ses amis ce soir.
- Quel jour as-tu dit qu'il viendrait ?
- Il n'y a pas trente-six solutions !
- Vos amis belges sont charmants.
- Ces écoliers jouent à la balle au prisonnier.
- Quelles chaises avez-vous finalement choisies ?
- Elle a eu trente ans cette année.

4 ★ **Avec chacun des noms suivants, forme un groupe nominal en utilisant un déterminant possessif. Indique ensuite le genre et le nombre de chaque groupe.**
voiture – pyjama – imagination – herbes – habitation – parents – chaises – ballon

5 ★ **Par quels déterminants de la liste suivante peut-on remplacer l'article en gras dans la phrase en rouge ? Recopie-les.**
Les vaches sont rentrées tard du champ.
trois – quels – ces – cette – des – le – nos – mes – la – vos

6 ★★ **Recopie ces phrases. Souligne les déterminants et indique à quelle catégorie ils appartiennent.**
Ex. : Cette poussière l'a fait suffoquer.
→ **cette** : déterminant démonstratif
- Sény a marqué deux buts.
- Marie a fait des erreurs dans sa dictée.
- Je vous ai rapporté vos livres.
- Ces arbres sont presque morts.
- La rentrée des classes semble déjà loin.
- Quels musées avez-vous visités à Marrakech ?

7 ★★ **Recopie et complète ces phrases avec les déterminants possessifs suivants.**
son – nos – ma – leurs – ta – sa – votre
- Idrissa a oublié … trousse à l'étude.
- … cousines viendront en vacances chez nous cet été.
- Ils ont oublié … promesses.
- As-tu apporté … console de jeux vidéo ?
- Comme à … habitude, il a oublié.
- Tous les matins, le facteur commence par … maison.
- Ce n'est pas de … faute.

8 ★★ **Construis des phrases avec les mots suivants. Utilise des déterminants démonstratifs.**
pièce de théâtre – comédien – décors – rideau

9 ★★ **Recopie ces phrases et remplace le nom souligné par le nom entre parenthèses. Attention aux accords !**
- Il faut repeindre les volets. (porte)
- La tempête a arraché ces toitures. (toit)
- Nos voisins apprécient leur jardin. (fleurs)
- Il a joué au moins deux cents matchs. (partie)
- Avec quel collègue as-tu voyagé ? (amie)

10 ★★★ **Recopie et complète ces phrases avec des déterminants possessifs.**
- … maison de vacances est dans cette région.
- … fleurs sont magnifiques.
- … rue est très longue : nous avons eu du mal à trouver … maison.
- Avez-vous vu … film ? Je l'ai réalisé avec … frère.

11 ★★★ **Recopie et complète ces phrases avec des déterminants démonstratifs.**
- … été, nous partirons en Thaïlande : … pays est magnifique.
- Nous avons rencontré … banquière l'an dernier.
- … monument est impressionnant.
- Il faut absolument que vous voyiez … tableaux !
- À … moment-là, le policier entra.

12 ★★★ **Recopie et complète ce texte avec des déterminants qui conviennent.**
Autrefois, … voisins s'entendaient très bien dans … rue. Tous … étés, nous organisions … pique-niques tous ensemble, … enfants allaient et venaient dans toutes … maisons ; … ambiance était très conviviale.

Je repère dans un texte

Dans le texte pp. 190-195, relève tous les déterminants des lignes 16 à 24 et classe-les dans un tableau.

J'écris

Écris un petit texte sur ce que tu aimes faire avec tes amis. Utilise au moins un déterminant de chaque type.

Le complément du nom

Je lis et je réfléchis

L'étranger avança d'un pas et se trouva aussitôt dans l'entrée.
Harp put le voir mieux : il était certain de ne jamais l'avoir
rencontré. C'était en fait un **homme de taille moyenne**,
dans les quarante ans, ses biceps roulaient sous le pull-over.
Il portait <u>une casquette à visière</u>, des baskets démodées et
un jean trop large. Il avait une musette sur le côté. Harp
nota que la **bandoulière de toile** était nouée comme une ficelle.
En plus, ce type ne devait pas s'être rasé depuis trois jours.

Claude Klotz, *Drôle de Samedi soir*,
© Le Livre de Poche Jeunesse, 2001.

1. Combien de noms comportent les groupes nominaux en gras ?
2. Recopie le groupe nominal en bleu et souligne le nom-noyau.
3. Y a-t-il un autre nom dans ce groupe nominal ? Quel renseignement te donne-t-il sur le nom-noyau ?
4. Recopie les autres groupes nominaux en gras, souligne les noms-noyaux et entoure les expansions du nom.
5. À quoi servent ces expansions ?
6. À quelle classe de mots le mot qui relie les deux mots du groupe nominal souligné appartient-il ?

Je retiens

- Dans le groupe nominal, **le complément du nom** a pour fonction d'apporter **des précisions sur le nom-noyau**. C'est le plus souvent un autre nom ou un groupe nominal :
  <u>un homme</u> **de taille moyenne** – <u>une casquette</u> **à visière** – <u>le boulevard</u> **Edmond-Rostand**
    nom-noyau   complément du nom   nom-noyau complément du nom   nom-noyau   complément du nom
- **Toujours placé après le nom-noyau**, il est généralement introduit par **une préposition** (à, de, par, pour, sans, en, près, contre…). Il ne s'accorde ni en genre ni en nombre avec le nom-noyau : un avion à **réaction** – des avions à **réaction**
  Attention ! le complément du nom est parfois placé juste après le nom, sans préposition :
  la rue **Jacques-Prévert** – le médecin **pompier**

Je m'exerce

1 ★ **Recopie uniquement les groupes nominaux qui contiennent un complément du nom.**
une table en pin – l'Arc de Triomphe –
un meuble bas – un crayon de couleur –
une voiture rapide – le vent d'ouest –
des couleurs mélangées – un jour sans pain –
une vie brisée – un verre à dents

2 ★ **Construis un tableau à 2 colonnes** (compléments du nom avec préposition **et** compléments du nom sans préposition) **et classe ces groupes nominaux.**
un chalet en bois – la tour Eiffel – le viaduc de Millau – le parc Montsouris – l'avenue Jean-Moulin – le port de Brest – l'impasse Voltaire – le pont Mirabeau – un cheval de course

3 ★ **Recopie ces phrases. Souligne les groupes nominaux et relie par une flèche les compléments aux noms-noyaux.**

Ex. : <u>Cette tarte aux fraises</u> est délicieuse.

- Ta trousse de toilette est dans la salle de bains.
- Vos lunettes de soleil ne sont pas suffisantes pour vous protéger de la luminosité.
- Les avions de combat et les soldats parachutistes défilent sur l'avenue Charles-de-Gaulle.
- Hafida a bien décoré son cahier de poésie.
- Mon cheval préféré a gagné le Prix de l'Arc de Triomphe.
- Victor a perdu sa lampe de poche au pied d'un arbre du bois de Vincennes.

4 ★ **Recopie ces phrases et supprime les compléments du nom.**

- Ce matin, j'ai mangé un œuf à la coque.
- Les campeurs ont installé leur tente près du pont d'Ispagnac.
- Mon stylo à plume est cassé.
- J'ai loué une chambre avec vue sur la mer.
- J'aime beaucoup les piscines à bulles.
- La maison près de la mairie est magnifique.

5 ★★ **Recopie et complète ces groupes nominaux par la préposition qui convient.**

une crème … chocolat – une voiture … pédales – un car … ramassage – une boîte … outils – un mouchoir … papier – des soldats … plomb – un sac … plastique

6 ★★ **Recopie et complète ces noms par un complément du nom.**

un crayon – l'équipe – des lunettes – un champ – un médicament – un escalier – un gant – un album – une course – une dizaine

7 ★★ **Recopie ces phrases et complète-les avec les prépositions suivantes.**

en – pour – à – contre – près – de

- En fin de journée, les ouvriers maçons rangent leurs outils … chantier.
- Sofia utilise une lotion … les cheveux.
- Nasser a un rhume : il prend un sirop … la toux.
- Ce plat … tarte n'est pas très pratique.
- Le lac … du village est asséché.
- Ce canapé … cuir est très confortable.

8 ★★ **Recopie ces phrases et complète les noms en rouge par un complément du nom.**

- Le chien aboie au passage du facteur.
- J'ai acheté une poupée pour ma cousine.
- As-tu vu ma boîte ?
- J'adore les yaourts.

9 ★★★ **Transforme ces groupes nominaux comme dans l'exemple.**

Ex. : une région tranquille
→ la tranquillité d'une région

- un léopard rapide → …
- des bois épais → …
- des fleurs parfumées → …
- des jours de pluie tristes → …

10 ★★★ **Transforme ces phrases en groupes nominaux.**

Ex. : Les oiseaux migrateurs sont revenus.
→ le retour des oiseaux migrateurs

- Les randonneurs sont arrivés.
- Les fautes sont corrigées.
- Les employés sont fatigués.
- Le président est élu.

11 ★★★ **Utilise les mots de chaque liste pour écrire une phrase qui contienne au moins un complément du nom.**

- cabane – bois – jardin – fond
- gratin – poulet – courgettes – four
- bord – pêcheur – rivière – barque
- chaises – rotin – bois – table

12 ★★★ **Recopie ce texte et complète les noms en rouge par des compléments du nom.**

Julie apprend à Léa comment faire des gâteaux et des tartes. Léa écrit toutes les recettes dans un cahier. Elle le garde ensuite dans un tiroir.

Je repère dans un texte

Dans le texte pp. 188-189, relève les compléments du nom des lignes 1 à 17. Explique quelle information ils donnent sur le nom-noyau auquel ils se rattachent.

J'écris

Réécris l'extrait de *Drôle de Samedi soir* (p. 60) en changeant les compléments du nom présents.

Objectif : Savoir conjuguer au futur simple de l'indicatif.
Texte en lien : *La Villa d'en face*, p. 188.

Le futur simple

Je lis et je réfléchis

L'assassin le précipita sur le sol.
– Je vous en prie, je ne pourrais pas vous reconnaître, je ne sais pas qui vous êtes, supplia Daniel tout en essayant de se relever. […]
– Les flics m'ont interrogé, ils m'ont entendu tousser… **Ils me reconnaîtront dès que tu leur <u>parleras</u> de mon raclement de gorge.**
– Je ne dirai rien, je vous le jure ! cria Daniel.
– Tu me prends pour un imbécile ? Vois-tu, j'ai besoin de quelques jours pour être tranquille à jamais… Tu <u>attendras</u> deux jours ?
– Oui, oui ! Même trois ! Tant que vous voulez.

Irina Drozd, *Un tueur à ma porte*, coll. « Bayard Poche », © éd. Bayard, 2005.

1. Lis la phrase en gras. Est-elle au passé, au présent ou au futur ?
2. Quel est l'infinitif des verbes conjugués de cette phrase ?
3. Observe les verbes soulignés. À quel groupe de verbes appartient chacun d'eux ?
4. À quelle personne sont-ils conjugués ?
5. Observe leur terminaison. Que constates-tu ?

Je retiens

- Les terminaisons des verbes au **futur simple de l'indicatif** sont les mêmes pour tous les verbes : **-ai, -as, -a, -ons, -ez, -ont**.
- Pour les verbes des **1er** et **2e groupes**, il suffit d'ajouter ces terminaisons à l'infinitif des verbes pour les conjuguer au futur simple : parler → tu parler**as** (1er groupe) – grandir → elle grandi**ra** (2e groupe)
- Pour les verbes du **3e groupe**, les conjugaisons sont souvent irrégulières :
  - La plupart de ceux dont l'infinitif se termine par **-e** perdent cette lettre au futur simple : dire → je dir**ai**
  - Pour de nombreux verbes qui se terminent par **-ir** ou **-oir**, on ajoute un **-r** au radical : courir → je cour**rai** – pouvoir → tu pour**ras**
  - D'autres verbes voient leur radical totalement modifié : faire → je **ferai** – aller → tu **iras** – vouloir → elle **voudra** – venir → nous **viendrons** – voir → vous **verrez**
- Les auxiliaires **être** et **avoir** ont aussi des formes particulières au futur simple (voir tableaux de conjugaison au début du manuel) : être → je **serai** – avoir → tu **auras**

Je m'exerce

1 ★ **Recopie uniquement les verbes conjugués au futur simple.**

tu grandiras – vous faisiez – il ira – tu étais – nous écouterons – elles pensent – j'aurai – ils bondiront – je rougissais – elle résistera – tu joues – vous partirez – nous faisons

2 ★ **Ne recopie que les phrases dont le verbe est conjugué au futur simple.**

- Ce jardinier taillait bien les roses.
- Elles iront à la pêche.
- Quelques promeneurs admirent les daims.
- Me prêteras-tu ton lecteur MP3 ?

3 ★ **Recopie et complète ces phrases par un pronom de conjugaison qui convient.**
- … traverseras sur un passage pour piétons.
- … avancerons dans notre travail.
- Il pense que … finirez à l'heure.
- … réparera la porte de la cabane.
- Elle se demande si … aurai le temps d'aller la voir.
- … prendront un taxi après le cinéma.

4 ★ **Recopie et relie pour former toutes les phrases correctes possibles.**

Tu •   • dessineront l'animal de leur choix.
Il •   • apporterai un bouquet à la maison.
Je ou J' •   • descendras les poubelles.
Vous •   • appellera son oncle au téléphone.
Elles •   • écrirez une lettre
                   à vos correspondants.

5 ★★ **Recopie et complète ces phrases avec les verbes suivants.**
prendrez – faibliront – écrirons – aura – aurez – poserai – répondras
- Il … le courage de lui dire.
- Nous … une carte postale à tante Lucie.
- Tu … à l'appel de ton nom.
- Quand les piles …, la luminosité sera moins forte.
- …-vous du thé ou du café ?
- Je … la question à mon professeur.
- Vous … des vacances à Noël.

6 ★★ **Relève les verbes de ces phrases et indique leur infinitif. Puis conjugue-les aux personnes demandées.**
- Mon voisin arrosera sa pelouse. (1re pers. du sing.)
- Le guépard bondira sur la gazelle. (1re pers. du plur.)
- Tu feras le biberon de ton frère. (2e pers. du plur.)
- Nous choisirons un jeu moins brutal. (3e pers. du sing.)
- Viendras-tu avec nous à la fête ? (3e pers. du plur.)
- Elles ne prendront plus ce bateau. (2e pers. du sing.)

7 ★★ **Recopie et complète ces phrases avec le verbe être ou le verbe avoir conjugué au futur simple.**
- Tu … toujours mon ami.
- Anoukh … la première à terminer son travail.
- J'… bientôt 10 ans.
- Mes cousines … la chance d'aller voir cette pièce.
- Ils ne … plus dans notre quartier à la rentrée.
- Malek … un jeu vidéo pour son anniversaire.
- Vous … très heureux de faire leur connaissance.

8 ★★★ **Recopie et relie pour reconstituer ces verbes conjugués au futur simple.**

	viend •		• fai	
tu •	• vien •	• ras	vous •	• fe	• • rez
	• viende •		• fair	
	• coue •		• alle	
il •	• cou •	• ra	nous •	• ir	• • rons
	• cour •		• i	

9 ★★★ **Recopie ces phrases et conjugue les verbes entre parenthèses au futur simple.**
- Vous (échouer) dans votre expédition.
- Nous (faire) une balade dans la forêt.
- Margot (bondir) de rocher en rocher.
- Je (vouloir) venir demain !
- Il (aller) trop vite, comme d'habitude.
- Qui (pouvoir) partir dès ce soir ?
- Tu (revenir) après ton voyage.

10 ★★★ **Recopie ces phrases et souligne les verbes conjugués. Puis recopie-les à nouveau en mettant les verbes au futur simple.**
- Allons-nous bientôt voir cette exposition ?
- Est-elle prête à partir ?
- Je lis ce livre avec plaisir.
- Vous courez à la rencontre de vos amis.
- N'ont-ils rien de mieux à faire ?

11 ★★★ **Recopie ces phrases et remplace chaque sujet par ceux proposés entre parenthèses.**
- Ils agrandiront leur maison l'an prochain. (Ma mère – Vous)
- Mélissa fera son jogging ce soir. (Mes sœurs – Je)
- On boira à ta santé ! (Nous – Les voisins)
- Elles parviendront à le rendre fou. (Nous – Lucas et toi)

Je repère dans un texte

Dans le texte pp. 188-189, trouve un verbe conjugué au futur simple entre les lignes 22 et 43. Donne son infinitif, son groupe et conjugue-le à toutes les personnes du futur simple.

J'écris

Raconte ce que tu feras ce soir après l'école. Utilise des verbes conjugués au futur.

Objectif : Savoir écrire les noms en **-au**, **-eau** et **-eu** au pluriel.
Texte en lien : *Les Doigts rouges*, p. 190.

Le pluriel des noms en -au, -eau et -eu

Je lis et je réfléchis

J'observais la scène, caché derrière un tonneau sur le pont du bateau.
Le petit à la casquette tenait un couteau ; il surveillait l'homme attaché
à un poteau. On entendit trois coups de feu derrière la cabine,
puis le plus grand revint précipitamment.
– Ça y est ! Je me suis occupé de ce chien qui a mis mon sac
en lambeaux ! Maintenant je vais pouvoir m'occuper de cet oiseau-là !
Mais au moment où il commençait à attraper l'homme par les cheveux,
une voix puissante sembla sortir des pneus entassés dans un container :
– Halte ! Police ! Mains en l'air ! Le jeu est terminé pour vous,
mes lascars, c'est l'heure de passer aux aveux !

1. Relève tous les noms terminés par le son **[ø]**. Quels sont ceux qui sont au singulier ? au pluriel ?
2. Quelle est la terminaison de ceux qui sont au pluriel ?
3. Relève les noms au singulier qui se terminent par le son **[o]**. Quelle est leur terminaison ?
4. Relève les noms au pluriel terminés par le son **[o]**. Qu'est-ce qui les différencie des noms au singulier ?

Je retiens

- Les noms qui finissent par **-eau** au singulier prennent **toujours** un **x** au pluriel :
  un bateau → des bateaux – un couteau → des couteaux – un poteau → des poteaux
- Les noms qui finissent par **-eu** ou **-au** au singulier prennent **généralement** un **x** au pluriel :
  un noyau → des noyaux – un jeu → des jeux
- Il y a cependant **quelques exceptions** :
  un landau → des landaus – un pneu → des pneus – un bleu → des bleus
  Attention ! certains noms se terminent par **-eux** au pluriel comme au singulier :
  un boîteux → des boîteux – un malheureux → des malheureux

Je m'exerce

1 ★ **Recopie seulement les noms au pluriel.**
bureau – corbeaux – jeux – bleus – cadeau –
plateaux – rideau – essieux – cheveu – gâteaux

2 ★ **Recopie et relie chaque nom
au déterminant qui convient.**

un •   • bateau
                        • neveux
                        • maison
une •   • carreaux
                        • bienheureux
                        • vœux
des •   • émeus

3 ★ **Construis un tableau à 2 colonnes
(pluriel en -s et pluriel en -x) et classe
ces mots.**
un jumeau – un noyau – un rideau –
un adieu – un poireau – un pneu –
un défaut – un bleu – un oiseau –
un ambitieux

4 ★ **Recopie et mets ces groupes
nominaux au pluriel.**
mon marteau – un chevreau – ce pieu –
le moineau – un boyau – un dieu –
un morceau – un préau – le feu

5 ★ **Recopie et mets ces groupes nominaux au singulier.**

des poteaux – des sceaux – des crapauds – des milieux – des eaux – des manteaux – des blaireaux – des mots – des os

6 ★★ **Recopie ces groupes nominaux en les écrivant au singulier.**

les essieux des roues du tracteur – les noyaux des pruneaux – des bleus aux genoux – les aveux des coupables – des lambeaux de ces drapeaux

7 ★★ **Recopie et complète avec des déterminants qui conviennent.**

• Le fermier a sorti … troupeau de vaches et … veaux dans le pré.
• Sur … bouleau dans la course sont posés … moineaux et … corbeau.
• … neveux de mes voisins sont … jumeaux.
• Pauline a mangé … morceau de … bon gâteau.
• Arthur a pris … pinceaux posés sur … bureau et a commencé à peindre … tableau.

8 ★★ **Recopie et mets ces groupes nominaux au singulier.**

des travaux – des louveteaux – des cheveux – des pruneaux – des peaux – des végétaux – des pigeonneaux

9 ★★ **Recopie et complète ces phrases avec les noms suivants. Accorde-les si nécessaire.**

drapeau – aveu – bureau – eau – château – milieu – poteau – ruisseau – radeau

• L'assassin est passé aux ….
• Les … des élèves devront être rangés.
• Des … flottent sur la plus haute tour du ….
• Les ouvriers ont planté des … au … de la cour.
• Les petits … en bois naviguent sur l'… du ….

10 ★★ **Recopie et relie chaque début de mot à l'écriture du son [o] qui convient. Tu peux t'aider d'un dictionnaire.**

des maquer •   • ots
des hubl •   • aus
des ét •   • aux
des échaf •   • eaux
des noy •   • auds

11 ★★★ **Recopie ces groupes nominaux et ajoute la terminaison qui convient pour faire le son indiqué. Tu peux t'aider d'un dictionnaire.**

les tomb[o] – le renouv[o] – nos adi[ø] – son cad[o] – les fourn[o] – votre agn[o] – le mus[o] – des cis[o] – des tuy[o] – le mili[ø]

12 ★★★ **Recopie ces phrases et mets-les au pluriel. Attention à l'accord du verbe !**

• Ce moineau attrape un morceau de pain.
• Le pneu du camion éclate.
• Le jeu consiste à lancer l'anneau autour du poteau.
• Félix a coupé un roseau au bord du ruisseau.

13 ★★★ **Recopie et complète la grille à l'aide des définitions suivantes.**

1. Ce sont les petits du lion et de la lionne.
2. Ils servent à peindre.
3. Ce sont des animaux à deux bosses.
4. Toutes les voitures en ont.
5. Ils servent à promener les bébés.
6. Tu en as sur la tête.

Je repère dans un texte

Dans le texte pp. 190-195, relève un mot qui se termine en **-eau** et prend un **x** au pluriel entre les lignes 1 et 24.

J'écris

Écris un petit texte en réutilisant les mots rencontrés dans les exercices précédents. Utilise au moins un mot terminé en **-eu**, un mot terminé en **-eau** et un mot terminé en **-au**, tous au pluriel.

Objectif : Savoir accorder les mots qui composent le groupe nominal.
Texte en lien : *Les Doigts rouges*, p. 190.

L'accord dans le groupe nominal

Je lis et je réfléchis

Le Félin s'avance jusqu'à **la petite porte**, jette **un furtif regard**. Il découvre que **la cour** se prolonge par les ruines d'une chapelle dont il ne reste qu'une partie de sol pavé, quelques colonnes et des pans de murs. À gauche,[…] il distingue **la fragile silhouette** de Francine, bâillonnée et fermement tenue par **l'imposant frère Muet**.
– Écoute, ma belle, dit le prieur, si une fois encore tu parvenais à ôter ton bâillon et à crier à en réveiller les morts, je te trancherais moi-même la langue. Veux-tu une idée de ce que cela donne ? Frère Muet…
L'immense moine montre à Francine ce qu'il lui reste de langue. La jeune fille ouvre **des yeux horrifiés** et s'évanouit.

Arthur Ténor, *Le Félin, agent secret médiéval – Peur au monastère*, © Arthur Ténor.

1. Comment appelle-t-on les groupes de mots en gras dans ce texte ?
2. À quelles classes de mots appartiennent les mots qui les composent ?
3. Repère le nom-noyau de chacun de ces groupes. Quel est leur genre ? leur nombre ?
4. Observe maintenant les déterminants et les adjectifs qui les accompagnent. Quel est leur genre ? leur nombre ?
5. À quoi le vois-tu ?
6. Relève dans le texte un groupe nominal féminin singulier.

Je retiens

- Le plus souvent, le groupe nominal est constitué d'**un nom-noyau**, d'**un déterminant** et d'**un ou plusieurs adjectifs qualificatifs**.
- Le déterminant et les adjectifs qualificatifs d'un groupe nominal **s'accordent en genre et en nombre avec le nom-noyau** : la petite <u>porte</u> (féminin singulier) – un furtif <u>regard</u> (masculin singulier) – des <u>silhouettes</u> fragiles (féminin pluriel) – des <u>yeux</u> horrifiés (masculin pluriel)
- Quand un adjectif qualificatif se rapporte à plusieurs noms, il se met au pluriel :
  J'ai <u>un chien</u> et <u>un chat</u> très **gourmands**.
- Quand un adjectif qualifie plusieurs noms, il s'accorde au masculin si au moins l'un des noms est masculin :
  <u>Les poules</u>, <u>les pintades</u> et <u>les canards</u> **joyeux** sortaient de l'étable en se dandinant.
  féminin · · · · · féminin · · · · · masculin

Je m'exerce

1 ★ **Recopie ces phrases. Souligne en bleu les groupes nominaux féminins et en vert les groupes nominaux masculins.**
- J'ai commandé une boisson fraîche.
- Nous avons reçu des livres neufs.
- Ces oiseaux migrateurs s'envolent vers le Sud.
- Il faudrait vraiment remplacer cette moquette usée.
- Aurons-nous un temps beau et agréable ?

2 ★ **Construis un tableau à 4 colonnes** (masculin singulier, masculin pluriel, féminin singulier, féminin pluriel) **et classe ces groupes nominaux.**
de longues heures – une vedette italienne – des terres arides – un cerf majestueux – leurs extraordinaires aventures – un enfant capricieux – des chefs respectés – vos troupeaux égarés

3 ★ **Recopie et associe chaque nom au déterminant et à l'adjectif qui conviennent.**

des •   • pain •   • sauvages
un •   • ville •   • joyeuses
les •   • animaux •   • croustillant
une •   • fillettes •   • animée

4 ★ **Recopie et complète ces groupes nominaux avec un déterminant et l'adjectif entre parenthèses qui convient.**

• … (gros / grosse) erreur
• … (petit / petite) couteau
• … cliente (patient / patiente)
• … garçon (poli / polie)
• … sonnerie (bruyant / bruyante)

5 ★★ **Recopie et mets ces groupes nominaux au singulier.**

des paniers légers – des femmes heureuses – des quartiers anciens – deux beaux manteaux – les jolies fleurs

6 ★★ **Recopie et mets ces groupes nominaux au masculin.**

une gentille boulangère – des chiennes sauvages – une femme jalouse – les méchantes sorcières – une magnifique louve

7 ★★ **Recopie et complète ces phrases avec des déterminants qui conviennent.**

• … gendarmes ont arrêté … voiture rouge à … sortie du village.
• Nous avons passé … vacances formidables au bord de … océan Indien.
• … veste verte va très bien avec … pantalon.
• … homme mystérieux s'avance par … grande porte et pénètre dans … vaste rez-de-chaussée.
• … oiseaux migrateurs partent pour fuir … hiver froid.

8 ★★ **Recopie et complète ces phrases avec un nom qui convient.**

• Elles avaient de beaux … bleus.
• Le cameraman filmait un … menaçant.
• Les … affamés s'impatientent.
• Les … curieuses s'approchent lentement des … apeurés.
• Quelle … bizarre a-t-il encore eue ?
• Je vais donner ces vieilles ….

9 ★★★ **Recopie et complète ce texte avec les adjectifs suivants.**

nouvelles – copieux – petit – bonne – meilleure – long – bleues

Ce matin-là, la journée de Ninon avait pourtant bien commencé. Elle avait pris un … bain chaud, avant de manger un petit déjeuner bien …. Ensuite, sa … amie Afeida était arrivée pour passer la journée avec elle. Et là, ça s'était gâté. Son … frère avait commencé par les suivre partout. Ensuite, Afeida avait, sans faire exprès, cassé les … lunettes … de la mère de Ninon. Décidément, ce n'était pas une … journée !

10 ★★★ **Recopie et complète ces phrases avec les adjectifs qui conviennent.**

• La route, (longue et sinueuse / long et sinueux), menait à une (ancien / ancienne) citadelle (défensive / défensif).
• Pierre et Mina, (épuisés / épuisé), s'écroulent dans leur canapé.
• D'un ton (douce et affectueuse / doux et affectueux), ce père tente d'apaiser son fils et sa fille (effrayés / effrayées).

11 ★★★ **Recopie et complète ces phrases avec les noms suivants. N'oublie pas les accords.**

murmure – aigle – oiseau – ciel – spectacle – danse – aile – envol – campeur

Majestueux, l'… déploie ses … et prend son …. Il s'élève dans le … et plane lentement au-dessus des …. Soudain, il n'y a plus un mais deux … dans le ciel : un autre aigle a rejoint le premier. Tous deux effectuent ce qui ressemble à une … joyeuse et pleine de grâce. Des … admiratifs parcourent la foule rassemblée au sol. Quel magnifique … !

Je repère dans un texte

Dans le texte pp. 190-195, relève un groupe nominal féminin (comportant un déterminant, un adjectif et un nom) et un groupe nominal masculin entre les lignes 42 et 50.

J'écris

Recopie la deuxième phrase du texte p. 66 et souligne tous les noms. Réécris ensuite cette phrase en complétant chaque nom par un adjectif.

Des mots pour exprimer des actions

Je lis et je réfléchis

Le tueur se faufila dans le salon. Lucas se recroquevilla derrière l'armoire. **La course** à travers le jardin l'avait essoufflé, et il essayait <u>désespérément</u> de retenir sa respiration. Le tueur avança <u>avec lenteur</u> dans la pièce. Il déplaça des meubles, ouvrit les portes des placards, regarda sous la table. Plus il approchait de l'armoire, plus Lucas sentait la panique le gagner. Tout à coup, quelqu'un alluma la lumière. Le tueur sursauta. **L'arrivée** d'une troisième personne n'était pas prévue.

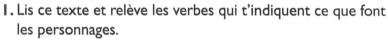

1. Lis ce texte et relève les verbes qui t'indiquent ce que font les personnages.
2. Dans la première phrase, remplace **se faufila** par **entra**. La phrase veut-elle dire la même chose ? Pourquoi ?
3. Observe les mots en gras. Quelles informations te donnent-ils ?
4. Relis les troisième et quatrième phrases en supprimant les mots soulignés. Ont-elles le même sens ? Pourquoi ?

Je retiens

• Pour exprimer ce que font des personnes, des animaux ou des choses, on peut utiliser :
  – **des verbes d'action** : Lucas **se recroquevilla** derrière l'armoire. – Le chat **joue**. – Le livre **tomba** par terre.
  – **des groupes nominaux** : la course à travers le jardin – le jeu du chat – la chute du livre
  – **des expressions** : Il **chante comme une casserole**.
• Parfois, certains mots expriment la même action mais faite de manière différente :
  Il entra dans la pièce. (entrée normale) – Il se faufila dans la pièce. (entrée sans se faire voir) – Il se précipita dans la pièce. (entrée rapide)
• Pour traduire ces différences, on peut également utiliser des mots ou des groupes de mots qui **précisent l'action exprimée par le verbe** :
  Il essayait **désespérément** de retenir sa respiration. – Le tueur avança **avec lenteur**.

Je m'exerce

1 ★ **Construis un tableau à 2 colonnes** (mots qui désignent des lieux **et** mots qui désignent des actions) **et classe ces mots.**
s'accroupir – un mitraillage – un hangar – une poursuite – un terrain vague – courir – une clairière – une boîte de nuit – parcourir – un interrogatoire – un bureau – l'atterrissage – une filature – la bibliothèque

2 ★ **Recopie ces phrases et souligne les verbes qui expriment une action.**
• Le chien courut dans sa direction.
• Je reste à la maison ce soir.
• Ces canards semblent malades.
• Redouane rit de bon cœur aux blagues de son frère.
• Il aperçoit sa mère, court vers elle et tombe juste avant de la rejoindre.

3 ★ **Recopie ces phrases et souligne les mots ou les groupes de mots qui donnent une précision sur l'action du verbe.**

• Je mange rapidement et je te rejoins !
• Quel livre avez-vous finalement choisi ?
• Nina rentre avec précaution pour ne pas réveiller ses parents.
• L'avion s'envole bruyamment.
• Elle l'attendit patiemment une bonne partie de la journée.
• J'aimerais beaucoup que tu cesses tes bêtises !

4 ★ **Construis un tableau à 3 colonnes (entrer normalement quelque part, entrer sans se faire voir et entrer très vite) et classe ces verbes.**

se jeter – s'introduire – se faufiler – s'engager – se précipiter – faire irruption – s'engouffrer – s'infiltrer – pénétrer – foncer

5 ★★ **Retrouve les noms qui correspondent à ces verbes d'action.**

Ex. : créer → la **création**

• changer → le …
• réciter → la …
• classer → le …
• dresser → le …
• piloter → le …
• (se) déguiser → un …
• déclarer → une …
• voler → le …
• siffler → un …
• conduire → la …

6 ★★ **Transforme ces groupes nominaux comme dans l'exemple.**

Ex. : la prise de risques → **prendre des risques**.

• l'apprentissage des mathématiques → …
• le brouillage des pistes → …
• le ramonage de la cheminée → …
• l'affichage des posters → …
• la création d'un spectacle → …
• l'explication de ce nom → …

7 ★★ **Recopie et complète ces phrases avec les mots ou groupes de mots suivants.**

avec élégance – bruyamment – facilement – beaucoup – courageusement

• Arthur est très à l'aise ; il est … passé dans la classe supérieure.
• Le téléphone sonne … mais personne ne décroche.
• La danseuse se dirigea … vers son partenaire.
• Ces hommes ont … résisté pendant la guerre.
• Tu travailles … trop !

8 ★★ **Recopie ces phrases et remplace les verbes en rouge par les verbes entre parenthèses. Explique ce que cela change pour le sens de la phrase.**

• Le lion entre dans l'arène. (surgir)
• Malika crie souvent la nuit. (hurler)
• Tu m'énerves ! (exaspérer)
• L'homme s'éloigne dans la nuit. (déguerpir)
• Le bébé de ma sœur ouvre les yeux. (écarquiller)

9 ★★★ **Recopie et complète ces phrases en donnant une précision sur l'action exprimée par le verbe.**

Ex. : Le chat dort … dans son panier. → Le chat dort **tranquillement** dans son panier.

• Le cameraman filme … cette histoire familiale.
• Ses parents retournent … dans cette région.
• Max espère … pouvoir partir en Chine l'an prochain.
• La fusée décolle … devant les yeux ébahis des spectateurs.
• Élise a quitté … la pièce sans dire un mot.

10 ★★★ **Recopie et complète chaque phrase avec un verbe d'action.**

• Le curé … énergiquement la cloche de l'église.
• Mon chien … passionnément son os dans le jardin.
• Les skieurs … rapidement la piste noire.
• Cet homme … brusquement dans la pièce.
• L'ambiance … particulièrement quand il est là.

11 ★★★ **Explique les expressions suivantes.**

Ex. : débarquer comme un cheveu sur la soupe → **arriver à un mauvais moment**

• courir comme un dératé
• dormir comme un loir
• entrer quelque part comme dans un moulin
• mentir comme on respire
• frapper comme un sourd

Je repère dans un texte

Dans le texte pp. 188-189, trouve six verbes qui expriment des déplacements.

J'écris

Imagine la suite du texte de la p. 68.
Utilise au moins cinq verbes d'action.

Situer l'action d'un récit

Je cherche

1. Lis ce texte.

Claire en profite pour s'éclipser. Elle n'a pas perdu de vue, elle, qu'elle doit retrouver Pomme dans ce château. Le rez-de-chaussée ne **réserve** pas de surprises extraordinaires. Claire <u>commence par visiter</u> la cuisine. Elle **n'est** pas très riche en cachettes. […] Sans plus hésiter, elle <u>décide de monter</u> le grand escalier de marbre blanc qui **mène** à l'étage. […] Le premier étage **est** une suite de chambres meublées à l'ancienne avec de hauts lits à baldaquin. Mais pas la moindre trace de Pomme. C'est à désespérer… **Restent** la tour et le grenier…

Béatrice Rouer, *Pomme a des pépins*, © Rageot Éditeur, 1998.

2. Qui Claire recherche-t-elle ? Dans quel lieu se trouve-t-elle ?

3. Nomme les différents endroits qu'elle traverse.

4. Observe les groupes de mots soulignés. Relève les verbes. Quels sont leurs sujets ?

Je réfléchis

1. Lis ce texte.

Théo arrive enfin devant la porte du manoir. Un peu angoissé, il pénètre dans le hall d'entrée. Au fond de la pièce, l'escalier qui monte à l'étage est faiblement éclairé. Sur sa droite, il aperçoit le couloir qui mène à la cuisine et au salon et, juste à côté, la porte qui descend à la cave. Soudain, il entend un cri qui vient de l'étage. Il monte vite l'escalier et se retrouve sur le palier. Tout à coup, un homme armé apparaît au fond du couloir…

2. Où se situe l'action ? Relève les noms des différentes pièces décrites.

3. Quels mots te permettent de situer les lieux les uns par rapport aux autres ? Fais-en la liste.

Je m'exerce

1. Recopie la suite du texte et complète-la avec les groupes de mots qui conviennent le mieux.

vers la porte d'entrée – à la cuisine – l'escalier – le couloir –
vers la porte de la cave – au salon

Théo sursaute et croise le regard froid du tueur. Paniqué, il redescend … en vitesse et se précipite …. Mais quelqu'un l'a fermée à clé ! Il fait volte-face et se dirige rapidement …, mais il réalise juste à temps que, s'il y descend, il sera à la merci du tueur. Il reprend alors à droite … qui mène … et ….

J'ai compris

Pour situer l'action d'un récit :
• **les lieux où se déroule l'action** sont nommés : un manoir – le salon – l'escalier – la cave
• **les déplacements des personnages** sont indiqués : Théo **arrive devant la porte**.
• des mots situent les lieux les uns par rapport aux autres : en face de – à côté – sur sa gauche
    Ce sont des **indicateurs de lieu**.

Décrire un personnage à l'aide de substituts

Je cherche

1. Lis ce texte.

Mais Christophe n'écoute plus : il vient d'apercevoir l'homme du Tacot.
– Le client de l'auberge ! Il est là !
– Il a le droit de venir au musée, non ?
Devant l'insistance de Christophe, Céline accepte de chercher avec lui l'énigmatique client du Tacot. Mais ils ne trouvent nulle trace de lui.
– Il a dû ressortir, suppose Céline. Ou bien tu t'es trompé de bonhomme.

Jack Chabout et Alain Surget, *Mystère à Morteau*, © éd. Grasset, 2002.

2. Quel personnage n'a pas de nom dans ce texte ?
3. Entoure les pronoms qui le désignent, puis relève les substituts qui le caractérisent.
4. En quoi ce personnage est-il énigmatique ?

Je réfléchis

1. Lis ce texte.

« Qui est "Le Gros", questionnai-je.
– Le Gros est le plus grand criminel du pays, croassa Herbert.
– Tu veux dire le plus gros ?
– Non, le plus grand. Il est impliqué dans toutes les affaires criminelles : cambriolages, vols à main armée, fraudes, incendies, agressions. »
Une Rolls Royce s'était garée dans un virage. Un chauffeur en descendit pour ouvrir la portière à l'homme le plus maigre que j'aie jamais rencontré.

Anthony Horowitz, *Le Faucon malté*, © Hachette Jeunesse – Vertige, 1997.

2. Quel est le surnom du criminel évoqué par les personnages ?
3. Relève les autres substituts qui le désignent. Que t'apprennent-ils sur ce personnage ?

Je m'exerce

1. Recopie le texte suivant et complète-le avec des substituts variés qui désignent un personnage inquiétant.
Une silhouette bougea dans l'obscurité. Tout à coup, … s'immobilisa. Pas de temps à perdre : je fonçai droit sur …. Mais … tenait une arme à la main ! Surpris, je fis un écart et m'échappai. Mais je sentis dans mon dos le regard implacable de ….

J'ai compris
- Les substituts servent à **caractériser les personnages** pour que le lecteur puisse se les représenter : l'homme du Tacot – le Gros
- Dans les romans policiers, ils sont souvent utilisés pour **rendre un personnage énigmatique** ou **inquiétant** : le plus grand criminel du monde – un squelette ambulant

Évaluation

Grammaire

1 **Quel groupe de mots n'est pas un groupe nominal ?**

a. ce grand ciel bleu

b. mélangez délicatement

c. le jardin de ma tante

d. un joli cadeau Voir p. 44

2 **Par quels types d'expansions du nom le nom en rouge est-il complété ?**

Elle a acheté cette jolie robe qui était en solde.

a. un complément du nom et un adjectif

b. une proposition relative et un complément du nom

c. un adjectif et une proposition relative

d. deux adjectifs Voir p. 44

3 **Par quel pronom de conjugaison peux-tu remplacer le sujet de cette phrase ?**

Cette jeune fille et ses deux amis assistent au championnat de motocross.

a. Ils

b. Il

c. Elles

d. Elle Voir p. 46

4 **Dans quelle phrase le groupe de mots en rouge est-il sujet ?**

a. Dans ce grand magasin, j'ai trouvé une jolie table.

b. Sur la table du salon sont posés d'importants documents.

c. Sans ces précieux documents, il n'aurait pas pu identifier l'assassin.

d. La table du salon est envahie de documents de toutes sortes. Voir p. 46

5 **Parmi ces mots, lequel est un nom ?**

a. habituer

b. habituel

c. habitude

d. habituellement Voir p. 50

6 **Dans quelle phrase les premières lettres des noms sont-elles toutes écrites correctement ?**

a. Nous avons rencontré des anglais qui vivent à paris depuis plusieurs Années.

b. L'Èbre est un fleuve qui se jette dans la Méditerranée.

c. Le Roi françois Ier accueillit léonard de vinci au Château d'Amboise.

d. C'est en 1928 que l'Américain Walt disney créa le Personnage de mickey mouse. Voir p. 50

7 **Quelle liste contient des déterminants ?**

a. sur – pour – à

b. manger – finir – valoir

c. votre – des – cette

d. mou – tiède – fier Voir p. 58

8 **Quel groupe nominal contient un complément du nom ?**

a. une rivière asséchée

b. du jus de pomme

c. des tartes qui sont sucrées

d. de magnifiques statues antiques Voir p. 60

Conjugaison

9 **Quel est l'infinitif des verbes conjugués en rouge ?**

Les écureuils prennent des noisettes et font des réserves pour l'hiver.

a. prévoir et faire

b. prendre et faire

c. prendre et fondre Voir p. 48

10 **Dans laquelle de ces phrases les verbes sont-ils correctement conjugués ?**

a. Si tu parts demain matin, je peut t'accompagner à l'aéroport.

b. Si tu part demain matin, je peus t'accompagner à l'aéroport.

c. Si tu pars demain matin, je peux t'accompagner à l'aéroport.

d. Si tu pares demain matin, je peuts t'accompagner à l'aéroport. Voir p. 48

11 Quelle phrase contient un verbe conjugué au futur simple de l'indicatif ?
a. Le sculpteur admirait sa statue enfin terminée.
b. Les véhicules circuleront sans conducteur.
c. Nos voisins ont planté des arbustes.
d. Avons-nous bien relu la consigne ? Voir p. 62

12 Quelle est la forme verbale correcte pour compléter cette phrase ?
Les oies sauvages … l'Europe puis l'Afrique.
a. survolront
b. survolerons
c. survolrons
d. survoleront Voir p. 62

Orthographe

13 Par lequel de ces verbes conjugués peux-tu compléter cette phrase ?
Le loup, le renard et la belette … dans la forêt.
a. gambades
b. gambadez
c. gambadent
d. gambade Voir p. 52

14 Par lequel de ces groupes nominaux peux-tu compléter cette phrase ?
Peu à peu, … guérissons de cette vilaine grippe.
a. mon mari et mes enfants
b. mon mari et moi
c. tes enfants et toi
d. son mari et leurs enfants Voir p. 52

15 Recopie la liste des noms dont la marque du pluriel est un s.
a. carreau – poireau – manteau
b. neveu – cheveu – feu
c. bleu – pneu – landau
d. noyau – préau – boyau Voir p. 64

16 Quelle phrase est correctement orthographiée ?
a. Le jeux consistait à faire rouler des pneux autour de poteaux sous le préaux.
b. Le jeu consistait à faire rouler des pneus autour de poteaux sous le préau.
c. Le jeu consistait à faire rouler des pneus autour de poteaux sous le préaus.
d. Le jeux consistait à faire rouler des pneus autour de poteaux sous le préau. Voir p. 64

17 Quel groupe nominal est correctement orthographié ?
a. des assiettes et des plats peinte à la main
b. des assiettes et des plats peintes à la main
c. des assiettes et des plats peints à la main
d. des assiettes et des plats peint à la main Voir p. 66

Vocabulaire

18 Par quel synonyme peux-tu remplacer le mot en rouge ?
Un paysage magnifique surgit devant nos yeux.
a. magique
b. splendide
c. hideux
d. maléfique Voir p. 54

19 Parmi ces mots, lequel a un sens contraire au mot en rouge ?
L'inspecteur longea prudemment le couloir obscur.
a. sombre
b. effrayant
c. imprudent
d. éclairé Voir p. 54

20 Quel mot écrit en langage soutenu correspond au mot en rouge dans cette phrase ?
Je suis certain que c'est lui qui m'a piqué mes bonbons !
a. pillé
b. réfugié
c. dérobé
d. endommagé Voir p. 56

21 Recopie et relie chaque phrase au niveau de langue qui convient.
Cet homme raconte des histoires. • • langage soutenu
Ce type raconte des salades. • • langage courant
Cet individu raconte des sornettes. • • langage familier Voir p. 56

22 Dans quelle liste les verbes n'expriment-ils pas des actions ?
a. prendre – faire – dire – parler
b. rester – sembler – demeurer – paraître
c. courir – sauter – franchir – pénétrer
d. découper – colorier – recopier – visser Voir p. 68

L'adjectif qualificatif

Je lis et je réfléchis

C'est comment Noël chez vous ?

« Chez nous, c'est le début des grandes vacances d'été »

[…] En Australie, on fête Noël en famille avec un bon <u>déjeuner</u> le jour de Noël. On mange de la dinde, du <u>jambon</u> chaud, de la salade et un *Christmas pudding*. On joue au cricket avec les cousins quand on a fini de manger. Il fait chaud car c'est l'été.

Mais les faux Pères Noël qui sont dans les grands <u>magasins</u> sont habillés comme le vrai, tout en rouge et emmitouflés. Il faut écrire au Père Noël quelques jours avant Noël, il y a des <u>boîtes aux lettres</u> spéciales à la poste. […] Noël est une <u>fête</u> importante, c'est un jour férié et c'est le début des grandes vacances d'été.

Une famille australienne autour de la table de Noël.

Le Journal des enfants, jeudi 21 décembre 2006.

1. Relève les expansions des noms soulignés. À quelle classe de mots appartiennent ces expansions ?
2. Où sont-elles placées par rapport au nom ?
3. Peux-tu les supprimer ?
4. Remplace **jambon** par **viande** dans la quatrième phrase. Que remarques-tu ?

Je retiens

- **Un adjectif qualificatif** est un mot qui **précise** ou **décrit** le nom ou le pronom qu'il accompagne :

  un **bon** <u>déjeuner</u>   <u>Elle</u> est **belle**.   Cet <u>homme</u> est **gentil**.
    adjectif nom   pronom adjectif   nom   adjectif

- Selon sa place dans la phrase, l'adjectif peut avoir deux fonctions différentes :
  - Lorsqu'il est placé dans un groupe nominal, l'adjectif est **épithète** du nom qu'il qualifie. Il est généralement placé **juste avant** ou **juste après le nom** et peut être supprimé : du jambon chaud – les grands magasins. C'est une expansion du nom (voir leçon p. 44).
  - Lorsqu'il qualifie le sujet du verbe et est placé après celui-ci, l'adjectif est **attribut du sujet** (voir leçon p. 104) : <u>La route</u> est **longue**.
            sujet   adjectif attribut du sujet

- L'adjectif **s'accorde en genre et en nombre** avec le nom ou le pronom qu'il qualifie :
  un jour férié (masculin, singulier) → **des** jours fériés (masculin, pluriel)
  du jambon chaud (masculin, singulier) → de la viande chaude (féminin, singulier)

Je m'exerce

1 ★ **Recopie et souligne les adjectifs dans chaque groupe nominal.**

un nouvel élève – une histoire vraie – un solide appétit – des ordinateurs performants – une petite chèvre blanche – l'abominable homme des neiges – des bougies parfumées – une grande pyramide imposante

2 ★ **Recopie uniquement les adjectifs qualificatifs.**

arbre – écrire – joyeux – sympathique – porte – chanter – table – charmant – prendre – riche – ennuyeux – stylo – bleu – carte – jouer – triste

3 ★ **Recopie ces phrases et souligne les adjectifs qualificatifs.**

• C'est une énorme araignée venimeuse !
• Les soucoupes volantes atterrirent dans le grand champ désert.
• Les bâtiments publics restent éclairés la nuit.
• Des guirlandes lumineuses et colorées décorent l'immense salle de réception.

4 ★ **Recopie ces phrases et supprime les adjectifs épithètes.**

• L'ignoble sorcière préparait une potion répugnante et gluante.
• Un étroit escalier tortueux mène aux sous-sols sombres du château.
• L'étrange individu masqué s'empara des pierres précieuses.
• Le personnage principal de ce film fantastique était un elfe maléfique.

5 ★★ **Recopie ces groupes nominaux et remplace chaque adjectif par un adjectif de sens contraire.**

un délicieux repas – un mouvement rapide – un livre intéressant – une bonne nouvelle – une baignade autorisée – un jeune homme poli

6 ★★ **Recopie et complète ce texte avec les adjectifs qualificatifs suivants. Aide-toi des accords.**

embrasé – hurlantes – gigantesques – longues – impressionnant – courageux – vieil

Des flammes … ravageaient un … immeuble. On entendit bientôt les sirènes … des camions de pompiers. Les … soldats du feu s'armèrent de leurs … lances et projetèrent des litres d'eau sur le bâtiment …. Ils vinrent à bout de l'… incendie.

7 ★★ **Recopie et complète avec les adjectifs qualificatifs masculin et féminin qui correspondent à chaque nom.**

Ex. : espace → spatial, spatiale

• une merveille → …, …   • la lourdeur → …, …
• une inquiétude → …, …   • la mollesse → …, …
• la douceur → …, …   • l'épaisseur → …, …

8 ★★ **Recopie et transforme les compléments du nom en rouge en adjectifs épithètes.**

Ex. : Nous visitons les appartements **du roi**.
→ Nous visitons les appartements **royaux**.

• Le facteur commence sa tournée du matin.
• J'ai visité quelques villes d'Italie.
• Nous achetons des produits de la ferme.
• Nous étudions les hommes de la Préhistoire.

9 ★★★ **Recopie et complète avec les adjectifs qualificatifs qui correspondent aux définitions.**

• un animal qui se nourrit de viande : un animal …
• un temps d'hiver : un temps …
• une bougie qui dégage du parfum : une bougie …
• un objet qui décore : un objet …

10 ★★★ **Recopie ces phrases et complète les groupes nominaux avec les adjectifs qualificatifs entre parenthèses.**

Ex. : Les pâturages s'étendent dans la vallée. (vaste – verts) → Les **verts** pâturages s'étendent dans la **vaste** vallée.

• La chouette hulula sous la Lune. (grise – argentée – majestueuse)
• Le musicien jouait de la guitare. (anglais – électrique – célèbre)
• Des fleurs poussent au bord de ce chemin. (sauvages – étroit – magnifiques)
• L'éruption provoqua des coulées de lave. (brûlante – volcanique – importantes)

11 ★★★ **Recopie ce texte et complète chaque nom par au moins un adjectif qualificatif.**

Biscuit est un chat. Je l'ai trouvé sous une voiture. J'ai entendu un miaulement. Je l'ai emmené chez moi. Son oreille était un peu tordue. Il s'est précipité sur le lait que j'avais versé dans une **assiette**. Depuis, nous sommes inséparables.

Je repère dans un texte

Dans l'interview p. 201, relève cinq adjectifs qualificatifs.

J'écris

Imagine que tu te promènes au bord de la mer. Décris ce que tu vois ou ce que tu découvres (plage, mer, coquillages…) en utilisant des adjectifs pour apporter des précisions.

Conjugaison

Objectif : Savoir conjuguer les verbes à l'imparfait de l'indicatif.
Texte en lien : *REPORTAGE : Raconte-moi la Terre !*, p. 202.

L'imparfait

Je lis et je réfléchis

La descente du fleuve Amazone en pirogue
Long d'environ 7 000 kilomètres, le fleuve Amazone traverse six pays d'Amérique du Sud. Christophe, 21 ans, a descendu une partie du fleuve en pirogue. Il raconte son expérience.

« La navigation sur l'Amazone n'**était** pas de tout repos, surtout quand il **pleuvait** ! Mais les paysages en **valaient** la peine ! Et vu que nous n'**allions** pas très vite, nous **avions** bien le temps d'observer ce qui nous entourait : les arbres, les animaux, les couleurs... Le temps **semblait** comme suspendu !

La forêt amazonienne.

1. Les verbes en gras sont-ils au présent, au passé ou au futur ?
2. À quelle personne les verbes soulignés sont-ils conjugués ?
3. Trouve l'infinitif de ces verbes. À quels groupes appartiennent-ils ?
4. Que remarques-tu concernant leur terminaison ?

Je retiens

- L'imparfait de l'indicatif est un temps du passé. Ses terminaisons sont les mêmes pour tous les verbes, quel que soit leur groupe : **-ais, -ais, -ait, -ions, -iez, -aient**.
- Pour la plupart des verbes du **1er groupe**, on ajoute simplement cette terminaison au radical :
  aimer → j'aim**ais** – tu aim**ais** – il, elle aim**ait** – nous aim**ions** – vous aim**iez** – ils, elles aim**aient**
  Attention ! pour les verbes dont l'infinitif se termine en **-yer, -ier, -gner** et **-iller**, les 1re et 2e personnes du pluriel se prononcent de la même façon au présent et à l'imparfait. Il ne faut pas oublier le **i** de l'imparfait : soigner → nous soignons (présent) / nous soignions (imparfait) – payer → vous payez (présent) / vous payiez (imparfait)
- Pour les verbes du **2e groupe**, on ajoute les lettres **ss** pour faire le lien entre le radical et la terminaison à toutes les personnes : finir → je fini**ss**ais – tu fini**ss**ais – il, elle fini**ss**ait – nous fini**ss**ions – vous fini**ss**iez – ils, elles fini**ss**aient
- Pour certains verbes du **3e groupe**, le radical de l'infinitif est modifié à toutes les personnes : faire → je **fais**ais – voir → tu **voy**ais – prendre → il **pren**ait... (voir les tableaux de conjugaison en fin d'ouvrage)
- Les auxiliaires **être** et **avoir** ont aussi des formes particulières à l'imparfait : être → j'**étais** – avoir → tu **avais** (voir les tableaux de conjugaison en fin d'ouvrage)

Je m'exerce

1 ★ **Recopie uniquement les verbes conjugués à l'imparfait de l'indicatif.**
je vais – tu étais – nous venons – voûs regarderez – ils pouvaient – elle prenait – nous voyons – ils dînaient – vous voyiez – vous agirez – j'aurai – nous allions – ils disent – vous aviez – tu mangeais – vous faites

2 ★ **Recopie et complète avec un pronom de conjugaison qui convient.**
- … disais
- … finissions
- … bavardaient
- … revenait
- … rencontriez
- … jouions

3 ★ **Recopie ces phrases et choisis la forme du verbe entre parenthèses qui convient.**
- Les enfants (avalais / avalaient) leur chocolat.
- Mounia (partait / partais) régulièrement en Écosse.
- Vous (franchissais / franchissiez) les haies.
- Tu (déplaçait / déplaçais) les cartons qui te gênaient.
- Je (voyais / voyiez) le soleil descendre sur la mer.

4 ★ **Recopie et complète ces phrases avec les verbes être, avoir ou aller conjugués à l'imparfait de l'indicatif.**
- Fanny … malade la semaine dernière.
- Mon ami et moi … souvent au cinéma.
- Les contrôleurs … dans le wagon.
- Quand tu … petit, tu … une collection de timbres.
- Autrefois, vous … vendre vos légumes au marché.

5 ★★ **Pour chaque verbe en couleur, recopie uniquement la forme conjuguée à l'imparfait de l'indicatif.**
- regarder : tu regardais / tu regardai
- recopier : nous recopions / nous recopiions
- blanchir : ils blanchissaient / ils blanchaient
- faire : vous faisiez / vous feriez
- aller : j'allais / j'allai
- saisir : je saisais / je saisissais

6 ★★ **Conjugue les verbes de ces expressions à la personne demandée.**
Ex. : imprimer un document (2ᵉ personne du singulier) → Tu **imprimais** un document.
- décorer le sapin (1ʳᵉ personne du pluriel)
- imaginer une histoire (3ᵉ personne du pluriel)
- guérir rapidement (3ᵉ personne du singulier)
- prendre des cours (2ᵉ personne du singulier)
- faire la lessive (2ᵉ personne du pluriel)

7 ★★ **Recopie et conjugue les verbes entre parenthèses à l'imparfait de l'indicatif.**
- Ton frère et toi (arriver) toujours en retard.
- De la fumée grise (jaillir) du cratère.
- À l'époque, tu (marcher) fréquemment.
- Au mois de juillet, les touristes (envahir) les plages.
- Nous (vouloir) toujours faire un tour de manège.
- Quand vous (organiser) des fêtes, je (venir) seul.

8 ★★★ **Recopie ces phrases et conjugue leurs verbes à l'imparfait de l'indicatif.**
- Nous sommes contents de vous revoir.
- Ils iront au garage pour faire réparer leur voiture.
- Tu dis certainement la vérité.
- Rébecca paiera ses dettes.
- Vous partez en vacances dans les Landes.
- Nous verrons des dauphins et des baleines.

9 ★★ **Recopie et complète ce texte avec les verbes suivants conjugués à l'imparfait de l'indicatif.**
louer – construire – baigner – être – prendre – passer – sauter – sécher – faire

Quand nous … enfants, nous … une partie de nos vacances en Bretagne. Mes parents … une petite maison en bord de mer. Nous … de longues promenades le long des côtes. Mon frère et moi … des châteaux de sable sur la plage. Je me … tous les jours. Je … la tête la première dans les vagues. Puis je me … au soleil et … un goûter bien mérité.

10 ★★★ **Réécris ce texte en conjuguant les verbes à l'imparfait.**

C'est un voyage fabuleux. Nous parcourons le continent australien d'est en ouest. À chaque étape, nous découvrons des paysages magnifiques et des animaux inconnus. Les gens que nous rencontrons sont incroyablement accueillants. Nous établissons un très bon contact avec eux et ils nous proposent souvent de dormir chez eux. Tous les jours, nous travaillons à écrire notre journal de voyage. En bref, cette expérience nous réjouit et nous appréhendons le retour.

Je repère dans un texte

Dans le texte pp. 202-203, relève cinq verbes conjugués à l'imparfait de l'indicatif entre les lignes 24 et 34. Indique à quel groupe appartient chacun d'eux.

J'écris

Raconte comment tu étais quand tu étais plus petit(e) (ton caractère, tes traits physiques, ce qu'on disait de toi, ce que tu aimais…). Conjugue les verbes à l'imparfait de l'indicatif.

Objectifs : Savoir identifier et utiliser les compléments d'objet direct.
Texte en lien : *Quatre ans de vacances !*, p. 200.

Le complément d'objet direct

Je lis et je réfléchis

Top départ !

Chaque matin, Zéniben se prépare pour l'école. Mais, avant de partir, elle attend <u>un signal</u>. Le maître fait briller le reflet du soleil dans son miroir en direction de chacun des élèves qui habitent à plusieurs kilomètres de l'école. Dès qu'elle voit <u>le signal</u>, Zéniben se met en route […].

Savoir se repérer

Pour apprendre à s'orienter dans le désert, les élèves font <u>un exercice</u>. Chacun a construit <u>une petite maison en argile</u>. Le maître pose la maquette de l'école sur le sol. Les enfants doivent <u>installer leur maison</u> dans la direction où ils habitent. Ils s'entraînent ainsi tous les jours, pour ne pas se perdre sur le trajet de l'école.

Extrait de « Zéniben à l'école du désert », *Astrapi*, n° 667, 1ᵉʳ septembre 2007.

1. Observe les groupes de mots soulignés. Quelle est la nature des mots placés juste devant eux ?
2. Quelle question doit-on poser pour trouver les informations soulignées ?
3. Si tu les supprimes, la phrase a-t-elle encore un sens ? et si tu les déplaces ?
4. Observe les groupes de mots en vert. Que sont ces groupes de mots ?

Je retiens

- **Le complément d'objet direct (C.O.D.)** est un complément **essentiel** du verbe. Il indique **sur qui** ou **sur quoi** porte l'action exprimée par le verbe :
  Les élèves font **un exercice**.   Elle écoute **son professeur**.   Elle **l'**écoute.
           C.O.D.   C.O.D.   C.O.D.

- Le C.O.D. **ne peut pas être déplacé** et suit généralement directement le verbe.
  On peut l'identifier en posant les questions **Qui ?** ou **Quoi ?** après le verbe :
  Elle écoute **qui ?** → **son professeur** – Les élèves font **quoi ?** → **un exercice**

- Il **peut parfois être supprimé** mais le sens de la phrase est alors modifié :
  Elsa mange **une glace**. → Elsa mange.

- Le C.O.D. peut être :
  – un nom propre ou un groupe nominal : Elle attend **Reda**. – Elle attend **un signal**.
  – un pronom (le, la, l', les…) placé avant le verbe : Il achète des fleurs et tu **les** vends.
    (voir leçon p. 134)
  – un infinitif ou un groupe infinitif : Ils veulent **dessiner**. – Le maître fait **briller le reflet du soleil**.

Je m'exerce

1 ★ **Recopie ces phrases. Encadre les verbes et souligne les C.O.D.**

- La petite fille rencontra le loup.
- Mathias prend son petit déjeuner.

- Mon grand-père a trois chats. Il les aime beaucoup.
- Mes amis voulaient partir de bonne heure.
- Ces grandes chauves-souris effraient Lisa.

2 ★ **Recopie uniquement les phrases qui contiennent un C.O.D.**
- Ma voisine exerce un métier difficile.
- La neige tombe en rafales sur le village.
- Une petite lumière luit au fond de cette grotte.
- Vincent mélange le sucre, la farine et les œufs.
- L'archéologue veut trouver la tombe de ce pharaon.
- Andréas nage comme un poisson dans l'eau.

3 ★ **Construis un tableau à 2 colonnes** (répond à la question « quoi ? » et répond à la question « qui ? ») **et classe les C.O.D. de ces phrases.**
- Lilou attend sa mère.
- Qui a mangé le dernier gâteau ?
- L'épicier prend la commande et livre les courses.
- Lukas appelle Tom.
- Demain, je mettrai ma jolie robe verte.
- Ils ont fait reluire toute la maison !

4 ★★ **Utilise les mots ou groupes de mots suivants comme C.O.D. dans des phrases.**
- un crayon à papier bien taillé
- sortir avec leurs amis
- Alison
- arroser les légumes de votre potager
- des imprimantes couleurs

5 ★★ **Recopie ces phrases et remplace les C.O.D. par un pronom** (le, la, les ou l').
Ex. : Monsieur Gallot lit son journal.
→ Monsieur Gallot **le** lit.
- Nourredine prépare ses affaires de piscine.
- La célèbre navigatrice traverse l'océan Atlantique.
- Le maître accueille un nouvel élève.
- Madeleine va poster sa lettre.
- Isidore et Clémentine passent leurs vacances en Bretagne.

6 ★★ **Construis un tableau à 4 colonnes** (groupe nominal, nom propre, pronom personnel et groupe infinitif) **et classe les C.O.D. de ces phrases.**
- Le livreur apporte trois grosses pizzas.
- Mon père emmène Dino à l'aéroport.
- Le chien de cette ferme aime ronger un os.
- Christine achète un billet de train. Elle le range soigneusement dans son sac.
- Ma petite sœur aime les histoires de sorcières.

7 ★★★ **Recopie ces phrases et remplace les pronoms C.O.D. en rouge par un groupe nominal.**
Ex : Amandio l'écrit. → Amandio écrit **la lettre**.
- Le skieur la descend à vive allure.
- L'ogre le dévore avec un féroce appétit.
- Les ouvriers les fabriquent dans cette usine.
- Les spectateurs l'écoutent attentivement.

8 ★★★ **Transforme les phrases suivantes puis encadre les C.O.D.**
Ex. : Un homme **est arrêté** par la police.
→ La police **arrête** un homme.
- Ce bar est fréquenté par tout le quartier.
- La rue est éclairée par un lampadaire.
- Shana est déçue par ce film.
- Le train est retardé par la tempête.
- Mon oncle est dérangé par le bruit.

9 ★★★ **Recopie ce texte. Souligne les sujets en bleu, les verbes en rouge et encadre le C.O.D. quand il y en a un.**
Depuis plusieurs jours, il pleut sans arrêt. Les vacanciers, inquiets, écoutent attentivement le bulletin météo. Le présentateur annonce une amélioration pour le lendemain. Ils poussent un soupir de soulagement. Enfin, ils pourront se promener et aller à la plage. En attendant, ils préparent des crêpes et les font sauter à la poêle.

10 ★★★ **Recopie ces phrases et indique si les groupes de mots en rouge sont des C.O.D. ou des sujets inversés.**
- Hier matin, la police a arrêté un malfaiteur.
- L'architecte présente un projet de construction de musée.
- Dans le four rôtit un gros poulet fermier.
- Le bibliothécaire me donne une carte d'emprunt.
- Tout à coup surgit une panthère noire affamée.
- Dans cinq minutes arrive le taxi que j'ai commandé.

Je repère dans un texte

Dans le texte pp. 200-201, relève au moins trois C.O.D. entre les lignes 13 et 20.

J'écris

Tu pars en voyage. Raconte ce que tu mets dans ta valise. Utilise des C.O.D.

Objectif : Savoir distinguer les temps simples
et les temps composés.
Texte en lien : *Quatre ans de vacances !*, p. 200.

Temps simples et temps composés

Je lis et je réfléchis

La tortue luth est la plus grande des sept espèces de tortues marines.
Julia, 10 ans, est partie en expédition pour observer les tortues luths
et comprendre leurs modes de vie et de reproduction.

Notre expédition pour observer les tortues luths nous **a amenés**
sur les îles Testigos, un archipel au large du Venezuela. Là-bas,
nous **avons installé** notre campement sur une plage où nous
<u>savions</u> que les tortues luths <u>venaient</u> souvent pondre leurs œufs.
La première nuit, nous n'**avons** pas **eu** de chance : aucune tortue
n'**a montré** le bout de son nez... Mais le lendemain soir, quel
spectacle ! Pas moins de cinq tortues **sont venues** sur la plage.
Elles **ont creusé** des trous assez profonds, dans lesquels elles **ont**
pondu plusieurs dizaines de petits oeufs.

Une tortue luth sur une plage.

1. Compare les verbes en gras et les verbes soulignés. De combien de mots sont-ils formés ?
2. À quel temps les verbes soulignés sont-ils conjugués ? Donne leur infinitif.
3. À quel temps les verbes en gras sont-ils conjugués ? Donne leur infinitif.
4. Que remarques-tu concernant le premier mot de chaque verbe en gras ?

Je retiens

- Un verbe peut se conjuguer à **un temps simple** (présent de l'indicatif, futur simple, imparfait
  de l'indicatif...) ou à **un temps composé** (passé composé, plus-que-parfait...).
- Lorsqu'il est conjugué à un temps simple, le verbe s'écrit en **un seul mot** :
  La nuit **tombe**. (présent) – La nuit **tombera**. (futur simple) – La nuit **tombait**. (imparfait) –
  La nuit **tomba**. (passé simple)
- Lorsqu'il est conjugué à un temps composé, le verbe s'écrit en **deux mots** : **un auxiliaire** (**être**
  ou **avoir**) et **le participe passé** du verbe conjugué :
  Nous <u>avons</u> planté la tente. (passé composé) – Nous <u>étions</u> partis en vacances. (plus-que-parfait)
      auxiliaire participe   auxiliaire participe
        avoir   *passé*   *être*   *passé*

Je m'exerce

1 ★ **Construis un tableau à 2 colonnes**
(temps simples et temps composés) et classe
ces verbes.

tu dis – nous ferons – elle a fini – nous avions bu –
je partais – ils ont placé – tu entends – elle fit –
tu as eu – vous agissiez – je suis allé – vous venez –
elle avait pris – ils emmèneront – nous sommes –
j'avais été – vous étiez partis

2 ★ **Recopie ces phrases et écris l'infinitif**
des verbes conjugués.

- Ils ont surgi.
- Nous avions descendu.
- Elle a ajouté.
- Tu auras bu.
- Vous avez fait.
- J'avais voulu.

3 ★ **Recopie ces phrases. Souligne les verbes et indique s'ils sont conjugués à un temps simple ou à un temps composé.**
- Sarah avait déjeuné au restaurant avec ses parents.
- L'armée romaine a vaincu Vercingétorix à Alésia.
- Les dinosaures disparurent il y a 65 millions d'années.
- Les trois amies sont revenues très tard de la plage.
- L'infirmière accompagne le malade à sa chambre.

4 ★ **Recopie ces phrases. Entoure l'auxiliaire et souligne le participe passé.**
- Rosa a eu la varicelle.
- Papa a retrouvé ses clés dans sa poche.
- Ils ont mis trop de sel dans la soupe.
- Marouane a beaucoup grandi depuis la dernière fois que je l'ai vu.
- Je ne suis pas partie en colonie cet été.
- Vous êtes passés nous dire bonjour.

5 ★★ **Associe 2 à 2 les formes d'un même verbe conjugué à un temps simple et à un temps composé. Donne ensuite son infinitif.**
Ex. : tu regardes, tu avais regardé → regarder
vous avez affiché – nous bâtissons –
elles ont saisi – tu offriras – j'ai éclaboussé –
tu pouvais – nous éclaboussions – il a bâti –
j'afficherai – vous saisissiez – ils ont pu –
elle a offert

6 ★★ **Recopie ce texte et souligne en bleu les verbes conjugués à un temps simple et en orange les verbes conjugués à un temps composé.**
Samedi dernier, nous sommes allés nous promener en forêt. Il faisait très beau. Les oiseaux gazouillaient ; ça sentait bon les pommes de pin. Ma petite sœur gambadait joyeusement, quand tout à coup elle nous appela : elle avait aperçu une forme sombre au détour d'un arbre. Nous avons observé attentivement : c'était une biche !

7 ★★ **Recopie ces phrases et conjugue les verbes au présent de l'indicatif.**
Ex. : Bachir **a lu** ce livre. → Bachir **lit** ce livre.
- La documentaliste a trié ces livres.
- Selma et Hugo ont souvent joué ensemble.
- Maman et moi sommes allées au zoo.
- Nous avons invité nos amis pour le Nouvel An.
- Vous êtes partis très vite de la fête.

8 ★★★ **Recopie uniquement les phrases dans lesquelles les verbes être et avoir sont utilisés comme auxiliaires.**
- Vous serez absents toute la semaine.
- Le champion de tennis a remporté quatre tournois cette année.
- Les archéologues ont découvert des ossements vieux de 3 millions d'années.
- Nous aurons l'occasion de rencontrer ton frère.
- Jamila est venue vous rendre visite.
- Les comédiens sont sur la scène.
- Tu seras content quand le soleil reviendra.

9 ★★★ **Recopie ces phrases et remplace les verbes conjugués à un temps simple par les verbes suivants conjugués à un temps composé. Observe bien la conjugaison des auxiliaires.**
aviez reçu – es parti – a fini – avons appris –
ai trouvé
- Antoine fera ses devoirs.
- Tu arrivais à l'heure.
- Nous disons la vérité.
- Je cherche une ambiance chaleureuse.
- Vous écrivez une lettre.

10 ★★★ **Recopie ce texte et souligne les verbes conjugués. Puis réécris le texte au présent.**
Anaïs est allée à la piscine avec ses amies. Elles ont nagé le crawl, puis elles ont fait la course en papillon. Anaïs a gagné.
Elles ont effectué quelques plongeons, puis sont montées à plusieurs sur une grosse planche. Elles ont bien ri !

Je repère dans un texte

Dans le texte pp. 200-201, relève trois verbes conjugués à des temps simples et trois verbes conjugués à des temps composés.

J'écris

Raconte ton plus beau souvenir. Emploie des temps simples et des temps composés, comme l'imparfait et le passé composé.

Objectifs : Savoir accorder les adjectifs qualificatifs.
Savoir former les adjectifs à partir de noms.
Texte en lien : *REPORTAGE : Raconte-moi la Terre !*, p. 202.

L'accord des adjectifs qualificatifs

Je lis et je réfléchis

Comment vit-on au XXI *siècle au Mali, au Ghana ou au Congo,*
quand on est ado ? Reportage au cœur des <u>grandes</u> *villes, à la*
rencontre d'une Afrique <u>jeune</u> *et* <u>joyeuse</u>*, celle qu'on oublie trop*
souvent de montrer.

Il existe plusieurs façons de parler de l'Afrique. Minée par la
corruption, les guerres, le sida, elle est le plus souvent évoquée
de façon **négative**. Mais c'est désespérant de se limiter à ça.
L'Afrique est aussi le continent le plus <u>jeune</u> de la planète,
plein d'énergie.

Un groupe de jeunes Africains.

« Avoir 13 ans en Afrique », *Okapi*, n° 826, 15 mai 2007, © Bayard Presse.

1. Observe les adjectifs soulignés. À quels noms se rapporte chacun d'eux ?
2. Quels sont le genre et le nombre de ces noms ?
3. Dans la deuxième phrase, remplace le nom **villes** par **territoire**. Que se passe-t-il pour l'adjectif ?
4. Maintenant, remplace **Afrique** par **territoire**. Que se passe-t-il pour les adjectifs en rouge ?
5. Quel est le masculin de l'adjectif en gras ?

Je retiens

- L'adjectif qualificatif **s'accorde en genre et en nombre** avec le nom ou le pronom qu'il qualifie.
- **Le féminin** des adjectifs qualificatifs se forme le plus souvent en ajoutant un **e** à l'adjectif masculin : un grand pays → une grand**e** ville. Mais il existe quelques cas particuliers :
  - doublement de la consonne finale de l'adjectif masculin : ancien → ancie**nne**
  - changement de la dernière lettre de l'adjectif masculin : joyeux → joyeu**se**
  - modification de la fin de l'adjectif masculin : premier → premi**è**re – rêveur → rêveu**se** – destructeur → destruct**rice** – négatif → négati**ve**…
  - pas de modification entre le masculin et le féminin : une Afrique **jeune** (féminin) – un territoire **jeune** (masculin)
- **Le pluriel** des adjectifs qualificatifs se forme le plus souvent en ajoutant un **s** à l'adjectif singulier : un point commun → des points commun**s**. Il y a cependant quelques cas particuliers :
  - les adjectifs terminés en **-eau** au singulier prennent un **x** au pluriel : beau → beau**x**
  - les adjectifs terminés en **-al** au singulier se terminent généralement par **-aux** au pluriel : égal → ég**aux**
  - les adjectifs qui se terminent par **-s** ou **-x** au singulier ne changent pas au pluriel : un pays **merveilleux** → des pays **merveilleux** – un chat **gris** → des chats **gris**

Je m'exerce

1 ★ **Construis un tableau à 2 colonnes**
(adjectifs féminins **et** adjectifs masculins) **et**
classe les adjectifs qualificatifs de ce texte.
Par la fenêtre ouverte, j'entends toutes sortes
de bruits : la sonnerie **stridente** d'un téléphone
portable, une musique **entraînante** venant d'un
autoradio, un klaxon **sonore**, le rire **joyeux** d'un
enfant qui court sur le trottoir.

2 ★ **Recopie et complète en mettant les adjectifs en rouge au féminin.**

• un magasin fermé → une boutique …
• un lourd paquet → une … boîte
• un homme élégant → une femme …
• un pantalon blanc → une jupe …
• un garçon discret → une fille …
• un jeu dangereux → une activité …
• un bon score → une … performance
• un gros orage → une … pluie

3 ★ **Recopie et complète en mettant les adjectifs en rouge au masculin.**

• la crème fraîche → le lait …
• une histoire fabuleuse → un récit …
• une fille laide → un garçon …
• une leçon instructive → un cours …
• une guirlande clignotante → un feu …
• une poupée articulée → un pantin …
• une activité manuelle → un travail …

4 ★★ **Trouve l'adjectif masculin et l'adjectif féminin qui correspondent à chaque nom.**

Ex. : une action → actif, active

• la nouveauté
• la douceur
• l'honnêteté
• la prudence
• la sècheresse
• la curiosité
• la couleur
• le malheur

5 ★★ **Recopie ces phrases et complète les noms en rouge par un ou plusieurs adjectifs de ton choix. Attention aux accords !**

• Une souris courait dans l'herbe.
• La boulangère vend des brioches.
• Deux animateurs présenteront cette émission.
• Mes amis ont cueilli des champignons.
• Une athlète a remporté cette épreuve.

6 ★★ **Recopie le texte et souligne les adjectifs qualificatifs. Indique ensuite le genre et le nombre de chacun d'entre eux.**

Ex. : sourds → masculin, pluriel

Des grondements sourds et menaçants se font entendre. Soudain, il sort de sa sombre grotte humide. Il dresse son cou écailleux et se met à cracher d'immenses flammes orangées. Sa longue queue pointue ondule. Il observe les alentours déserts, puis déploie ses vastes ailes et prend son envol dans le ciel bleu.

7 ★★ **Recopie ces phrases et mets les groupes nominaux en rouge au pluriel.**

• J'ai commandé un menu spécial.
• Elle a acheté un nouveau pantalon vert.
• Nous avons souri à cette petite fille timide.
• Vous n'êtes pas sortis à cause de ce vent glacial.
• Le seigneur récompense ce guerrier valeureux.
• Elles ont visité le somptueux palais impérial.

8 ★★★ **Recopie ces phrases et remplace les mots soulignés par les mots entre parenthèses.**

• Il m'a accueilli avec de grands gestes amicaux. (paroles)
• Le gymnaste a effectué des sauts périlleux. (figures)
• Il faut limiter les aliments trop gras. (nourritures)
• Les journalistes commentent les événements internationaux. (nouvelles)
• Ces ogres cruels mangent les petits enfants. (sorcières)

9 ★★★ **Recopie ce texte et accorde les adjectifs entre parenthèses quand c'est nécessaire.**

Les marchands (ambulant) franchirent les (grand) portes de la ville (fortifié). Ils avaient traversé de (nombreux) contrées et rapporté des marchandises plus (merveilleux) les unes que les autres : des étoffes (multicolore), des pierres (précieux), de (beau) vases en albâtre, de la (magnifique) vaisselle d'argent. Ils vendaient aussi de (multiple) épices aux odeurs (entêtant) et de (splendide) bijoux.

Je repère dans un texte

Dans le texte pp. 202-203, trouve un adjectif masculin singulier, un adjectif féminin singulier, un adjectif masculin pluriel et un adjectif féminin pluriel.

J'écris

Écris le portrait d'une personne que tu connais bien (tes parents, ton frère, ta sœur, un ou une camarade…). Utilise de nombreux adjectifs qualificatifs pour décrire sa taille, la couleur de ses yeux, de ses cheveux, la forme de son visage, ses vêtements…

Orthographe

Objectif : Savoir écrire sans erreur les verbes dont l'infinitif se termine par **-cer**, **-ger** ou **-guer**.
Texte en lien : *REPORTAGE : Raconte-moi la Terre !*, p. 202.

Les verbes en -cer, -ger, -guer

Je lis et je réfléchis

L'école de la vie

Le père et le grand-père d'Olin lui enseignent tout ce qu'il devra faire pour nourrir sa famille [...]. Olin apprend aussi à construire les maisons car les Tau't Batu n'habitent jamais au même endroit : ils se <u>déplacent</u> pour trouver et cultiver leur nourriture.

Fait maison

Olin et sa famille fabriquent beaucoup de choses eux-mêmes : des cuillères en bois, des instruments de musique en bambou, des matelas en rotin... Pour se procurer d'autres objets, ils font du commerce avec les gens des régions alentour : ils leur vendent de la nourriture ou ils l'<u>échangent</u> contre des briquets, des bidons, des casseroles...

« L'Enfant de la jungle », *Astrapi*, n° 682, 15 avril 2008, © Bayard Presse.

1. Quel est l'infinitif des verbes soulignés ? À quel temps sont-ils conjugués ?
2. Conjugue le verbe en rouge à la 1ʳᵉ personne du pluriel. Que remarques-tu ?
3. Maintenant, conjugue-le aux trois premières personnes du singulier, à l'imparfait. Que remarques-tu ?
4. Conjugue le verbe en vert à la 1ʳᵉ personne du pluriel, au présent. Que remarques-tu ?
5. Conjugue-le aux trois premières personnes du singulier, à l'imparfait. Que remarques-tu ?

Je retiens

- Les verbes dont l'infinitif se termine en **-cer** comme **déplacer** prennent **une cédille** sous le **c** devant les terminaisons commençant par les voyelles **a** et **o** pour conserver le son **[s]** :
  nous déplaçons – je déplaçais – tu déplaçais – il déplaçait – elles déplaçaient
- Les verbes dont l'infinitif se termine en **-ger** comme **échanger** prennent un **e** après le **g** devant les terminaisons commençant par les voyelles **a** et **o** pour conserver le son **[ʒ]** :
  nous échangeons – j'échangeais – tu échangeais – il échangea – vous échangeâtes
- Les verbes dont l'infinitif se termine en **-guer** comme **conjuguer** conservent le **-gu** devant les voyelles **a** et **o**, même si ce n'est pas nécessaire pour faire le son **[g]** : nous conjuguons – je conjuguais – tu conjuguais – il conjuguait – elles conjuguaient

Je m'exerce

1 ★ **Recopie ces phrases et conjugue les verbes entre parenthèses au présent de l'indicatif.**
- La jeune maman (bercer) son enfant.
- Nous (effacer) le tableau.
- Nestor et moi (lancer) le javelot.
- Tu (annoncer) une bonne nouvelle.
- Nous (enfoncer) ce clou dans le mur.
- Vous (forcer) la porte.

2 ★ **Recopie ces phrases et conjugue les verbes entre parenthèses au présent de l'indicatif.**
- Mila et moi (plonger) en même temps.
- Vous (songer) à partir dans le Sud.
- Les enfants (manger) à la cantine.
- Nous (loger) dans ce petit appartement.
- Tu (exiger) des explications.
- Nous (partager) ce repas.

3 ★ **Recopie ces phrases et conjugue les verbes entre parenthèses au présent de l'indicatif.**
- Nous (dialoguer) au téléphone depuis une heure.
- Tom (blaguer) très souvent.
- Farid et moi (voguer) vers l'île de Ré.
- Tu me (fatiguer) !

4 ★ **Recopie et complète ces phrases avec la forme du verbe entre parenthèses qui convient.**
- Lili et moi (bougeons / bougons) les meubles.
- Les plongeurs (fatiguaient / fatigaient) vite.
- Nous (sucons / suçons) notre glace.
- Tu (voguais / vogais) fièrement sur une barque.

5 ★★ **Conjugue ces verbes à l'imparfait de l'indicatif. Garde le même pronom de conjugaison.**
elle balance – tu éponges – j'envisage – il délègue – elles pincent – je fugue – ils engagent – tu déplaces

6 ★★ **Recopie et complète ces phrases avec les verbes suivants conjugués au présent de l'indicatif.**
placer – diriger – naviguer – exercer – mélanger – distinguer
- Depuis quand …-vous cette entreprise ? Nous la … depuis quatre ans.
- Quel métier …-vous ? Nous … le métier de libraire.
- Sur quel océan …-ils ? Ils … sur l'océan Indien.
- Avec quoi …-vous le jaune ? Nous le … avec du bleu.
- Où …-vous cette table ? Nous la … près de la fenêtre.
- Que …-vous au loin ? Nous … une silhouette.

7 ★★ **Recopie ces phrases et conjugue les verbes entre parenthèses à l'imparfait de l'indicatif.**
- Mes cousines (partager) du pain d'épice.
- Tu (annoncer) la bonne nouvelle à toute ta famille.
- Il y a quelques années, je (voyager) beaucoup en avion.
- Les alpinistes (avancer) difficilement dans la poudreuse.
- Il (percer) le mur pour fixer des étagères.
- Elles (cataloguer) les livres de bibliothèque.

8 ★★ **Recopie et complète ce tableau.**

Imparfait	Présent	Futur
nous …	nous …	nous avancerons
tu …	tu dialogues	tu …
nous interrogions	nous …	nous …
ils …	ils menacent	ils …
je …	je …	je reléguerai
elle …	elle bouge	elle …

9 ★★★ **Trouve les verbes dont l'infinitif se termine en -cer ou en -ger qui correspondent aux définitions suivantes. Conjugue-les ensuite au présent de l'indicatif à la personne demandée.**
- Nous mettons de l'ordre dans notre chambre : nous la ….
- Nous dessinons une droite : nous … une droite.
- Nous enlevons le savon du linge avec beaucoup d'eau : nous ….
- Nous changeons de maison : nous ….
- Nous envoyons la balle : nous ….

10 ★★★ **Trouve les verbes dont l'infinitif se termine en -cer, -ger ou -guer qui correspondent aux définitions. Conjugue-les ensuite à l'imparfait de l'indicatif à la personne demandée.**
- Ces jolis fauteuils prenaient la place du canapé usé : ces jolis fauteuils … le canapé usé.
- Tu mettais les bagages dans la voiture : tu … les bagages dans la voiture.
- De gros flocons blancs tombaient : il ….
- Ce voilier se déplaçait sur l'eau : le voilier … sur l'eau.

Je repère dans un texte

Dans le texte pp. 202-203, retrouve un verbe dont l'infinitif se termine en **-cer** et un verbe dont l'infinitif se termine en **-ger**. Conjugue-les à la 1re personne du pluriel du présent de l'indicatif.

J'écris

Écris des phrases avec les verbes suivants conjugués au présent de l'indicatif et à la 1re personne du pluriel : percer un mur – envisager une solution – changer de sujet – divulguer un secret.

Objectifs : Savoir ce que sont les homonymes, comment parvenir à les repérer et à les distinguer.
Texte en lien : *Quatre ans de vacances !*, p. 200.

Les homonymes

Je lis et je réfléchis

« Cotonou, c'est fou ! »

« Je m'appelle Simonet Biokou et je vis au Bénin où je suis sculpteur-forgeron.[…] Mon travail m'incite à regarder battre le cœur de la ville. Un jour, il y a douze ans, alors que je fabriquais des casseroles ou des cuillères en fer, un ami peintre m'a donné l'idée de récupérer la ferraille inutile chez les carrossiers et, avec mon **fer** à souder, d'en **faire** de l'art ! De la transformer en personnages de la rue. Un gros écrou pour la tête, une bougie de moteur pour le nez, un ressort d'amortisseur pour le torse, des rayons de <u>roue</u> pour les bras... Et voilà un mendiant assis par terre, un vendeur de brochettes, un musicien, une femme au panier... C'est tout ça, la jungle urbaine africaine ! »

« Cotonou, la plus grande ville du Bénin », *Okapi*, numéro spécial : « L'Afrique, tu connais ? », août 2002, © Bayard Presse.

Simonet Biokou.

1. Lis les mots en gras à voix haute. Quel est leur point commun ?
2. Qu'est-ce qui les différencie ?
3. Trouve un mot qui se prononce de la même manière que le mot souligné. Quelle est son orthographe ?

Je retiens

- **Les homonymes** sont des mots qui **se prononcent de la même façon** mais qui n'ont **pas le même sens** : un **fer** à souder (un objet) / **faire** (verbe)
- Certains homonymes s'écrivent différemment. Ce sont **des homophones** : la **mère** – le **maire**
- Certains homonymes ont une orthographe identique. Ce sont **des homographes.** C'est le contexte qui indique alors le sens : Il achète une jolie **plante** verte. (un végétal) / Il a mal à la **plante** des pieds. (le dessous des pieds)
- Pour vérifier l'orthographe des homonymes, il faut regarder dans le dictionnaire.

Je m'exerce

1 ★ **Recopie ces phrases et entoure les homonymes.**

- Vers minuit, le marié lève son verre pour porter un toast à sa femme.
- Dans la cour du château, le gentilhomme fait la cour à la comtesse.
- Anissa pousse un cri : elle vient de se pincer le pouce dans la porte.
- Les canes s'éloignent du bord de l'eau pour éviter les cannes à pêche des pêcheurs.

2 ★ **Recopie ces phrases et choisis l'homonyme qui convient. Tu peux t'aider d'un dictionnaire.**

- La (mer / mère) Michelle a perdu son chat.
- Il habite (vert / vers) la poste.
- C'est ton anniversaire le 20 (mais / mai).
- Je me régale de ce (bon / bond) plat.
- Ma tante met son chemisier en (soi / soie).
- Le (mètre / maître) menuisier mesure ses planches de bois.

3 ★ **Recopie et complète ces phrases avec l'homonyme qui convient.**

a) conte / compte / comte
- Sa grande sœur vient d'ouvrir un … en banque.
- Monsieur le … habite dans ce château entouré d'un parc.
- J'aime lire ce … sur l'Égypte ancienne.

b) malle / mâle / mal
- Dans ce zoo, il y a un gorille … et deux gorilles femelles.
- Je me suis fait … à la cheville.
- Mon père a rangé cette vieille … dans le grenier.

4 ★★ **Recopie et complète ces phrases avec les homonymes suivants.**

verre – ver – faim – fin – col – colle – ancre – encre
- Tu as taché le … de ta chemise.
- C'est le départ : les marins lèvent l'….
- Je prendrais bien un … de soda.
- La sonnerie retentit : c'est la … des cours.
- Mon père a besoin de … à papier peint.
- Elle a vu un … ramper dans l'herbe.
- Il n'y a plus d'… dans l'imprimante.
- Le chien a très … : il se jette sur son os.

5 ★★ **Recopie et complète ces phrases avec des homonymes des mots en rouge. Tu peux t'aider d'un dictionnaire.**
- Le professeur écrit la date au tableau. / Mamie a acheté un kilo de ….
- Une phrase se termine par un point. / Tu as reçu un coup de ….
- Ce gratin manque de sel. / Kenza remonte la … de son vélo.
- Il a le teint pâle ; il doit être malade. / Du romarin et du … poussent dans mon jardin.

6 ★★ **Recopie et complète ces phrases en choisissant parmi les homonymes suivants.**

voix / voie – cygne / signe – porc / port – sang / sans – chêne / chaîne – hauteur / auteur
- Peu de bateaux sont encore amarrés dans ce ….
- La … qui est à mon cou appartenait à ma grand-mère.
- Le vilain petit canard s'est transformé en ….
- L'… de ce roman fantastique est très célèbre.
- Votre examen d'anglais s'est déroulé … problème.
- L'autoroute longe la … ferrée pendant deux kilomètres.

7 ★★ **Recopie et complète ces phrases avec des homonymes qui s'écrivent de la même façon.**
- Boris demande une autre … de pizza. / On … en classe de mer demain matin.
- Le sorcier jette un … à la princesse. / Jonathan … de chez le dentiste.
- Il a renversé du café sur le …. / La musicienne trace une clé de … sur sa partition.
- Je vais à la pêche aux …. / Où rangez-vous vos … à tarte ?

8 ★★★ **Recopie et complète ces phrases avec les homonymes qui conviennent.**
- Victor prend le … tous les jours pour aller à l'école. / Le film commence à neuf heures moins le ….
- Les enfants s'amusent à ramasser des pommes de …. / Le client achète un … de campagne tranché.
- Ce soir, on plante la … dans ce camping. / Elle a invité son oncle et sa … à déjeuner.
- Naël aimerait beaucoup danser avec …. / De mon hublot, je peux voir l'… gauche de l'avion.

9 ★★★ **Emploie chacun des mots suivants dans une courte phrase. Tu peux t'aider d'un dictionnaire pour vérifier leur sens.**

une amande – une amende – un cap – une cape – sale – une salle

10 ★★★ **Les mots en rouge dans ces phrases sont mal orthographiés. Recopie et corrige leur orthographe pour que les phrases aient un sens.**
- La scène traverse pari et se jette dans la maire.
- Le médecin a pris le poux du malade pour entendre les battements de son chœur.
- Julien a renversé un sot d'os sur ma robe. J'attends qu'elle seiche.
- Diego boit un vert de laid chaux.

Je repère dans un texte

Dans le texte pp. 200-201, cherche un homonyme du mot **cours** et un homonyme du mot **conte**.

J'écris

Écris un petit texte dans lequel tu emploieras ces homonymes : sot – saut – sceau.

Objectifs : Savoir identifier et utiliser le C.O.I. et le C.O.S.
Texte en lien : *La couleur*, p. 210.

Le complément d'objet indirect et le complément d'objet second

Je lis et je réfléchis

Tout est couleur dans le regard de Vincent. Quand il décrit des lieux ou des gens à Théo, il ne parle pas d'une maison, d'une jeune fille de 20 ans, d'un arbre, mais il parle **de jaune**, **de rouge**, **de vert**... Il raconte comment le teint café au lait d'une jeune fille se juxtapose **au rosé de son corsage** ; ce sont ces couleurs qui lui donnent envie de l'avoir pour modèle. Mais va-t-elle accepter ?

Brigitte Labbé et Michel Puech, *Van Gogh*,
collection « De vie en vie », © éd. Milan Jeunesse.

La Mousmé dans le fauteuil,
Vincent Van Gogh, 1888.

1. Observe les groupes de mots en gras. Quelle est la nature du mot placé juste devant eux ?
2. Peux-tu déplacer ces groupes de mots ? les supprimer ?
3. Quelles questions peux-tu poser après les verbes pour identifier ces groupes de mots ?
4. Deux groupes de mots complètent le verbe **décrire** dans la deuxième phrase. Quelle est la fonction du groupe en bleu ? Comment le sais-tu ?
5. Quelle différence y a-t-il entre le groupe en bleu et le groupe en rouge ?

Je retiens

• Le **complément d'objet indirect** (**C.O.I.**) est un complément **essentiel** du verbe. Il indique **sur qui** ou **sur quoi** porte l'action exprimée par le verbe :

Il parle **de jaune**. Il parle **au boulanger**.
C.O.I.   C.O.I.

• On peut identifier le C.O.I. en posant les questions **À qui ?**, **De qui ?**, **À quoi ?** ou **De quoi ?** après le verbe : Il parle **à qui ?** → au boulanger. Il parle **de quoi ?** → de jaune.

• Il **ne peut pas être déplacé** dans la phrase. Il **peut parfois être supprimé** mais le sens de la phrase est alors modifié : Il parle **de jaune**. → Il parle.

• Le C.O.I. est le plus souvent composé d'une préposition (à, de...) ou d'un article contracté (au, des...) et :
– d'un groupe nominal : Nous assistons **à un beau spectacle**.
– d'un nom propre : Il pense **à Ibrahim**.
– d'un pronom : Il pense **à lui**. – Il **lui** dit bonjour. (voir leçon p. 134)
– d'un infinitif ou d'un groupe infinitif : Vous continuez **à discuter**.

• Le **complément d'objet second** (**C.O.S.**) est un C.O.I. qui se trouve dans une phrase où il y a déjà un autre complément d'objet (C.O.D. ou C.O.I.) :

Ma tante donne **un bonbon** à ses filles. J'ai parlé **de cet événement** à mon frère.
C.O.D.   C.O.S.   C.O.I.   C.O.S.

Je m'exerce

1 ★ **Recopie les groupes de mots soulignés. Indique à quelle question ils répondent et de quel complément il s'agit (C.O.D. ou C.O.I.).**
Ex. : Le gangster échappe <u>aux policiers</u>.
→ à qui ? (C.O.I.)
• L'arbitre s'approche <u>des joueurs</u>.
• La journaliste interroge <u>le Premier ministre</u>.
• Vous réfléchirez <u>à ma proposition</u> ce week-end.
• Pour sa randonnée, Marie a acheté <u>des chaussures de marche</u>.

2 ★ **Recopie ces phrases. Souligne chaque C.O.I. et entoure la préposition ou l'article contracté qui l'introduit.**
• Lou et Capucine profitent de leurs vacances.
• Les élèves de CM1 jouent au volley-ball.
• Ce petit garçon ressemble à Tristan.
• Pour créer les costumes, il s'est inspiré du Moyen Âge.
• Ma sœur se moque de moi.

3 ★★ **Construis un tableau à 4 colonnes** (nom propre, groupe nominal, pronom et infinitif) **et classe les C.O.I. de ces phrases.**
• Garance écrivait à Fatoumata chaque semaine.
• La grande reine lui sourit.
• Ce sportif s'applique à garder une excellente condition physique.
• Le conducteur s'adresse au douanier.
• Nous leur rendions rarement visite.
• Bettina participe à un tournoi de ping-pong.

4 ★★ **Remplace chacun des pronoms en rouge par un groupe nominal ou un nom propre.**
Ex. : Il <u>lui</u> répond. → Il répond à Lucia.
• La fillette lui obéit.
• Cet homme leur a menti.
• Tiphaine se moque d'eux.
• Les élèves s'adressent à elle.

5 ★★ **Recopie ces phrases. Souligne les pronoms en rouge s'ils sont C.O.D. et encadre-les s'ils sont C.O.I.**
• Le panneau leur indique la direction à prendre.
• L'espion les surveille très discrètement.
• Vous me rappelez l'heure du rendez-vous.
• L'artiste l'a sculpté en trois semaines.
• Ce message vous informe qu'elle est absente.

6 ★★★ **Pour chacun des verbes proposés, écris une phrase qui contient un C.O.D. ou un C.O.I. Indique ensuite quel type de complément tu as choisi.**
Ex : boire → Tu bois **du lait**. (C.O.D.)
rêver – observer – agrandir – peindre – réfléchir – penser

7 ★★★ **Recopie ces phrases. Souligne le premier complément et indique s'il s'agit d'un C.O.D. ou d'un C.O.I. Encadre ensuite le C.O.S.**
Ex. : Ali prête son stylo à son camarade.
→ Ali prête <u>son stylo</u> [à son camarade].
C.O.D. C.O.S.
• La maîtresse raconte une histoire aux élèves attentifs.
• Cynthia parle de son voyage à ses grands-parents.
• Les secouristes apportent leur aide aux victimes du tremblement de terre.
• Relie l'adjectif au nom qu'il qualifie.
• Monsieur Dubois offre une paire de boucles d'oreilles en argent à sa fiancée.

8 ★★★ **Recopie et complète avec un C.O.D. et un C.O.S.**
Ex. : Ils donnent…
→ Ils donnent **des conseils** <u>à leurs clients</u>.
C.O.D. C.O.S.
• Nous distribuons ….   • Tu annonces ….
• Elles demandent ….   • Je présente ….
• Vous avouez ….   • Ils apportent ….

9 ★★★ **Emploie ces mots ou groupes de mots comme C.O.S. dans une phrase.**
Ex. : passager → Le chauffeur de taxi rend **la monnaie** <u>au passager</u>.
C.O.D. C.O.S.
ses soldats – paysans – Déborah – crocodile – cette ministre

Je repère dans un texte

Dans le texte pp. 210-213, trouve un verbe suivi d'un C.O.D. et d'un C.O.S. et un verbe suivi d'un C.O.I. entre les lignes 45 et 64.

J'écris

Raconte ce que tu as fait à la dernière récréation. Utilise des C.O.D. et des C.O.I.

Objectifs : Savoir identifier et utiliser les compléments circonstanciels de lieu et de temps.
Texte en lien : Le « DIVIN » Michel-Ange, p. 206.

Les compléments circonstanciels de lieu et de temps

Je lis et je réfléchis

En 1928, Miró fait un voyage <u>en Belgique et en Hollande</u>. Les grands maîtres de la peinture hollandaise du XVIIᵉ siècle le fascinent. Miró achète des cartes postales <u>dans les musées</u>. **À son retour en France**, il s'en inspire pour peindre plusieurs portraits. Sans doute Miró retrouve-t-il <u>dans leurs œuvres</u> cet amour du détail qui l'avait tant intéressé **au début de sa carrière** ?

Sophie Comte-Surcin et Caroline Justin,
Dans l'univers de… Miró, coll. « Carré d'art », © éd. Belem, 2004.

Intérieur hollandais,
Joan Miró, 1928.

1. Quels renseignements te donnent les groupes de mots en gras ?
2. Quels renseignements te donnent les groupes de mots soulignés ?
3. Quelle question peux-tu poser après le verbe pour obtenir les groupes de mots en gras comme réponse ? et pour obtenir les groupes de mots soulignés comme réponse ?
4. Peux-tu déplacer les groupes de mots en gras ? les groupes de mots soulignés ? Peux-tu les supprimer ?

Je retiens

- Le **complément circonstanciel (C.C.)** permet de préciser les circonstances de l'action exprimée par le verbe, par exemple **où** et **quand** elle se passe :

  En 1928, Miró fait un voyage **en Hollande**.
  C.C. de temps   C.C. de lieu

- C'est un complément **facultatif**, qui peut généralement être déplacé ou supprimé : **À son retour en France**, il s'en inspire pour peindre. → Il s'en inspire pour peindre **à son retour en France**. (déplacement) / Il s'en inspire pour peindre. (suppression)
- On peut identifier **un complément circonstanciel de lieu (C.C.L.)** en posant la question **Où ?** après le verbe : En 1928, Miró fait un voyage **où ?** → **En Hollande**.
- On peut identifier **un complément circonstanciel de temps (C.C.T.)** en posant la question **Quand ?** après le verbe : Miró fait un voyage **quand ?** → **En 1928**.
- Un complément circonstanciel de lieu ou de temps peut être :
  – un nom ou un groupe nominal, souvent introduit par une préposition ou un article contracté :
    Ce peintre expose <u>dans</u> cette galerie.
  – un adverbe (voir leçon p. 120) : **Hier**, je suis allé la visiter.

Je m'exerce

1 ★ **Recopie ces phrases. Indique à quelle question répondent les compléments circonstanciels soulignés.**
Ex : Mes classeurs sont rangés <u>sur l'étagère</u>.
→ Où ? (C.C.L.)
- <u>Cet après-midi</u>, j'ai rangé ma chambre.

- Il préfère s'asseoir <u>ici</u>.
- Pierre a croisé deux de ses amis <u>à la fête foraine</u>.
- <u>Au coucher du soleil</u>, nous aimons nous promener <u>sur la plage</u>.
- <u>Au cœur de ce désert</u> se dressent des collines.
- Ce navire a été construit <u>au XIXᵉ siècle</u>.

2 ★ **Recopie ces phrases. Souligne les C.C.L. et indique s'il s'agit d'un groupe nominal ou d'un adverbe.**
- J'ai rendez-vous chez le médecin.
- Sous ces gros rochers se trouvent des grottes.
- Bertille plante deux arbustes devant sa maison.
- Demain, le soleil brillera partout.
- Nous partirons bientôt en Sicile.

3 ★ **Recopie ces phrases. Souligne les C.C.T. et indique s'il s'agit d'un groupe nominal ou d'un adverbe.**
- À cinq heures précises, le coq se mit à chanter.
- Le taxi passe me prendre dans trois quarts d'heure.
- Hier, nous avons dîné au restaurant.
- Le magasin sera fermé pendant tout le mois d'août.
- Ils vont souvent se promener dans ce grand parc.

4 ★ **Recopie les compléments circonstanciels de chaque phrase et indique s'il s'agit de C.C.T. ou de C.C.L.**
- Il m'attendait au bout du quai.
- Un jour, la reine accoucha de deux jumeaux.
- Mon frère arriva à la maison tard dans la nuit.
- Depuis trois mois, Sylvana joue du violon ici.
- Des oiseaux nichent parfois dans cet arbre.

5 ★★ **Recopie ces phrases et déplace chaque complément circonstanciel. Attention à la ponctuation !**
Ex. : **La semaine prochaine**, je pars en vacances.
→ Je pars en vacances **la semaine prochaine**.
- Dans la forêt lointaine, on entend le hibou.
- Les soldats installèrent leur campement quelques heures plus tard.
- Quentin va au ski tous les hivers.
- Le bus s'est soudain arrêté en pleine rue.
- Le mois prochain, à l'Opéra, aura lieu une représentation de *La Flûte enchantée*.

6 ★★ **Recopie ces phrases et souligne les C.C.L. en bleu et les C.C.T. en vert. Puis indique si le complément est un groupe nominal ou un adverbe.**
- J'ai lu trois chapitres de ce roman aujourd'hui.
- Dans cette rivière, Hannah a pêché deux écrevisses.
- Elle courra le cent mètres le week-end prochain.
- Au fond du couloir, vous trouverez mon bureau.
- Ensuite, vous êtes arrivés près du vieux chêne.

7 ★★ **Recopie le texte sans les compléments circonstanciels de temps et de lieu.**
Cette nuit-là, Mortimer se réveilla en sursaut. Il avait entendu des craquements étranges au-dessus de sa chambre. Le garçon prit une lampe de poche dans le tiroir de son bureau. Soudain, il entendit un bruit sur sa gauche.

8 ★★ **Recopie et complète ces phrases avec un C.C.T.**
- Les écureuils ramassent des noisettes.
- La tempête fait rage.
- Christophe Colomb découvrit l'Amérique.
- Tu étais championne de tennis.

9 ★★ **Recopie et complète ces phrases avec un C.C.L.**
- Robinson construisit une cabane.
- Elle achète souvent du lait frais.
- Yanis pose son sac.
- Nous avons vu des flamants roses.

10 ★★★ **Emploie chacune des prépositions suivantes dans une phrase. Puis indique si elle introduit un C.C.L. ou un C.C.T.**
Ex : **pendant** → Elles ont joué **pendant une demi-heure**. (C.C.T.)
loin de – en face de – dès – parmi – depuis – derrière

11 ★★★ **Recopie et complète ce texte avec des compléments circonstanciels du type indiqué entre parenthèses.**
(C.C.T.), je m'assis (C.C.L.). J'avais marché (C.C.T.) et j'étais épuisée. (C.C.L.), j'aperçus un groupe de baigneurs. En regardant mieux, je reconnus mes amis. Quelle joie : j'étais enfin arrivée (C.C.L.) ! (C.C.T.), j'enfilai mon maillot de bain et courus les rejoindre.

Je repère dans un texte

Dans le texte pp. 206-209, trouve un complément circonstanciel de temps et un complément circonstanciel de lieu entre les lignes 1 et 16.

J'écris

Tu as effectué un voyage, en France ou à l'étranger. Raconte où et quand s'est déroulé ce voyage.

Objectifs : Savoir identifier les verbes conjugués au passé composé. Savoir conjuguer les verbes des 1er et 2e groupes au passé composé.
Texte en lien : *La couleur*, p. 210.

Le passé composé des verbes des 1er et 2e groupes

Je lis et je réfléchis

Dans les années 1870, un groupe de peintres, parmi lesquels se trouvaient Claude Monet et Auguste Renoir, a réussi à se libérer des règles de la peinture classique. Plutôt que de continuer à peindre de manière « réaliste », ils ont décidé de se laisser guider par leurs impressions et leurs sensations. D'où le nom que le public a alors donné à leur mouvement : l'impressionnisme. Leur peinture est restée longtemps incomprise.

La Liseuse,
Pierre-Auguste Renoir, 1874.

1. Ce texte est-il écrit au passé, au présent ou au futur ?
2. Les verbes en couleur sont-ils conjugués à un temps simple ou à un temps composé ?
3. Avec quels auxiliaires sont-ils conjugués ?
4. Donne l'infinitif des verbes en rouge. À quel groupe appartiennent-ils ?
5. Donne l'infinitif du verbe en bleu. À quel groupe appartient-il ?

Je retiens

- **Le passé composé** est un temps composé. Il est formé de deux mots : **un auxiliaire (être** ou **avoir)** conjugué au présent de l'indicatif et **le participe passé du verbe conjugué.**

Leur peinture	**est**	**restée.**	Il	**a**	**réussi.**
	auxiliaire	participe passé		auxiliaire	participe passé
	être au présent	du verbe *rester*		*avoir* au présent	du verbe *réussir*

- Le participe passé des verbes du **1er groupe** se termine par **-é** : décider → décidé
- Le participe passé des verbes du **2e groupe** se termine par **-i** : grandir → grandi
- Avec l'auxiliaire **être**, le participe passé s'accorde en genre et en nombre avec le sujet du verbe (voir leçon p. 106) : Elles sont rest<u>ées</u>.
- Avec l'auxiliaire **avoir**, le participe passé ne s'accorde pas avec le sujet du verbe : Elles ont réfléch<u>i</u>.
  Attention ! l'auxiliaire et le participe passé **ne sont pas toujours côte à côte** ; ils peuvent être séparés par un adverbe ou un mot de négation :
  D'où le nom que le public **a** <u>alors</u> **donné** à leur mouvement. – Tu n'**as** <u>pas</u> **joué.**

Je m'exerce

1 ★ **Recopie uniquement les verbes conjugués au passé composé. Donne leur infinitif.**

j'ai sauté – nous avons réussi – tu franchiras – vous aviez ordonné – il a bâti – ils ont gémi – elle donne – tu as osé – j'étais entré – vous n'avez pas choisi – nous parlerons

2 ★ **Recopie ces phrases et souligne les verbes au passé composé.**

- Tu as déménagé samedi dernier.
- Dans le jardin, les lilas ont fleuri.
- L'avion a atterri en douceur sur la piste.
- Hier, nous sommes arrivées en retard en cours.
- Il y a deux semaines, vous avez gagné le concours.

3 ★ **Recopie uniquement les phrases qui contiennent un verbe conjugué au passé composé.**

- Vanessa a oublié ses clés à la maison.
- Ma mère envoie des cartes postales à ses neveux.
- Le plombier n'avait pas réparé la canalisation.
- Tu as applaudi le dompteur de lions.
- Nous avions tracé des droites perpendiculaires.
- Elle est tombée de sa bicyclette.
- Vous n'avez pas assez réfléchi au problème.
- Je dînerai avec toi ce soir.

4 ★ **Donne le participe passé de ces verbes.**

établir – manger – franchir – oser – subir – souffler

5 ★★ **Recopie ces phrases et complète les verbes conjugués au passé composé avec l'auxiliaire être ou l'auxiliaire avoir.**

- Ce très beau film … bouleversé Mathieu.
- Pour aller chez toi, je … passé par la rue Amelot.
- Abel et Tania … discuté pendant plus d'une heure.
- Monsieur et madame Joly … rentrés de vacances hier soir.
- Vous … agi comme il le fallait.
- Avant-hier, nous … subi une panne d'électricité importante.

6 ★★ **Recopie ces phrases et remplace le sujet souligné par le sujet entre parenthèses.**

- Tu as renversé ton verre de lait sur le tapis. (nous)
- Ma mère a rencontré une amie d'enfance. (elles)
- Les coureurs ont fourni de gros efforts tout au long de l'étape. (vous)
- Nous avons muni le coffre d'un solide cadenas. (je)
- Les pirates ont enseveli leur trésor non loin d'ici. (le pirate)
- Vous avez dansé toute la nuit. (tu)

7 ★★ **Recopie ces phrases et conjugue les verbes entre parenthèses au passé composé.**

- Le chirurgien (opérer) son patient ce matin.
- Les mauvaises herbes (envahir) une partie du potager.
- Il (monter) sur l'escabeau pour changer cette ampoule.
- Nous (établir) un plan de bataille.
- Lundi soir, j'(finir) mon puzzle de mille pièces.
- Vous (égarer) votre permis de conduire.

8 ★★★ **Recopie ces phrases et conjugue leurs verbes au passé composé.**

- Les nuages obscurcissent le ciel.
- Le concierge déposera un colis pour toi devant la porte.
- Tu arrivais au bon moment.
- Nous choisirons cette jolie paire de chaussures.
- J'embellis le sapin avec de nombreuses boules multicolores.
- Vous franchissiez les portes de ce grand bâtiment.
- Les fleurs frémissent sous le vent.

9 ★★★ **Écris une phrase avec chacun de ces verbes conjugué au passé composé.**

camper – hennir – arriver – obéir – croquer – franchir – discuter – finir

10 ★★★ **Écris une phrase avec chacun de ces verbes conjugué au passé composé. Utilise les personnes indiquées entre parenthèses.**

délivrer (2ᵉ personne du pluriel) – jaillir (3ᵉ personne du singulier) – démolir (1ʳᵉ personne du singulier) – inventer (3ᵉ personne du pluriel) – lancer (1ʳᵉ personne du pluriel) – pâlir (2ᵉ personne du singulier)

11 ★★★ **Recopie ce texte et remplace Aujourd'hui par Hier. Conjugue les verbes au passé composé.**

Aujourd'hui, Zora et Yohann jouent au ballon dans le jardin. Les enfants délimitent le but avec deux piquets de bois. Yohann commence la série de tirs. Il frappe la balle un peu trop fort et elle atterrit sur le crâne du voisin. Très ennuyé, Yohann lui présente ses excuses. Mais son voisin choisit d'en rire et renvoie le ballon en demandant aux enfants de tirer moins fort.

Je repère dans un texte

Dans le texte pp. 210-213, relève deux verbes du 1ᵉʳ groupe conjugués au passé composé entre les lignes 1 et 15. Donne leur infinitif.

J'écris

Écris un petit texte en utilisant les mots suivants : nager à la piscine – sauter dans l'eau – enfiler son maillot de bain – saisir une planche. Conjugue les verbes au passé composé.

Objectifs : Savoir identifier les verbes conjugués au passé composé. Savoir conjuguer les verbes irréguliers (3ᵉ groupe, **être** et **avoir**) au passé composé.
Texte en lien : Le « DIVIN » Michel-Ange, p. 206.

Le passé composé des verbes irréguliers

Je lis et je réfléchis

Pieter Bruegel (vers 1525-1569) est l'un des plus grands artistes de la Renaissance. Jusqu'en 1550, il **a fait** son apprentissage chez Pieter Coeck van Aelst à Anvers, et il **est devenu** maître en 1551.
Connu notamment pour ses tableaux représentant des scènes de vie très détaillées et colorées, il s'est démarqué de l'art primitif et **a ouvert** une nouvelle ère de la peinture.

Combat de carnaval et de carême,
Pieter Bruegel dit « l'Ancien », 1559.

1. À quel temps sont conjugués les verbes en gras ?
2. Donne leur infinitif.
   À quel groupe appartiennent-ils ?
3. Avec quel auxiliaire chaque verbe est-il conjugué ?
4. Quelles sont les terminaisons des participes passés soulignés ?
5. Que peux-tu en conclure sur le participe passé des verbes irréguliers ?

Je retiens

- Le passé composé est formé de **deux mots** : un auxiliaire (**être** ou **avoir**) conjugué au présent de l'indicatif et **le participe passé du verbe conjugué**. Avec l'auxiliaire **être**, le participe passé s'accorde en genre et en nombre avec le sujet du verbe. Avec l'auxiliaire **avoir**, le participe passé ne s'accorde pas avec le sujet du verbe.
- **Les participes passés** des verbes du **3ᵉ groupe** se terminent de différentes façons :
  – en **-é** (seulement pour **aller** et **naître**) : aller → je suis **allé** – naître → il est **né**
  – en **-i** (pour la plupart des verbes en **-ir**) : sortir → je suis **sorti**
  – en **-u** : tenir → tu as **tenu** – voir → elle a **vu**
  – en **-is** : prendre → nous avons **pris** – mettre → ils ont **mis**
  – en **-t** : peindre → il a **peint** – faire → j'ai **fait** – ouvrir → tu as **ouvert**
- Pour être sûr de la terminaison du participe passé d'un verbe du 3ᵉ groupe quand il se termine par une lettre muette, on peut le mettre au féminin : prendre → pris – prise / peindre → peint – peinte
- Les verbes **avoir** et **être** se conjuguent tous les deux au passé composé avec l'auxiliaire **avoir**. Le participe passé du verbe **être** est **été** (être → j'ai **été**) et celui du verbe **avoir** est **eu** (avoir → j'ai **eu**).

Je m'exerce

1 ★ **Recopie ces phrases. Souligne les verbes conjugués au passé composé et entoure l'auxiliaire.**
- La fleuriste a vendu cinq bouquets ce matin.
- Nous sommes allées à Nîmes la semaine dernière.
- Papa a mis son joli costume pour la cérémonie.
- Soline n'a pas encore défait ses valises.
- Avez-vous lu le roman que je vous ai prêté ?

2 ★ Recopie uniquement les phrases qui contiennent un verbe du 3e groupe conjugué au passé composé.

- Le pâtissier a préparé des tartes pour la fête.
- Vous avez accueilli vos amis à l'aéroport.
- Elles ont ri de bon cœur en entendant cette plaisanterie.
- Ils ont avancé lentement sur le chemin.
- Ma sœur est née au mois de mars.
- Vous avez réfléchi à votre voyage toute l'année.
- Tu es parti très vite !

3 ★ Recopie et complète chacune de ces phrases avec un pronom de conjugaison qui convient.

- … sommes partis à l'aube.
- … as vu un magnifique chien dans la rue.
- Hier soir, … avez entendu la sirène des pompiers.
- … ont bien connu votre oncle.
- Finalement, … ai suivi vos conseils.

4 ★★ Recopie et complète ces phrases avec le verbe avoir ou le verbe être conjugué au passé composé.

- Thelma … de la chance : elle a gagné à la tombola !
- Vous … des nouvelles de Dylan.
- Les épreuves … difficiles.
- Nous … heureux de faire votre connaissance.

5 ★★ Recopie ce texte. Souligne les verbes au passé composé et donne leur infinitif.

Ce matin, je n'ai pas entendu mon réveil. Quand j'ai ouvert les yeux, j'ai vu qu'il était huit heures un quart ! Mon sang n'a fait qu'un tour. J'ai juste eu le temps de sauter dans mes vêtements, j'ai pris mon cartable et je suis sorti de la maison à toute vitesse.

6 ★★ Recopie chaque série de verbes et entoure celui qui se conjugue avec l'auxiliaire être. Fais des phrases pour t'aider.

- sentir – venir – cueillir – mentir
- entendre – attendre – faire – partir
- dormir – aller – fuir – défaillir

7 ★★ Construis un tableau à 4 colonnes (participe passé en -i, participe passé en -u, participe passé en -is et participe passé en -t) **et classe les participes passés de ces verbes.**

vouloir – refaire – rire – défendre – obtenir – offrir – connaître – admettre – perdre – cuire – apprendre – partir – peindre

8 ★★★ Conjugue les verbes entre parenthèses au passé composé.

- Mon meilleur ami (faire) le tour du monde.
- Les maçons (construire) une grande partie du mur.
- Maël (mettre) un pull gris.
- Papa (servir) le dîner.
- Elise (reprendre) un morceau de fromage.
- Max (aller) au Brésil en octobre dernier.

9 ★★★ Trouve l'infinitif des verbes de ces phrases puis réécris-les au passé composé.

- Nous voyons des abeilles butiner les fleurs.
- Je peux te rapporter des épices d'Inde.
- Je pars juste à temps.
- Vous savez votre leçon.

10 ★★★ Écris une phrase avec chacun de ces verbes conjugué au passé composé et à la personne indiquée entre parenthèses. Attention à l'accord avec l'auxiliaire être !

tenir (2e personne du singulier) – avoir (1re personne du singulier) – dire (2e personne du pluriel) – aller (3e personne du singulier) – mettre (1re personne du pluriel) – sortir (3e personne du pluriel)

11 ★★★ Recopie ce texte et remplace Aujourd'hui **par** Hier. **Conjugue les verbes au passé composé.**

Aujourd'hui, nous allons dans la forêt pour participer à une course d'orientation. La maîtresse forme les équipes, puis nous prenons un plan et une boussole. Leïla, Baptiste et moi partons aussitôt à la recherche des balises numérotées. Au bout de quelques minutes, nous découvrons la première balise ! Encouragés par cette trouvaille, nous poursuivons notre parcours et dénichons sans problème les autres balises.

Je repère dans un texte

Dans le texte pp. 206-209, relève deux verbes irréguliers conjugués au passé composé entre les lignes 1 et 16.

J'écris

Écris un petit texte en utilisant les mots suivants : faire un match de football – prendre nos affaires – aller au stade – battre. Conjugue les verbes au passé composé.

Les noms terminés en -ail/-aille, -eil/-eille, -euil/-euille

Je lis et je réfléchis

Ce visage souriant, c'est celui de l'Été. Observons-le attentivement. Il est entièrement composé de fruits gorgés de **soleil** : un concombre pour le nez, une cerise pour un <u>œil</u> malicieux, un épi de maïs en guise d'**oreille**, une gousse d'ail à côté de la pêche qui forme une joue rebondie. Ajoutons une belle poire pour le menton et des petits pois pour les dents. Quelques feuilles se mêlent aux fruits pour former une sorte de couronne. Sur le large col de sa veste de paille figure le nom de l'artiste : Giuseppe Arcimboldo.

L'Eté, Giuseppe Arcimboldo, 1573.

1. Quel son commun entend-on quand on lit les mots en gras ?
2. S'écrit-il de la même manière dans les deux mots ? Pourquoi ?
3. Quel son commun entend-on quand on lit les mots en bleu ?
4. Comment s'écrit-il dans le premier mot ? dans le second ? Pourquoi ?
5. Par quel son se termine le mot en vert ? Comment s'écrit-il ? Pourquoi ?
6. Avec quel mot en couleur le mot souligné a-t-il un son commun ?

Je retiens

- Les noms qui se terminent par le son **[aj]** s'écrivent **-ail** à la fin des mots masculins et **-aille** à la fin des mots féminins : un trav**ail** (masculin) – la bat**aille** (féminin)
- Les noms qui se terminent par le son **[ɛj]** s'écrivent **-eil** à la fin des mots masculins et **-eille** à la fin des mots féminins : le somm**eil** (masculin) – une ab**eille** (féminin)
- Les noms qui se terminent par le son **[œj]** s'écrivent **-euil** à la fin des mots masculins (sauf le mot œil) et **-euille** à la fin des mots féminins : un faut**euil** (masculin) – une f**euille** (féminin)
- Il y a cependant quelques exceptions :
  – les noms masculins formés à partir du mot **feuille** se terminent par **-euille** (sauf le mot **cerfeuil**) : un porte<u>feuille</u> ;
  – après les consonnes **c** et **g**, le son **[œj]** s'écrit **-ueil** : l'ac<u>cueil</u> – l'org<u>ueil</u>. Les voyelles **e** et **u** sont inversées pour que la lettre **c** fasse toujours le son **[k]** et la lettre **g** le son **[g]** ;
  – le mot **œil**.

Je m'exerce

1 ★ **Construis un tableau à 2 colonnes** (noms masculins **et** noms féminins) **et classe ces mots. Rajoute devant chacun un déterminant singulier.**
maille – seuil – rail – oreille – soleil – muraille – travail – taille – corail – faille – sommeil

2 ★ **Recopie ces phrases et complète les mots par -ail ou -aille.**
- Il retire le clou avec une ten….
- Par cette chaleur, les femmes utilisent un évent….
- Elles admirent le vitr… de cette église.
- Marion remporte une méd… d'argent.

3 ★ **Recopie ces phrases et complète les mots par** -eil **ou** -eille.
- Mamie prépare des confitures à la gros….
- N'oublie pas ton appar… photo !
- J'ai posé tous les fruits dans cette corb….
- Sonia achète une bout… de sirop.
- Tu t'es cogné et tu t'es cassé l'ort… du pied droit.

4 ★ **Recopie ces phrases et complète les mots par** -euil **ou** -euille.
- Cette femme a perdu son mari : elle est en d….
- Ce faut… en cuir me plaît beaucoup.
- Les f…s mortes crissent sous nos pas.
- Dans ce jardin, ça sent bon le chèvref….
- À l'approche des chasseurs, le jeune chevr… s'est enfui.

5 ★★ **Recopie ces phrases et complète les mots par** -euil **ou** -ueil.
- Il a emprunté un rec… de poésies à la BCD.
- Le bateau a heurté un gros éc… et il a coulé.
- Ce petit écur… fait sa réserve de noisettes.
- Le bouvr… est un oiseau à ailes noires et à ventre gris.
- Le défunt reposait dans son cerc….

6 ★★ **Retrouve les 8 mots terminés par** -ail/-aille, -eil/-eille **ou** -euil **dans cette grille (ils peuvent être écrits à l'horizontale ou à la verticale et certaines lettres peuvent servir plusieurs fois). Réécris-les précédés du déterminant qui convient.**

M	E	R	V	E	I	L	L	E
A	X	S	Z	C	B	N	O	V
I	S	O	H	U	W	D	S	E
L	Y	L	K	R	A	I	L	N
L	R	E	V	E	I	L	F	T
E	G	I	J	U	T	M	H	A
V	O	L	A	I	L	L	E	I
M	P	X	C	L	K	B	U	L

7 ★★ **Retrouve les mots terminés par** -ail **ou** -aille **à partir de chaque mot proposé.**
Ex. : gris → la **grisaille**.
- trouver → une …
- le fer → la …
- une porte → un …
- le mur → la …
- la brousse → la …
- le marmot → la …

8 ★★ **Recopie et complète ces phrases avec les mots suivants.**
épouvantail – millefeuille – veille – corneille – bataille
- Ella a mal dormi la … de son examen.
- Ce grand … fait fuir les oiseaux.
- Le général a dévoilé son plan de … à ses lieutenants.
- La … est un oiseau, de la famille des corbeaux.
- Préfères-tu l'éclair au chocolat ou le … ?

9 ★★★ **Trouve le mot qui correspond à chaque définition.**
- On peut y mettre de l'eau, du jus de fruits ou de la limonade. → …
- Les poules, les dindes, les oies et les canards forment cette famille d'animaux → …
- Tu en as plein dans ton cahier. → …

10 ★★★ **Recopie et complète cette grille de mots croisés à l'aide des définitions suivantes.**
1. Elle peut être d'or, d'argent ou de bronze.
2. Elles recouvrent le corps des poissons.
3. Il se lève le matin, brille dans la journée et se couche le soir.
4. Action d'accueillir.
5. Il sert à se lever à l'heure le matin.
6. Insecte vivant dans une ruche.

Je repère dans un texte

Dans le texte pp. 206-209, relève quatre mots qui se terminent par **-ail/-aille**, **-eil/eille** ou **-euil/euille**.

J'écris

C'est l'été. Écris un texte où tu emploieras des mots qui se terminent par les sons **[aj]**, **[ɛj]** et **[œj]**.

Des mots pour exprimer des sensations

Je lis et je réfléchis

Ce tableau de l'artiste français du XIXᵉ siècle Paul Gauguin est intitulé *Vieilles Femmes à Arles*. Les vieilles femmes se promènent dans le jardin, mais il y a quelqu'un d'autre aussi… Peux-tu l'**apercevoir** ?

Gauguin a délibérément peint son propre portrait dans le buisson, au premier plan de la toile. Si tu **regardes** attentivement, tu y **distingueras** ses yeux, son nez et sa bouche.

Il est possible que Gauguin ait fait cela pour souligner son rôle en tant qu'artiste : **observer** sans être vu.

Linda Bolton, *À cache-cache avec l'art*,
coll. « Aux couleurs du monde », © éd. Circonflexe, 1994.

Vieilles Femmes à Arles,
Paul Gauguin, 1888.

1. Quels sont les cinq sens dont nous disposons ?
2. Observe les mots en gras. À quel sens sont-ils liés ?
3. Dans la troisième phrase, remplace **apercevoir** par **voir**. La phrase a-t-elle le même sens ? Pourquoi ?

Je retiens

- Les sensations sont **la perception que l'on a des choses qui nous entourent**, notamment à travers **les cinq sens** : l'ouïe (sensations auditives), la vue (sensations visuelles), l'odorat (sensations olfactives), le toucher (sensations tactiles) et le goût (sensations gustatives). Elles sont donc très personnelles.
- Pour les exprimer, on peut utiliser :
  - des verbes : écouter – percevoir (l'ouïe) / observer – scruter (la vue) / sentir – humer (l'odorat) / goûter – déguster (le goût) / toucher – palper (le toucher)
  - des noms : un murmure (l'ouïe) / la vision (la vue) / un parfum (l'odorat) / la saveur (le goût) / une caresse (le toucher) / la chaleur – le froid (sensations thermiques)…
  - des adjectifs : flamboyant – pâle (la vue) / strident (l'ouïe) / doux – rugueux (le toucher) / chaud – froid (sensations thermiques)…

Je m'exerce

1 ★ **Construis un tableau à 5 colonnes** (sensations visuelles, sensations auditives, sensations gustatives, sensations tactiles **et** sensations olfactives) **et classe ces verbes.**
écouter – empester – déguster – regarder – observer – masser – dévisager – chatouiller – entendre – flairer – frôler – taper – savourer – auditionner – embaumer – percevoir – siroter

2 ★ **Recopie chaque série de mots qui concernent le sens en rouge et barre l'intrus. Tu peux t'aider d'un dictionnaire.**
- la vue : rond – bleu – un panorama – délicieux
- l'ouïe : aigu – un grincement – grave – gluant
- le toucher : une pression – jaunâtre – duveteux
- le goût : déguster – ondulé – acidulé – succulent
- l'odorat : une essence – une clameur – une senteur

3 ★ **Recopie les mots soulignés et indique lequel des cinq sens il concerne.**

Ex. : Je sens une <u>odeur</u> désagréable. → l'odorat

- Dans ce restaurant indien, on sert des plats très <u>épicés</u>.
- Une <u>mélodie</u> envoûtante s'échappait de la flûte du magicien.
- Ces fleurs <u>violettes</u> dégagent un <u>parfum</u> entêtant.
- Le chat <u>observa</u> l'homme, s'approcha et <u>frotta</u> sa tête contre sa jambe en poussant un <u>miaulement</u> plaintif.
- Ajoutez une pincée de sel puis <u>malaxez</u> la pâte jusqu'à ce qu'elle soit <u>lisse</u>.

4 ★★ **Pour chacun de ces mots, indique à quel sens il renvoie.**

un parfum – un paysage – rugueux – un murmure – exquis – un film – piquant – une couleur – une caresse – la puanteur – amer – doux – un piaillement – un cri

5 ★★ **Recopie et complète ces phrases avec le mot entre parenthèses qui convient.**

- Gabriel (contempla / renifla) longuement les vagues qui frappaient les rochers.
- Dans la cuisine se répandait un délicieux (vacarme / arôme) de chocolat.
- Elle posa ses pieds nus sur la moquette (moelleuse / sucrée).
- Ils s'assirent autour de la table (retentissante / rectangulaire).
- Clésia (effleura / écouta) la joue de son fils d'un geste tendre.
- Le soleil brûlant (réchauffe / observe) l'atmosphère.

6 ★★ **Construis un tableau à 2 colonnes (bruits forts et bruits faibles) et classe ces mots.**

un hurlement – un brouhaha – un gémissement – strident – assourdissant – un murmure – un tapage – un clapotis – un chuchotement – feutré – un frémissement – une cacophonie

7 ★★ **Construis un tableau à 2 colonnes (odeur agréable et odeur désagréable) et classe ces mots. Complète ensuite le tableau avec d'autres mots. Tu peux t'aider d'un dictionnaire.**

nauséabond – fétide – un fumet – âcre – un relent

8 ★★ **Recopie ces phrases et remplace les adjectifs en rouge par les adjectifs contraires qui conviennent. Attention aux accords !**

éclatant – terne – clair – lumineux

- Elles poussèrent la porte et entrèrent dans une pièce très sombre.
- Nous avons choisi un papier peint aux tons vifs.
- Valentine a les yeux vert foncé.
- La jeune femme avait le teint pâle.

9 ★★★ **Recopie et associe chaque adjectif à un ou plusieurs aliments.**

- aliments : une endive – le piment – la viande – le miel – la limonade – la moutarde – le blanc d'œuf – la brioche – le vinaigre – la confiture d'orange
- adjectifs : amer – salé – acide – piquant – sucré – moelleux – pétillant – gluant – fade

10 ★★★ **Retrouve dans cette grille les 10 mots qui se rapportent aux sensations thermiques. Recopie-les en formant deux groupes : froid et chaud.**

V	T	X	D	P	A	F	Q	U
O	R	S	J	O	B	R	T	R
B	O	U	I	L	L	A	N	T
G	P	G	Z	A	F	I	A	V
E	I	S	P	I	Y	S	R	A
L	C	T	O	R	R	I	D	E
E	A	T	I	E	D	E	E	T
Q	L	B	R	U	L	A	N	T
R	N	G	L	A	C	E	T	C

Je repère dans un texte

Dans le texte pp. 210-213, trouve deux adjectifs qui expriment une sensation visuelle et trois adjectifs qui expriment une sensation tactile.

J'écris

Décris le plat que tu préfères manger : son aspect, son odeur, son goût…

Organiser l'information dans une interview

Je cherche

1. Lis le début de cette interview :

Vivre en Amazonie

Célia a 9 ans et vit dans la forêt tropicale amazonienne au Brésil.

Où habites-tu ?

Célia : J'habite dans une maison au bord de la forêt. Elle est construite avec des briques de boue et a un toit en bois. Je dors dans la même pièce que mes trois sœurs.

Que font tes parents ?

Célia : Mes parents sont agriculteurs. Ils produisent ce dont nous avons besoin pour manger. Ce qui reste, ma mère va le vendre au marché. Mon père pêche aussi.

2. Un chapeau qui précède l'interview se trouve sous le titre. Comment le complète-t-il ?
3. Le titre est-il une phrase ? Explique ta réponse.
4. Quel type de phrase utilise le journaliste qui mène l'interview ? et l'interviewé ?

Je réfléchis

1. Lis la suite de cette interview. Combien comprend-elle de paragraphes ?

Que préfères-tu dans l'endroit où tu vis ?

Célia : La rivière. Je peux m'y baigner, nager. Quelquefois je prends un canoë pour aller me promener.

La forêt te fait-elle peur ?

Célia : Je n'ai pas peur des animaux : ils ne me feraient pas de mal.

2. Quels pronoms personnels trouves-tu dans les questions ? les réponses ? Pourquoi ?

Je m'exerce

1. Voici deux informations données par Célia dans la suite de l'article :

A. Décorer mon corps avec de la peinture faite à partir de graines écrasées.

B. École à 5 kilomètres de la maison ; me lever très tôt pour y aller à pied.

2. Écris les questions que tu pourrais poser pour obtenir ces informations.
3. Écris les réponses de Célia en utilisant le temps et le pronom qui conviennent.

J'ai compris

Dans une interview, l'information est organisée :
• **Le titre principal** apparaît en premier. Il est souvent composé d'**une phrase courte**.
• **Le chapeau** suit immédiatement le titre et **résume le thème de l'article** en quelques phrases.
• **Les questions et les réponses** s'enchaînent ensuite. Le journaliste pose des questions courtes et qui portent sur un point précis. Il y utilise les pronoms de la 2e personne **tu et vous**.
Les réponses des interviewés sont constituées de phrases simples, le plus souvent déclaratives, construites avec les pronoms de la 1re personne **je** et **nous**.

Enchaîner les événements et les idées

Je cherche

1. Lis cet extrait de texte documentaire.

DÜRER : L'enfant prodige

Albrecht Dürer naît en 1471, à Nuremberg, en Allemagne, à la fin du Moyen Âge. Le petit Albrecht va **d'abord** à l'école élémentaire, où il étudie le latin ; cette langue était à l'époque aussi importante que l'anglais aujourd'hui. **Puis**, à treize ans, il apprend à travailler le métal avec son père.

Le Petit Léonard, n° 2, mars 1997, © éd. Faton.

2. Relève les nombres présents dans ce texte.

3. Sont-ils tous écrits de la même façon ? À ton avis, pourquoi ?

4. Observe les mots en gras. À quoi servent-ils ?

Autoportrait
d'Albrecht Dürer, 1498.

Je réfléchis

1. Lis ce second extrait de texte documentaire.

Les tableaux de Jackson Pollock ont l'air d'un fouillis improvisé **mais, en fait**, il faisait très attention à la manière dont la peinture tombait et au choix des couleurs. [...] D'un coup de poignet, il jetait la peinture en boucle et en tourbillon. Splatch ! splatch ! Malgré les apparences, c'est très difficile à réaliser. Pollock a inventé un style complètement nouveau. [...] C'est ce qu'on appelle de *l'action painting* (« peinture d'action »), car cela demande bien plus d'efforts que dans la peinture traditionnelle. [...]

Amanda Renshaw, *Le Musée de l'Art pour les enfants*, © éd. Phaidon, 2006.

2. Quelles idées le groupe de mots en gras met-il en relation ?

3. Quel est le sens de ce groupe de mots ?

4. Qu'est-ce que le mot souligné sert à introduire ?

Je m'exerce

1. Recopie le texte suivant et complète-le avec ces dates et groupes de mots.

d'abord – mais – à seize ans – puis – en 1853

Vincent Van Gogh est né en Hollande ...., il quitte l'école et travaille dans des galeries d'art ... à La Haye ... à Paris. C'est un travail qu'il aime, ... il se fait renvoyer.

J'ai compris

- Pour enchaîner les idées et les événements les uns avec les autres, on utilise :
  - **des indicateurs temporels**, qui les situent dans le temps. Ce sont des dates (Albrecht Dürer naît **en 1471**), des âges (**À treize ans**...), ou des durées (**Trois ans** après...).
  - des mots appelés **connecteurs chronologiques**, qui indiquent leur succession (d'abord, puis, bientôt...) : Le petit Albrecht va **d'abord** à l'école élémentaire. **Puis**, à treize ans, il...
  - des mots appelés **connecteurs logiques**, qui précisent leur relation : **l'opposition** (mais, toutefois...) ou **l'explication** (car, parce que...).

Évaluation

Grammaire

1 **Combien y a-t-il d'adjectifs qualificatifs dans cette phrase ?**

Le vieux savant à la barbe blanche inscrit de nombreuses formules chimiques sur le tableau noir.

a. 3

b. 5

c. 6

d. 9 Voir p. 74

2 **Quel groupe nominal ne contient pas d'adjectif qualificatif ?**

a. des bananes flambées

b. une pêche juteuse

c. des fraises des bois

d. un petit pamplemousse Voir p. 74

3 **Laquelle de ces phrases ne contient pas de C.O.D. ?**

a. Fouad et Sarah aiment jouer ensemble.

b. Lisa pense beaucoup à elle.

c. Je cherche un manteau noir.

d. Ma grand-mère adore le chocolat. Voir p. 78

4 **Lequel de ces verbes ne peut pas être suivi par un C.O.D. ?**

a. atteindre

b. épouser

c. finir

d. rire Voir p. 78

5 **Dans laquelle de ces phrases le groupe de mots en rouge est-il un C.O.I. ?**

a. Cathy achète un pain au chocolat.

b. J'ai dû courir à cause de toi.

c. Elles réfléchissent à la meilleure solution. Voir p. 88

6 **Lequel de ces verbes ne peut-il pas être suivi d'un C.O.I. ?**

a. enlever

b. penser

c. rêver

d. appartenir Voir p. 88

7 **Quelle phrase contient deux C.C.T. ?**

a. Hier soir, nous sommes allés au théâtre.

b. Pendant les vacances, Louisette est allée à la plage tous les jours.

c. Picasso est né en 1881, à Malaga, en Espagne.

d. Dans une semaine, les enfants partiront dans les Alpes. Voir p. 90

8 **Quelle phrase ne contient pas de C.C.L. ?**

a. Mes amies viennent dîner à la maison ce soir.

b. Dans la cuisine flottait une odeur de vanille.

c. Est-ce que tu es allé à la boulangerie aujourd'hui ?

d. La semaine dernière, Théo a acheté deux C.D. Voir p. 90

Conjugaison

9 **Dans quelle phrase le verbe est-il conjugué à l'imparfait ?**

a. Nous faisons de notre mieux pour arriver à l'heure.

b. Nous ferions mieux de nous dépêcher.

c. Nous ferons une partie de tennis.

d. Nous faisions nos courses régulièrement. Voir p. 76

10 **Parmi ces verbes, lequel n'est pas conjugué à l'imparfait ?**

a. vous soigniez

b. vous copiez

c. vous envoyiez

d. vous travailliez Voir p. 76

11 **Quelle est la phrase dont le verbe est conjugué à un temps composé ?**

a. Vous danserez toute la nuit.

b. Vous avez certainement une voiture.

c. Vincent et toi pensiez que j'étais là.

d. Vous avez bu un grand verre d'eau. Voir p. 80

12 **Dans quelle phrase le verbe être n'est-il pas auxiliaire ?**

a. Nous sommes partis avant midi.

b. Elle est venue me rendre visite.

c. Je suis sûre qu'il dort profondément.

d. Ils sont allés au parc d'attractions. Voir p. 80

13 **Dans quelle phrase le verbe est-il conjugué au passé composé ?**

a. Le chanteur avait interprété quelques-uns de ses titres.

b. Nous sommes arrivés à sept heures un quart.

c. Vos amies seront présentes à votre exposition.

d. Nous sommes contents de tes résultats. Voir p. 92

14 **Quel verbe est correctement conjugué au passé composé ?**

a. ils ont choisis

b. tu as grandie

c. elle a réagit

d. vous avez réfléchi Voir p. 92

15 **Parmi ces verbes, quel est celui dont le participe passé ne se termine pas comme ceux des autres ?**

a. pouvoir

b. prendre

c. venir

d. connaître Voir p. 94

Orthographe

16 **Dans laquelle de ces phrases les adjectifs qualificatifs sont-ils correctement accordés ?**

a. Le peintre traçait des traits horizontales sur des toiles préparé à l'avance.

b. Le peintre traçait des traits horizontals sur des toiles préparés à l'avance.

c. Le peintre traçait des traits horizontaux sur des toiles préparées à l'avance.

d. Le peintre traçait des traits horizontaux sur des toiles préparée à l'avance. Voir p. 82

17 **Parmi ces adjectifs, quel est celui dont la terminaison ne change pas au féminin ?**

a. aimable

b. ennuyeux

c. charmant

d. spécial Voir p. 82

18 **Dans quelle phrase le verbe est-il correctement écrit ?**

a. Fatou distingait au loin un nuage de fumée.

b. Le jour commencait à peine à se lever.

c. Les quatre matelots larguaient les amarres.

d. Nous effaceons le tableau après la classe. Voir p. 84

19 **Parmi ces noms, lequel est correctement écrit ?**

a. conseille

b. oreille

c. abeil

d. travaille Voir p. 96

20 **Parmi ces noms, lequel est un nom féminin ?**

a. éventail

b. portefeuille

c. appareil

d. paille Voir p. 96

Vocabulaire

21 **Parmi ces homonymes, quel est celui qui convient pour compléter cette phrase ?**

Le traîneau rempli de cadeaux était tiré par des ….

a. reines

b. rennes

c. rênes Voir p. 86

22 **Recopie et relie chaque homonyme à sa définition.**

un cou •   • un prix

un coût •   • un choc

un coup •   • une partie du corps   Voir p. 86

23 **Avec quel mot peux-tu compléter cette phrase ?**

C'est la crème au chocolat la plus … que j'aie jamais mangée !

a. stridente

b. lumineuse

c. délicieuse

d. rugueuse Voir p. 98

24 **Parmi ces mots, lequel n'exprime pas une sensation thermique ?**

a. glacial

b. piquant

c. bouillant

d. tiède Voir p. 98

L'attribut du sujet

Je lis et je réfléchis

L'Oisillonne
Toi et moi sortons d'un œuf. Tu es
un garçon, je suis une fille. Nous
possédons tous deux des ailes…
Mais, tout cela ne nous dit pas qui
nous sommes exactement.
L'Oisillon
Des écureuils !

L'Oisillonne
Des écureuils ?
L'Oisillon
Qui c'est qui niche au sommet des
grands pins en volant de branches
en branches ?… Les écureuils !
L'Oisillonne
Mais, il est idiot ! Les écureuils, ça
mange des noisettes. […]

Christian Jolibois, *Drôles d'Oiseaux*, coll. « Théâtre en poche »,
© éd. Père Castor / Flammarion, 2001.

1. Relève les mots sur lesquels les mots ou groupes de mots en vert apportent des informations.
2. Quelle est la fonction des mots que tu as relevés ?
3. Quel verbe sépare les mots que tu as relevés et les mots ou groupes de mots en vert ?
4. Peux-tu déplacer ou supprimer les mots ou groupes de mots en vert ? Pourquoi ?

Je retiens

- **L'attribut du sujet** est un mot ou un groupe de mots qui donne **des informations sur les caractéristiques ou la manière d'être du sujet**. Il est essentiel à la phrase et ne peut être ni déplacé, ni supprimé :

    Tu es **un garçon**.   Il est **idiot**.
    attribut du sujet   attribut du sujet

- L'attribut est relié au sujet par **un verbe d'état** (être, sembler, paraître, demeurer, devenir, rester, avoir l'air…). Ces verbes sont dits « **d'état** » pour les distinguer des **verbes d'action**, qui sont **suivis d'un complément d'objet** (faire, manger, construire, parler…) :

    Je suis une fille.   Il mange un gâteau.
    verbe   attribut   verbe   C.O.D.
    d'état du sujet   d'action

- L'attribut du sujet est le plus souvent **un adjectif, un nom** ou **un groupe nominal**. Il s'accorde **en genre** et **en nombre** avec le sujet :

    Elsa est **grande**.   Il est **boulanger**.   Nous sommes **des écureuils roux du Canada**.
    adjectif   nom   groupe nominal

Je m'exerce

1 ★ **Recopie uniquement les phrases qui contiennent un verbe d'état.**
- Nathalie semble fatiguée aujourd'hui.
- Le commissaire demeura imperturbable.
- Le libraire vend des bandes dessinées.
- Paul attend le bus.
- Ma cousine est une danseuse de ballet.
- Max invite ses amis pour le goûter.
- La mer paraissait calme tout à l'heure.
- Louise a l'air très compétente.

2 ★ **Recopie ces phrases. Encadre le verbe, souligne le sujet en bleu et l'attribut du sujet en vert.**
- Mon grand-père demeure un homme solide.
- Le sourire de la Joconde restera mystérieux.
- La Belgique est un pays voisin de la France.
- La souris est effrayée.
- Le bâtiment semblait désert.
- Claire est devenue une architecte renommée.

3 ★ **Recopie uniquement les phrases où les mots ou groupes de mots en rouge sont des attributs du sujet.**
- Benjamin sera le chef d'équipe.
- Cette tarte aux abricots semble délicieuse.
- Le jardinier entretient le massif de fleurs.
- Les élèves ont appris une jolie poésie.
- Cette aventure est restée un très bon souvenir.
- Le vent tourbillonnant devenait glacial.
- Madame Martin salua ses collègues.

4 ★★ **Construis un tableau à 2 colonnes** (adjectifs épithètes **et** adjectifs attributs du sujet) **et classe les adjectifs en rouge dans ces phrases.**
- Le prince charmant entra dans le palais royal.
- Les berges de la rivière paraissent glissantes.
- Le petit village semble tranquille.
- Le dentiste a soigné la dent cariée du patient.
- Tes nouvelles boucles d'oreilles sont superbes.
- Êtes-vous souffrants ?

5 ★★ **Recopie et complète ces phrases avec un adjectif attribut du sujet.**
- Depuis ce matin, nous sommes ….
- La petite fille avait l'air … devant la vitrine de Noël.
- Tu es devenu … à force de t'entraîner.
- Mon oncle a soixante-dix ans mais il paraît ….

6 ★★ **Recopie ces phrases et remplace leurs sujets par ceux qui sont proposés entre parenthèses. N'oublie pas les accords !**
- Le temps devenait menaçant. (la tempête)
- Les œuvres de ce peintre semblent originales. (les tableaux)
- Malgré sa fatigue, le petit garçon restait actif. (les filles)
- La carte de ce restaurant paraît variée. (les plats)
- Mon cousin est un homme généreux. (ma cousine)

7 ★★★ **Recopie ces phrases et remplace chaque adjectif attribut du sujet par un groupe nominal attribut du sujet.**
Ex. : Ce livre est **passionnant**. (adjectif)
  → Ce livre est **un recueil de poèmes**. (groupe nominal)
- Cette voiture est neuve.
- Le souverain de ce royaume demeure puissant.
- Ces fruits sont mûrs.
- Le léopard est attentif.

8 ★★★ **Recopie ce texte. Encadre les verbes en rouge, les attributs du sujet en vert et les C.O.D. en noir.**
Le public était attentif. Sur la piste, le couple de patineurs exécutait des figures périlleuses. Glissant à grande vitesse, le champion souleva sa jeune partenaire à bout de bras. Elle semblait légère comme une plume. À la fin de l'épreuve, les spectateurs restèrent silencieux un moment. Puis, lançant des cris de joie, ils applaudirent à tout rompre l'exploit des champions.

9 ★★★ **Fais des phrases avec chaque groupe nominal proposé, d'abord en tant qu'attribut du sujet, puis en tant que C.O.D.**
Ex. : une émission de télévision → Ce jeu <u>est</u> **une émission de télévision**. (attribut du sujet) – Damien <u>regarde</u> **une émission de télévision**. (C.O.D.)
un médecin réputé – un poisson – des animaux de la jungle – des pays d'Europe

10 ★★★ **Recopie ces phrases et indique si le groupe de mots en rouge est un attribut du sujet ou un sujet inversé.**
- Dans ce jardin, reste un très bel arbre.
- Ce vieux pommier reste un très bel arbre.
- Vingt ans plus tard, ma tante demeurait une très belle femme.
- En haut de cette grande tour demeurait une très belle femme.

Je repère dans un texte

Dans le texte pp. 220-221, relève deux attributs du sujet entre les lignes 13 et 35.

J'écris

Décris une personne ou un animal que tu connais bien. Utilise au moins trois verbes d'état différents.

Objectif : Savoir accorder les participes passés employés avec les auxiliaires **être** et **avoir**.
Texte en lien : *Le Bourgeois gentilhomme*, p. 218.

L'accord du participe passé avec être et avoir

Je lis et je réfléchis

LE CONTEUR : Cette femme-là, qui est la femme de mon ami, s'est très mal conduite avec moi. Elle est venue dans ma maison en mon absence, elle a volé mon argent, pfuit ! Elle a volé mon âne, pfuit, pfuit⁴! et elle a battu mon fils jusqu'au sang ! Tu dois me faire rendre justice !

LE JUGE : Tu as raison.

LA FEMME : Mais pas du tout ! Ça ne s'est pas passé comme ça ! Pas du tout ! Je suis allée chez lui, c'est vrai, mais cet âne dont il parle, c'était le mien, qu'il avait emprunté et qu'il ne voulait pas me rendre ! Cet argent aussi c'était le mien, que je voulais récupérer ! Et si j'ai battu son fils, c'est parce qu'il s'est jeté sur moi comme un sauvage ! […]

Jean-Claude Carrière, *Le Jeune Prince et la Vérité*, coll. « Poche Théâtre »,
© Actes Sud / Théâtre de Sartrouville – CDN, 2001.

1. À quel temps les verbes en couleur sont-ils conjugués ?
2. Relève les sujets de ces verbes et associe-les au personnage qu'ils désignent.
3. Avec quel auxiliaire sont conjugués les verbes en vert ? les verbes en rouge ?
4. Compare les terminaisons des participes passés en vert et celles des participes passés en rouge. Que remarques-tu ?

Je retiens

- Aux temps composés, les verbes sont formés d'**un auxiliaire** (**avoir** ou **être**) et d'**un participe passé** (voir leçon p. 80).
- Lorsque le verbe se conjugue avec l'auxiliaire **avoir**, le participe passé **ne s'accorde pas avec le sujet**.

  <u>Elle</u> a volé un âne.   <u>Nous</u> avons volé un âne.   <u>Les malfaiteurs</u> ont volé un âne.

- Lorsque le verbe se conjugue avec l'auxiliaire **être**, le participe passé employé **s'accorde en genre et en nombre avec le sujet**.

<u>Il</u> est venu.		<u>Ils</u> sont venus.		<u>Elle</u> est venue.		<u>Elles</u> sont venues.	
sujet masc. singulier	participe passé masc. singulier	sujet masc. pluriel	participe passé masc. pluriel	sujet fém. singulier	participe passé fém. singulier	sujet fém. pluriel	participe passé fém. pluriel

Je m'exerce

1 ★ **Recopie ces phrases et souligne en bleu les verbes conjugués avec l'auxiliaire** avoir **et en rouge les verbes conjugués avec l'auxiliaire** être.

- Mercredi dernier, nous sommes allés au club de badminton.

- Avant-hier, mes cousines sont venues nous rendre visite.
- Isaure a pu monter dans le télésiège à temps.
- Elle a beaucoup grandi cette année.
- Vers 16 heures, Sam et toi êtes partis à la plage.
- Tu es descendue du train la première.

2 ★ **Recopie et complète ces phrases avec** être **ou** avoir **conjugué au présent de l'indicatif. Entoure les accords des participes passés s'il y en a.**

- Ils … branché la cafetière.
- Louise … arrivée au bout d'un quart d'heure.
- Mes cousines … restées à Biarritz.
- Vous … englouti tous les biscuits du paquet.
- Mamie … longtemps enseigné l'histoire.
- Nous … tombés dans un fossé rempli d'eau.
- J'… mis quelques bougies sur la table.

3 ★ **Recopie ces phrases. Souligne le sujet en rouge, encadre l'auxiliaire et souligne le participe passé en rouge s'il est accordé avec le sujet.**

Ex. : Elle [a] fini ses devoirs. /
Elles [sont] parties à Prague.

- Anissa et Julie sont revenues de leur stage de kayak.
- Mattéo et moi avons accroché nos dessins sur le mur.
- Vous avez vu des alligators en Floride.
- Ce matin, je suis arrivée de bonne heure au bureau.
- Les Durand ont bu le café avec nous.
- Ils sont sortis de l'école à 16 h 30.

4 ★ **Recopie et complète ces phrases avec la forme du participe passé qui convient.**

rentré – rentrées – rentrés – rentrée

- Ma mère a … les chaises du jardin.
- Hugo et son frère sont … de Berlin hier midi.
- Est-elle déjà … ?
- Ils ont … la voiture dans le garage.
- L'homme est … précipitamment dans le magasin.
- Aminata et Cécile sont … après une longue promenade.

5 ★★ **Recopie ces phrases, entoure l'auxiliaire et accorde le participe passé quand c'est nécessaire.**

- L'inondation a causé… beaucoup de dégâts.
- Elsa est allé… au cinéma avec ses parents.
- Les amis d'Élias sont venu… nombreux à son anniversaire.
- Mes voisins ont fini… les travaux dans leur maison.
- Beaucoup d'animaux ont fui… devant l'incendie de la forêt.
- Nos correspondants sont reparti… hier midi.

6 ★★ **Recopie ces phrases et remplace le sujet souligné par le pronom de conjugaison entre parenthèses. N'oublie pas d'accorder les participes passés si nécessaire.**

- Kévin est parvenu au sommet de la colline. (Ils)
- Malik a trébuché sur un morceau de bois. (Elle)
- Mes parents sont retournés dans la région de leur enfance. (Elle)
- La vieille dame est rentrée en boitillant. (Ils)
- Le fromager a fourni son client à temps. (Elles)
- Mozart est mort en 1791. (Elles)

7 ★★★ **Recopie ces phrases et conjugue les verbes entre parenthèses au passé composé.**

- La vieille lionne (repartir) en chasse.
- Les parapentes (survoler) la vallée.
- Les tortues de mer (pondre) des œufs dans le sable.
- La balle (passer) par-dessus le filet.
- Héléna (naître) le 30 juillet à 4 h 30 du matin.
- Les tulipes (fleurir) au mois de mai.

8 ★★★ **Recopie ces phrases et conjugue les verbes entre parenthèses au passé composé. Attention ! selon le sens de la phrase, ces verbes se conjuguent soit avec l'auxiliaire** être, **soit avec l'auxiliaire** avoir.

- Romane (monter) l'escalier très lentement.
- Romane (monter) au deuxième étage de la tour Eiffel.
- M. et Mme Franquin (sortir) du magasin.
- Monsieur et Madame Franquin (sortir) le parasol sur leur terrasse.
- Les trois amis (descendre) leurs affaires sans bruit.
- Les trois amis (descendre) à la cuisine pour manger un sandwich.

Je repère dans un texte

Dans le texte pp. 218-219, recopie la phrase dans laquelle le participe passé est accordé avec le sujet. Souligne la terminaison du participe passé.

J'écris

Imagine que tu as passé la journée dans un parc d'attractions avec des amis. Raconte ce que vous avez fait. Utilise des sujets au pluriel, ainsi que les verbes aller, venir, partir, monter, descendre…

Participe passé en -é, infinitif en -er ou terminaison de l'imparfait ?

Je lis et je réfléchis

SATAN. – Teuheu ! Teuheu ! J'ai de plus en plus mal à la gorge... Mais que fait donc ce diablotin de malheur ? Où est-il donc allé traîner ? Ma parole, s'il ne m'apporte pas l'âme de Goulu dans cinq minutes, je le... Ah ! Tout de même !
LE DIABLE. – Voilà patron, je l'ai !
SATAN. – Enfin ! Donne-moi ça ! Dis donc, tu n'es pas fou d'avoir serré le bouchon comme ça ? Je n'arrive plus à le dévisser.
LE DIABLE. – C'est que je ne voulais pas qu'il se sauve... Laissez-moi faire, je vais l'ouvrir...

> Pierre Gripari, « Goulu et son Âme », *Sept Farces pour écoliers*, © éd. Grasset Jeunesse, 1988.

1. À quelle classe grammaticale appartiennent les mots en couleur ?
2. Par quel son se terminent les mots en vert et en rouge ?
3. Leurs terminaisons sont-elles identiques ? Pourquoi ?
4. À quel temps est conjugué le verbe en bleu ?
5. Par quel son se termine-t-il ?

Je retiens

- Pour les verbes du **1er groupe, il ne faut pas confondre les terminaisons** du **participe passé,** de **l'infinitif** et de **l'imparfait** (trois personnes du singulier).

Le diable a **traîné**.	Le diable va **traîner**.	Le diable **traînait**.
participe passé	infinitif	imparfait

- Pour les distinguer, on peut **remplacer** à l'oral **le verbe en -er** par **un verbe du 2e ou du 3e groupe**, pour entendre la différence de terminaison :
  - cas du participe passé (employé comme verbe conjugué à un temps composé ou comme adjectif) : Satan est allé... → Satan est **descendu**... / **Étonnée**, elle se retourna. → **Éblouie**, elle se retourna.

  Attention ! il ne faut pas oublier les règles d'accords (voir leçons pp. 82 et 106).
  - cas de l'infinitif : Je n'arrive plus à le **dévisser**. → Je n'arrive plus à le **prendre**.
  - cas de l'imparfait : Satan **allait**... → Satan **choisissait**...

Je m'exerce

1. ★ **Construis un tableau à 3 colonnes** (infinitif, participe passé **et** imparfait) **et classe les formes verbales de ces verbes.**
fouillaient – fouiller – fouillé / essuyé – essuyais – essuyer / bercé – berçait – bercer / crié – criais – crier / habillaient – habillé – habiller / serrais – serré – serrer

2 ★ Recopie ces phrases et souligne en bleu les verbes à l'infinitif, en rouge les participes passés et en vert les verbes conjugués à l'imparfait.
• Écrasés de chaleur, les vacanciers somnolaient.
• Tu écoutais chanter les cigales.
• Bilal est pressé de déjeuner avec ses amis.
• Les enfants, émerveillés, regardaient le spectacle.
• Amélie semblait décidée à remporter la victoire.

3 ★ Recopie et complète ces phrases avec la forme du verbe entre parenthèses qui convient.
• Oumou (étalait / étalé) de la colle.
• Yann (étudié / étudiait) le russe à l'Université.
• Tu as (débarrassé / débarrassais) la table.
• Vinciane et son amie sont (rentraient / rentrées) de l'école.
• Je (consultés / consultais) souvent ma montre.
• Les coureurs sont (arrivés / arrivaient) ex aequo.

4 ★★ Recopie ces phrases et remplace les formes verbales de faire par l'un des verbes suivants.
exercer – mesurer – pratiquer – effectuer – occasionner
• La tempête a fait beaucoup de dégâts.
• Faire un sport est bon pour la santé.
• Elle a correctement fait ses additions.
• Tu faisais un métier passionnant.
• Il faisait 1,85 m.

5 ★★ Recopie et complète chaque série de phrases avec la forme verbale qui convient.
parler – parlaient – parlé
• Mes neveux ont … de vous à leurs camarades.
• Mes neveux … de vous régulièrement.
• Mes neveux souhaitent … de vous.
accrochais – accroché – accrocher
• Pour … cette affiche, tu as besoin de punaises.
• Tu as … cette affiche dans le couloir.
• Tu … cette affiche pour annoncer l'élection.

6 ★★ Transforme comme dans l'exemple. Attention aux accords !
Ex. : **inviter** des amis → des amis **invités**
manquer un train – mélanger des ingrédients – percer des oreilles – peupler une région – proposer des exercices – rassurer une fillette – réaliser un rêve – transporter des valises

7 ★★★ Recopie ces phrases et complète par les terminaisons qui conviennent (participe passé **ou** infinitif). Attention aux accords !
• Boulevers… par la nouvelle, elle a pleur… un long moment.
• Le médecin va plâtr… le bras cass… de Léonie.
• Ils ne veulent pas nous quitt… sans nous donn… leur adresse.
• As-tu devin… ce qui va arriv… ensuite ?
• Très concentr…, les joueurs s'apprêtent à entr… sur le terrain.

8 ★★★ Recopie ces phrases et complète par les terminaisons qui conviennent (participe passé **ou** imparfait). Fais les accords nécessaires.
• Guid… par la lumière, ils avanç… prudemment.
• Elles inclin… leur tête, imit… par les autres danseuses.
• Mon oncle appréci… son steak très poivr….
• Encore ensommeill…, ma petite sœur arriv… dans la cuisine quand le facteur a sonn….

9 ★★★ Recopie ce texte et complète par les terminaisons qui conviennent (participe passé, infinitif **ou** imparfait). Attention aux accords !
Les fillettes march… à pas lents dans le jardin. Avec l'arrivée du printemps, la nature s'éveill… peu à peu. Perch… sur une branche élev…, des oisillons gazouill… joyeusement. Quelques fleurs commenç… à montr… leurs pétales color…. Le soleil parven… enfin à perc… les nuages. Elles furent vite réchauff… et s'assirent dans l'herbe pour profit… de ces délicieux instants de repos et de calme.

Je repère dans un texte

Dans le texte pp. 218-219, retrouve le participe passé d'un verbe du 1er groupe. Fais ensuite une phrase en l'utilisant à sa forme infinitive, puis une phrase en l'utilisant conjugué à l'imparfait.

J'écris

Continue le dialogue entre Satan et le diable. Utilise au moins un participe passé d'un verbe du 1er groupe et un verbe du 1er groupe conjugué à l'imparfait.

Le passé simple des verbes du 1ᵉʳ groupe

Je lis et je réfléchis

La Femme. – Calme-toi, voyons ! Inspire, expire, inspire… voiiiillàààà… Bien, maintenant raconte-moi : que s'est-il passé ?

Le Mari. – Ah ! Quel malheur si tu savais, ma pauvre femme ! J'étais avec Paul et nous rentrions du café quand nous **tombâmes** littéralement sur sa femme dans la rue.

La Femme. – La belle affaire : vous **tombâtes** sur Josette, et alors ?

Le Mari. – Laisse-moi finir ! Nous **tombâmes** donc sur la Josette… qui elle-même était tombée… dans les bras de son amant ! Paul **fit** alors ce que tout un chacun aurait fait à sa place… il **frappa** l'amant en plein visage !

La Femme. – Eh bien ? Il n'a eu que ce qu'il méritait !

Le Mari. – Certes ! Sauf que l'amant se trouvait aussi être un commissaire de police, qui **appela** aussitôt ses collègues à la rescousse !

1. Les répliques du mari sont-elles écrites au passé, au présent ou au futur ?
2. Quel est l'infinitif des verbes en vert ? À quel groupe appartiennent-ils ?
3. À quelles personnes sont-ils conjugués ?
4. Quelles sont leurs terminaisons ?
5. Est-ce habituel de parler en utilisant des verbes conjugués à ce temps ?

Je retiens

- **Le passé simple** est un temps du passé qu'on utilise surtout à l'écrit : c'est **le temps du récit**. Tous les verbes du **1ᵉʳ groupe** ont **les mêmes terminaisons** au passé simple : **-ai, -as, -a, -âmes, -âtes, -èrent.**

j'allum**ai**	il, elle allum**a**	vous allum**âtes**
tu allum**as**	nous allum**âmes**	ils, elles allum**èrent**

  Attention à ne pas oublier les accents circonflexes sur le **a** aux 1ʳᵉ et 2ᵉ personnes du pluriel !
- **Rappel :**
  – Les verbes dont l'infinitif se termine en **-cer** prennent une cédille sous le **c** devant les terminaisons qui commencent par **-a** : je commen**ç**ai – nous commen**ç**âmes… (voir leçon p. 84)
  – Les verbes dont l'infinitif se termine en **-ger** prennent un **e** après le **g** devant les terminaisons qui commencent par **-a** : tu mang**e**as – vous mang**e**âtes… (voir leçon p. 84)

Je m'exerce

1 ★ Recopie uniquement les verbes conjugués au passé simple.

nous sommeillons – ils arrêtèrent – tu débarrassas – nous espérions – elle rangeait – je nageai – nous chantâmes – ils enlèvent – vous écoutâtes – elles fixaient – j'avançai – tu chantais

2 ★ Recopie uniquement les phrases dont le verbe est conjugué au passé simple.
- Philomène entamait son deuxième jour de marche.
- Toute la nuit, il neigea sans arrêt.
- Bachir et Gaëlle sont allés à la piscine.
- Je sautai avec délices dans l'eau claire.
- Vous prononçâtes un discours mémorable.

3 ★ **Recopie et complète ces phrases avec un pronom de conjugaison qui convient.**
- Un jour, … pénétra dans l'épaisse forêt.
- … habitâmes à Saint-Étienne pendant de nombreuses années.
- À vingt-deux ans, … débutai le métier de professeur.
- Épuisés, … s'affalèrent sur le canapé.
- En quittant la maison, … oubliâtes d'éteindre la lumière.
- Sur le chemin, … jetas du pain aux pigeons.

4 ★ **Recopie ce texte et souligne les verbes conjugués au passé simple.**

Les voleurs entrèrent dans la pièce sans faire de bruit. L'un d'entre eux commença par désactiver l'alarme qui clignotait dans le noir. Puis ils se séparèrent en deux groupes : le premier groupe monta à l'étage pour y chercher les objets de valeur, tandis que le second groupe s'attaquait au coffre-fort dans le salon. Soudain, une clé tourna dans la serrure : quelqu'un était sur le point d'entrer !

5 ★★ **Recopie et complète ces phrases avec la forme du verbe entre parenthèses au passé simple.**
- Arrivée dans le hall, je (grimpai / grimpais) les escaliers quatre à quatre.
- Arthur et moi (discutions / discutâmes) jusque tard dans la nuit.
- Tania (apprécia / apprécie) beaucoup le cadeau de Boris.
- Soudain, les deux chiens (aboieront / aboyèrent).
- Goran et toi (marchâtes / marchaient) toute la journée.
- À la demande du maître, tu (effaceras / effaças) le tableau noir.

6 ★★ **Recopie ces phrases et remplace leurs sujets par ceux proposés entre parenthèses. Attention à la terminaison des verbes !**
- Amadou traça une belle rosace sur son cahier. (Nous)
- Vous transportâtes ces lourds colis en camion. (Je)
- Les singes mangèrent quelques bananes. (Le singe)
- L'artiste mélangea les couleurs avec soin. (Vous)
- Nous indiquâmes la route au passant. (Tu)
- Tu skias toute la journée. (Mes amis)
- Je marchai d'un bon pas. (Elles)

7 ★★ **Recopie et conjugue les verbes entre parenthèses au passé simple.**
- Ce jour-là, nous (décorer) entièrement le sapin.
- Surpris, le bélier (foncer) droit sur la barrière.
- S'assurant que personne n'était en vue, elles (traverser) la cour déserte.
- Je (partager) mon repas avec mon ami.
- Discrètement, vous (gratter) à la porte.
- Tu (glisser) alors sur une plaque de verglas.

8 ★★ **Recopie et écris la suite de chaque phrase. Utilise des verbes du 1er groupe conjugués au passé simple.**
- Le cheval broutait, quand une guêpe le ….
- Nous déjeunions au restaurant, quand Sélim ….
- Je rangeais ma moto, quand vous ….
- Alors que vous dormiez paisiblement, ils ….

9 ★★★ **Recopie ce texte et conjugue les verbes en rouge au passé simple.**

Mon oncle arrive vers dix-huit heures. Il frappe deux petits coups secs et entre sans attendre de réponse de notre part. Nous le saluons chaleureusement. Je l'aide à se débarrasser de son épais manteau. Papa lui propose de s'asseoir sur le fauteuil, juste en face de la cheminée. Il accepte avec joie et frotte ses mains devant les flammes.

10 ★★★ **Conjugue ces verbes au passé simple aux personnes demandées puis emploie chacun d'eux dans une phrase.**
- agiter (3e personne du singulier)
- éviter (2e personne du pluriel)
- bercer (1re personne du singulier)
- murmurer (3e personne du pluriel)
- interroger (1re personne du pluriel)
- organiser (2e personne du singulier)

Je repère dans un texte

Dans le texte pp. 220-221, relis la quatrième réplique de John. Relève la phrase qui contient un verbe du 1er groupe conjugué au présent de l'indicatif et réécris-la au passé simple.

J'écris

Imagine la suite de l'histoire de la page précédente : qu'est-il finalement arrivé à Paul ? Utilise des verbes du 1er groupe conjugués au passé simple (arrêter – menotter – emmener – …).

Objectif : Savoir distinguer des homophones grammaticaux fréquents.
Texte en lien : *Il suffit de s'en souvenir…*, p. 220.

Les homophones grammaticaux (1) :
on / on n' / ont, est / et, son / sont, ses / ces, ce / se, c'est / s'est, c'était / s'était

Je lis et je réfléchis

Le commissaire : Asseyez-vous ! Gendarme ! Veillez à ce que ces gens se tiennent tranquilles ! *(Le gendarme s'approche du groupe. Tous s'assoient. Le commissaire reprend la parole.)* Poursuivez. Que s'est-il passé au château de votre oncle le jeudi 15 mai dernier ?

Le neveu : Barbe-Bleue est rentré de voyage. Ma tante *(il la désigne)* et sa sœur l'attendaient. Elles ont fait semblant d'être attaquées par lui et poussaient des cris pour ameuter le voisinage. Leurs frères, accourus comme par hasard, ont tué mon oncle à coups d'épée !

Les autres, *(indignés et se levant tous ensemble)* : Parce qu'il voulait massacrer notre sœur ! Il est fou ce type ! Il voulait m'égorger !

Yak Rivais, *L'Affaire Barbe-Bleue*, © éd. Retz, 2000.

1. Relève les deux paires d'homonymes présentes dans ce texte.
2. À quelles classes grammaticales appartient chacun des mots que tu as relevés ?

Je retiens

- **Les homophones grammaticaux** sont des homophones qui n'appartiennent pas à la même classe grammaticale : **et** (mot de liaison) / **est** (forme conjuguée du verbe **être**) – **on** (pronom personnel) / **ont** (forme conjuguée du verbe **avoir**) – **son** (déterminant possessif) / **sont** (forme conjuguée du verbe **être**).
- Attention à ne pas confondre **on n'** et **ont** :
  - **on n'** : pronom personnel suivi de la négation **n'**. On peut remplacer **on** par **il** ou **elle** :
    On n'a pas réussi. → **Il** n'a pas réussi.
  - **ont** : forme conjuguée du verbe **avoir** au présent de l'indicatif (3e personne du pluriel). On peut le remplacer par **avaient** ou **auront** : Ils **ont** une jolie maison. → Ils **avaient** une jolie maison.
- Attention à ne pas confondre **ses** et **ces** :
  - **ses** : déterminant possessif. Il peut être remplacé par **leurs** : **ses** jouets → **leurs** jouets
  - **ces** : déterminant démonstratif. Il peut être remplacé par **ce, cet** ou **cette** : **ces** filles → **cette** fille
- Attention à ne pas confondre **ce/se** et **c'/s'** :
  - **ce** : déterminant démonstratif. Il peut être remplacé par **ces** : **ce** type → **ces** types
  - **se** : pronom personnel (3e personne du singulier et du pluriel). Il est toujours placé devant un verbe. Il peut être remplacé par **me** ou **te** : Louis **se** lave les mains. → Je **me** lave les mains.
  - **c'** : pronom démonstratif lorsqu'il est placé devant le verbe **être**. Il signifie **cela** :
    C'est une table. / **C'**était une table. → **Cela** est une table. / **Cela** était une table.
  - **s'** : pronom personnel **se** devant une voyelle. Pour le distinguer de **c'**, il faut changer de personne :
    Elle **s'**est coiffée. → Je **me** suis coiffée. – Il **s'**était assis. → Tu **t'**étais assis.

Je m'exerce

1 ★ **Recopie ces phrases et remplace on par un nom (propre ou commun) ou par un pronom de conjugaison qui convient.**
- On a entendu un bruit étrange.
- Hier, on a regardé un film à la télévision.
- On n'a pas eu le temps de passer vous voir.
- Chaque matin, on se lève à 7 h 30.

2 ★ **Recopie et complète ces phrases avec les homophones qui conviennent (et, est, son ou sont).**
- La forêt (est / et) sombre (est / et) profonde.
- Il (est / et) à la bibliothèque (est / et) il lit.
- Elle a pris (sont / son) manteau et ils (sont / son) sortis.
- Victor et (sont / son) frère (sont / son) très polis.

3 ★ **Écris ces groupes nominaux au singulier. Indique la nature de chaque déterminant.**

ces voitures – ces arbres – ses chaussures – ses livres – ces musiques – ses bijoux – ces garçons – ses mains

4 ★★ **Recopie et complète ces phrases avec c'est ou s'est. Explique ton choix.**
- … magnifique !
- … à 18 h 00 qu'il a appelé.
- L'oiseau … échappé de sa cage.
- Elle … assise là-bas.
- … à cet endroit que … déroulée la scène.

5 ★★ **Recopie et complète ces phrases avec les homophones qui conviennent.**
- (On / On n' / Ont) a appris que les horaires (on / on n' / ont) changé.
- (On / On n' / Ont) est très heureux : (on / on n' / ont) a eu notre examen !
- Où (on / on n' / ont)-ils posé le ventilateur ? (On / On n' / Ont) commence à avoir chaud !
- (On / On n' / Ont) avait pas de crème solaire. Ils nous (on / on n' / ont) prêté la leur.

6 ★★ **Recopie et complète ces phrases avec ses ou ces.**
- Louis a oublié … lunettes.
- Regarde … magnifiques flamants roses !
- … pains au chocolat sont délicieux.
- Elle raconte … aventures à … amis.
- … tigres et … lions ont l'air féroce.
- … cris étaient poussés par la chatte et … petits.

7 ★★ **Recopie et complète ces phrases avec ce ou se. Indique la nature du mot situé juste après (groupe nominal ou verbe).**
- Nous vendons … vieux buffet.
- Les sportifs … reposent après le match.
- Il … demanda si … sabre datait du siècle dernier.
- … lézard … prélasse au soleil.

8 ★★ **Recopie et complète chacune de ces phrases avec un verbe ou un nom.**
- Antonio se … avec sa sœur.
- Elles se … dans la glace.
- Amine invite ce ….
- Nous observons ce ….

9 ★★★ **Recopie et complète ces phrases avec on, on n' ou ont.**

Hier soir, … a assisté à un concert de jazz. Malheureusement, … était loin de la scène et … a pas très bien vu les musiciens. Mais ils … joué des airs entraînants et … était très heureux d'entendre cette musique. … a pas vu le temps passer !

10 ★★★ **Recopie et complète ces phrases avec est, et, sont ou son.**
- Quentin … Samira … très appréciés.
- Ses chemises … sèches … … pull aussi.
- Les ennemis … vaincus grâce au prince.
- Pauline … partie avec ses parents et … frère : ils … allés au Mexique … au Brésil.

11 ★★★ **Recopie et complète avec c' ou s'.**

… était en hiver. La neige … était mise à tomber la veille. … était ce temps-là qu'Éric préférait. Il … était vêtu d'un anorak et d'un bonnet. Il … était rendu dans le jardin et … était mis à former deux grosses boules de neige. … était le premier bonhomme qu'il fabriquait tout seul.

Je repère dans un texte

Dans le texte pp. 220-221, relève les homophones grammaticaux.

J'écris

Écris deux autres répliques pour continuer le texte de la page précédente. Emploie au moins quatre homophones grammaticaux.

Objectifs : Savoir reconnaître, former et utiliser des mots d'une même famille.
Texte en lien : *Le Bourgeois gentilhomme*, p. 218.

Les familles de mots

Je lis et je réfléchis

LE CHAMBELLAN : Il n'est point temps de dire la météo. En tant que chef des armées, tu dois repousser l'ennemi.

BRILLANT : Comment faire si je suis désarmé ?

LE CHAMBELLAN : Quoi ?

BRILLANT : Tu dis que je suis le chef <u>désarmé</u>, ça tombe bien, je n'aime pas les <u>armes</u>.

LE CHAMBELLAN *(articulant)* **:** Chef-des-ar-mées !

BRILLANT : Oui, oui, j'ai compris.

LE CHAMBELLAN *(à part)* **:** Un couard, raisonneur en plus... Tu dois te battre, sinon... *(Un prince en armure, gigantesque et puissamment armé, surgit, bousculant tout devant lui.)*

Jean-Claude Grumberg, *Marie des Grenouilles*, coll. « Heyoka Jeunesse »,
© Actes Sud, 2003.

1. Observe les mots soulignés. Quelle est leur partie commune ?

2. Pourquoi dit-on qu'ils appartiennent à la même **famille** ?

3. Trouve dans le texte d'autres mots appartenant à la même famille que les mots soulignés.

4. Connais-tu des mots de la famille du mot en vert ? Lesquels ?

5. Quelle est leur partie commune ?

Je retiens

- **Une famille de mots** comporte tous les mots formés à partir d'**un même radical**. Tous ces mots se rapportent à une même idée : **arm**e – **arm**ée – **arm**ure – dés**arm**é...
- Les mots de la même famille peuvent appartenir à des classes grammaticales différentes : raison (nom commun) – raisonnable (adjectif) – raisonner (verbe) – raisonnablement (adverbe)
- Connaître les mots de la même famille permet de mieux les comprendre et de mieux les orthographier : **terr**e → **terr**itoire

Attention ! le radical est parfois très différent d'un mot à l'autre : **pied** → **pié**ton – **doigt** → **digit**al – **mer** → **mari**time

Je m'exerce

1 ★ **Recopie chaque famille et encadre le radical dans chaque mot.**

Ex. : |long|ueur – al|long|é – |long|er – |long|

- blanc – blancheur – blanchir – blanchisserie
- dentifrice – dentiste – dent – dentition – denture
- agrandissement – grandir – grandeur – grand
- patinoire – patineur – patin – patiner – patinage

2 ★ **Recopie ces mots et regroupe-les par familles (il y en a 4).**

refroidir – rougissement – ensoleillé – glaciation – froidement – parasol – rougir – glacial – froideur – refroidissement – déglacer – rougeâtre – ensoleillement – glaciaire – rougeur – solaire

3 ★ Recopie et barre l'intrus dans chaque famille de mots.
- commerçant – commercial – commencement – commerce
- brûlant – brûlure – brûlerie – brutal – brûler
- enchaîner – déchaînement – chaînette – chaise
- compléter – complémentaire – incomplet – compliment – complètement

4 ★ Recopie et complète chaque famille avec au moins 1 mot. Entoure ensuite le radical commun.
- lenteur – ralentissement – lentement → …
- encourager – courageux – courageusement → …
- compteur – décompte – comptabilité → …
- habitation – inhabitable – habiter → …

5 ★★ Construis un tableau à 3 colonnes et classe ces mots dans 3 familles.
solide – soigneux – sonnerie – sonnant – soigner – solidifier – consolider – soigneusement – sonore – soin – soignant – solidement – sonnette – sonneur – soigneur – solidité

6 ★★ Pour chaque série, recopie uniquement les mots qui appartiennent à la famille du mot en rouge. Tu peux t'aider d'un dictionnaire.
- terre – terrestre – terrain – terrifiant – enterrement – terminer – déterrer – terreur – souterrain – terrier – terrible – atterrir
- chant – champignon – chandail – chanson – chanter – changer – chansonnier – chansonnette – chantilly – chantier

7 ★★ Recopie ces mots et trouve pour chacun au moins 2 mots de la même famille. Tu peux t'aider d'un dictionnaire.
laver – utile – action – passer – électricité

8 ★★ Recopie et complète ce tableau par des mots de la même famille. Utilise le radical pour bien les orthographier.

Nom	Adjectif	Verbe
…	inventif	…
la patience	…	…
…	…	habituer
…	sec	…
…	…	rafraîchir

9 ★★ Recopie et complète ces phrases avec des mots de la famille de fil. Tu peux t'aider d'un dictionnaire.
- En observant le ciel, j'ai vu une étoile ….
- Le marin répare son grand … de pêche.
- Pour le carnaval, tous les élèves de l'école vont … dans la rue.
- Il y a une longue … d'attente devant le cinéma.
- Papa … son manteau et sort.
- Le détective a pris le suspect en ….

10 ★★★ Recopie et regroupe 2 par 2 les mots de la même famille. Attention ! les radicaux sont très différents d'un mot à l'autre.
espace – scolaire – nuit – nasal – spatial – cœur – forestier – impératrice – main – cardiaque – floraison – empire – nocturne – nez – horaire – manuel – fleur – forêt – école – heure

11 ★★★ Retrouve les mots de la famille de nager qui correspondent à ces définitions.
- Un sport que l'on pratique à la piscine. → …
- Une personne qui nage. → …
- Elles permettent aux poissons de se déplacer dans l'eau. → …

12 ★★★ Les mots en rouge dans ces phrases appartiennent à la même famille que croire. Essaie d'expliquer les phrases sans t'aider du dictionnaire.
- Ce garçon est très crédule.
- Ta version des faits n'est pas crédible.
- La crédibilité de cette histoire n'est pas prouvée.
- On doit respecter toutes les croyances religieuses.

13 ★★★ Pour chacun de ces mots, trouve le plus de mots possible appartenant à la même famille. Tu peux t'aider d'un dictionnaire.
garer – plume – mer – mari – lune – genou – joli

Je repère dans un texte

Dans le texte pp. 218-219, retrouve deux mots de la même famille que **son** entre les lignes 1 et 15.

J'écris

Écris des devinettes pour faire trouver des mots de la même famille que **soleil**.

Objectifs : Savoir reconnaître les préfixes et les utiliser pour mieux accéder au sens des mots. Savoir former des mots en utilisant des préfixes.
Texte en lien : *Le Bourgeois gentilhomme*, p. 218.

Les préfixes

Je lis et je réfléchis

Apparition du vétérinaire de Sido et Sacha. Il est grave et attentif.

Vétérinaire : Alors ? Expliquez-moi ce qui se passe avec eux.

Elle : Ils ont refusé de manger pendant 5 jours ! Et puis ils ont craqué... Je l'avais <u>prédit</u>.

Vétérinaire : Ils ont beaucoup mangé ?

Elle : Non. Sido a chipoté, Sacha aussi. Et puis ils ont continué à nous éviter ! Ils avaient un drôle de regard et ils se sont réfugiés dans le Jardin ! Impossible de les déloger ! Ils y dormaient.

Vétérinaire : Ils y dorment toujours ?

Elle : Sido dans sa vieille niche et Sacha dans le tilleul.

Vétérinaire : Bon. Je vais les examiner. Je commence par qui ?

Claude Morand, *Sido et Sacha*, coll. « Très Tôt Théâtre », © Claude Morand, 1986.

1. Cherche le radical du mot souligné. Quelle syllabe n'appartient pas à ce radical ? Où est-elle placée dans le mot ?

2. Que se passe-t-il si tu supprimes le préfixe **im-** dans le mot en vert ? Que peux-tu en déduire sur le sens de ce préfixe ?

3. Que se passe-t-il si tu supprimes le préfixe **dé-** dans le mot en rouge ? Que peux-tu en déduire sur le sens de ce préfixe ?

Je retiens

- **Un préfixe** est composé d'**une ou plusieurs lettre(s) placée(s) devant le radical** d'un mot pour former un nouveau mot : pré / dire

  préfixe   radical

- Les préfixes permettent de **modifier le sens du radical**. Connaître leur sens aide à comprendre le sens d'un mot. Par exemple :
  - **in-**, **im-**, **il-**, **ir-**, **mal-**, **mé-**, **dé-** et **dés-** indiquent le contraire : **in**actif – **im**prévu – **il**lettré – **ir**réel – **mal**heureux – **mé**connu – **dé**coller – un **dés**accord
  - **re-** et **ré-** indiquent la répétition : tomber → **re**tomber – une élection → une **ré**élection
  - **pré-** signifie « avant » : venir → **pré**venir – lavage → un **pré**lavage
- Il existe de nombreux autres préfixes (**para-**, **anti-**, **sur-**, **sou-**, **en-**, **em-**, **multi-**...) : un **para**chute – un **anti**vol – un **sur**vêtement – **sou**peser – **en**dormir – **em**porter – **multi**prise (voir le tableau des principaux préfixes et de leur sens, p. 254)

Je m'exerce

1 ★ **Recopie ces noms, entoure leur préfixe et souligne leur radical.**

parapluie – impolitesse – inactivité – prénom – antivol – inhabituel – irremplaçable – imprévisible – désespoir – réorganisation

2 ★ **Recopie ces verbes et sépare le préfixe, le radical et la terminaison.**

Ex. : retourner → re/tourn/er

réagir – définir – surprendre – emporter – défaire – agrandir – prévenir – parcourir – entrouvrir

3 ★ **Recopie et entoure dans chaque famille le mot qui n'a pas de préfixe.**
- multicolore – décoloré – recolorer – couleur
- planter – transplantation – déplanter – replanter
- réchauffer – chaufferie – surchauffée
- atterrir – déterrer – terre – enterrer

4 ★ **Recopie et relie pour former des mots de sens contraire.**

in •	• adroit
im •	• sensible
il •	• mortel
ir •	• limité
mal •	• réel

5 ★★ **Certains mots n'ont pas de préfixe mais commencent par des lettres qui sont un préfixe dans d'autres mots. Recopie chaque série de mots et barre celui qui n'a pas de préfixe.**
- imprévu – impatient – imprudent – important
- déboucher – décorer – débattre – déboiser
- incertitude – incompréhension – incendie
- reproduire – revenir – reformer – refuser

6 ★★ **Utilise les préfixes dé- ou dés- pour former des verbes à partir de ces noms.**
Ex. : colle → **dé**coller
chaîne – calque – barque – goût – maquillage – arme – équilibre – obéissance

7 ★★ **Recopie et choisis le préfixe qui fonctionne avec les mots de chaque liste parmi les suivants :** sur-, anti-, en-, para-.
Ex : chauffer – charger – exposer – nager → **sur**
     (surchauffer, surcharger, surexposer, surnager)
- chanter – cadrer – fermer – graisser
- gel – douleur – vol – dérapant
- sol – pente – tonnerre – pluie
- voler – monter – vivre – geler

8 ★★ **Recopie ces phrases et écris le contraire des mots en rouge à l'aide d'un préfixe.**
- Cette personne **agréable** est la plus **honnête** que j'ai rencontrée.
- Il a une écriture **lisible** et **régulière**.
- Je te **conseille** de t'adresser à cette jeune fille polie et **respectueuse**.
- Tu le crois **capable** de bloquer cette porte.

9 ★★★ **Utilise le préfixe** re- **ou** ré- **pour former des verbes à partir de ces noms.**
Ex. : la présentation → **re**présenter
l'union – le bond – la sortie – l'écriture – le pli – la vue – l'élection – la venue

10 ★★★ **Recopie et complète ces phrases avec des mots qui contiennent un préfixe et qui sont de la même famille que les mots en rouge.**
- Un tissu qui est plein de **couleurs** est un tissu ....
- Mettre quelqu'un en **prison**, c'est l'....
- Un artiste qu'on ne **connaît** pas est un artiste ....
- Une loi contre le **tabac**, c'est une loi ....
- Un spectacle qu'on ne peut pas **oublier** est un spectacle ....
- Un baigneur qui n'est pas prudent est un baigneur ....

11 ★★★ **Recopie et complète ces phrases avec un des verbes suivants dérivés du verbe** venir.
parvenir – devenir – convenir – revenir – prévenir – survenir
- Mon frère veut ... pâtissier.
- Je suis sûre que les pompiers vont ... à éteindre le feu.
- Il faut le ... qu'Élisa arrive dans dix minutes.
- Molly va bientôt ... du Japon.
- J'espère que cette jupe va te ....
- Cet événement risque de ... brutalement.

12 ★★★ **À l'aide de ces préfixes et de ces mots, forme des mots dérivés que tu emploieras dans une phrase. N'oublie pas de conjuguer les verbes !**
- préfixes : pré – sur – re – dé – in
- mots simples : peuplé – couvrir – formation – histoire – faire

Je repère dans un texte

Dans le texte pp. 218-219, relève un mot qui contient un préfixe entre les lignes 23 et 41.

J'écris

Imagine que tu vas passer une journée à la plage. Décris comment elle se passe. Utilise au moins cinq mots qui contiennent un préfixe.

Objectif : Savoir distinguer compléments d'objet et compléments circonstanciels de lieu et de temps.
Texte en lien : *La Cigale et la Fourmi*, p. 224.

Différencier compléments d'objet et compléments circonstanciels

Je lis et je réfléchis

Une corneille avait dérobé un beau morceau de fromage et l'avait emporté au sommet d'un arbre. Un renard, qui avait tout vu, se dit :
« Si je sais m'y prendre, j'aurai du fromage pour dîner ce soir. »
Il réfléchit un instant et arrêta son plan.

D'après Ésope, *Le Renard et la Corneille*.

1. Comment appelle-t-on les groupes de mots en couleur ?
2. Quelle est la fonction des groupes de mots en vert. Peux-tu les déplacer ? les supprimer ?
3. Quelle est la fonction des groupes de mots en rouge. Peux-tu les déplacer ? les supprimer ?

Je retiens

- Le verbe est souvent suivi de compléments. Ils sont de deux types :
  - **les compléments d'objet** (C.O.D. et C.O.I.), qui indiquent sur qui ou sur quoi porte l'action exprimée par le verbe (voir leçons pp. 78 et 88) ;
  - **les compléments circonstanciels** (C.C.L et C.C.T), qui précisent les circonstances de l'action exprimée par le verbe (voir leçon p. 90).
- Pour les distinguer, on peut :
  - essayer de les **déplacer** ou de les **supprimer** : seuls les compléments circonstanciels peuvent parfois être déplacés ou supprimés ;
  - se demander **à quelle question ils répondent** : Qui ? Quoi ? À qui ? À quoi ? De qui ? **De quoi ?** → compléments d'objet / **Où ? Quand ?** → compléments circonstanciels
- Certains compléments circonstanciels peuvent être directement reliés au verbe. Attention à ne pas les confondre avec des C.O.D. : Margot dessine **une jolie fleur**. / Margot dessine **le mercredi**.
  C.O.D.   C.C.T.
- Le C.O.I. et les compléments circonstanciels de lieu et de temps (C.C.L.) et (C.C.T.) sont souvent reliés au verbe par les prépositions **à** et **de**. Attention à ne pas les confondre :
  Il a pensé **à elle**. / Il est arrivé **à dix heures**.
  C.O.I.   C.C.T.

Je m'exerce

1 ★ **Recopie ces phrases et supprime les compléments quand c'est possible. Indique ensuite le type du complément que tu as supprimé.**
- Hier, Reda a envoyé une lettre.
- L'été dernier, nous avons campé au bord d'une rivière.
- Quand reviendras-tu dans notre maison de campagne ?
- Qui sont ces gens, devant la mairie ?
- Le cirque a installé son chapiteau sur la grande place.
- Dernièrement, quelqu'un a gagné un très gros lot avec un billet de loterie.

2 ★ **Recopie et déplace dans chaque phrase le complément qui peut l'être. Attention à la ponctuation !**

- Ils ont annoncé la nouvelle hier soir.
- Au milieu de la piste, les clowns font leur numéro.
- Inès se souvient parfois de son voyage en Inde.
- Benoît ouvrit quelques minutes plus tard tous les volets de la maison.
- Le garçon prit au creux de sa main un petit oiseau blessé.

3 ★★ **Recopie ces phrases. Souligne en bleu les compléments qui ne peuvent pas être déplacés et en orange ceux qui peuvent l'être.**

- Le routier transporte des marchandises dans son poids lourd.
- Sur le marché, le maraîcher vend ses légumes.
- Dans le manège, le cheval a désarçonné son cavalier.
- Ce matin, les employés de la fourrière sont venus attraper un gros chien errant.
- Samedi dernier, le responsable du grand magasin a offert un cadeau à ses meilleurs clients.

4 ★★ **Construis un tableau à 2 colonnes (compléments d'objet et compléments circonstanciels) et classe les compléments de ces phrases.**

- Zinédine a répondu correctement à la question.
- L'été dernier, Christophe a fait un stage d'aviron.
- Ils ont trouvé des pièces d'or dans cette boîte en fer.
- Lola inscrit son fils à l'école.
- Hier, au club d'échecs, j'ai rencontré Dimitri.

5 ★★ **Les mots de ces phrases ont été mélangés. Reconstitue-les en ne recopiant que le sujet, le verbe et le C.O.D.**

Ex. : un gâteau – maman – ce matin – a fait
   → **Maman a fait un gâteau.**

- écoute – dans sa voiture – Grégoire – tous les jours – ce morceau de musique
- une enquête – la police – depuis ce matin – mène – dans notre quartier
- un feu – dans la cheminée – mon père – à la nuit tombée – allumera
- ont photographié – dans le port – des bateaux – cet après-midi – des touristes
- dès neuf heures – le courrier – mon assistante – sur mon bureau – pose

6 ★★ **Recopie chaque groupe de mots en rouge et indique s'il s'agit d'un C.O.D. ou d'un C.C.L.**

- La navigatrice traverse l'océan Atlantique.
- Matéo part au Sénégal.
- On trouve des requins dans l'océan Indien.
- Mon cousin connaît la région Midi-Pyrénées.
- Les voyageurs parcourent l'Asie du Sud-Est.
- Le mari de Caroline travaille à Rome.

7 ★★★ **Recopie chaque groupe de mots en rouge et indique de quel complément il s'agit (C.O.I. ou C.C.L.).**

- Tess se rend au conservatoire de musique.
- Le malfaiteur se rend aux policiers.
- Mounir s'entraîne au saut en longueur.
- La championne s'entraîne au stade olympique.
- Il parvient à l'arrêt de bus.

8 ★★★ **Écris 5 phrases en choisissant au moins un complément dans chaque liste.**

- compléments d'objet : un gâteau à la fraise – une amie – la voiture de mon voisin – un livre d'aventures – une casquette jaune – William – ses lunettes – le tigre féroce
- compléments circonstanciels : pendant ce temps – à la campagne – depuis deux semaines – au camping – au lever du soleil – dans mon tiroir – dans ton école – demain soir – trois heures plus tard – au marché – ce midi – au bout de la rue

9 ★★★ **Recopie et complète ces phrases avec les compléments indiqués entre parenthèses.**

- Harold pense (C.O.I.) (C.C.T.).
- (C.C.L.), les chèvres broutent (C.O.D.).
- (C.C.T.), Mélissa apporte (C.O.I.) (C.C.L.).
- Rose achète (C.O.D.) (C.C.L.) (C.C.T.).
- (C.C.T.), tes enfants envoient (C.O.D.) (C.O.I.).

Je repère dans un texte

Dans la fable p. 224, relève un complément d'objet et un complément circonstanciel.

J'écris

Continue la fable *Le Renard et la Corneille*. Utilise des compléments d'objet (que tu souligneras en bleu) et des compléments circonstanciels (que tu souligneras en orange).

Objectif : Savoir identifier les adverbes dans un texte.
Savoir distinguer les différents types d'adverbes.
Texte en lien : *La Cigale et la Fourmi*, p. 224.

Les adverbes

Je lis et je réfléchis

Un Loup **n'**avait **que** les os et la peau,
Tant les chiens faisaient bonne garde.
Ce Loup rencontre un Dogue **aussi** <u>puissant</u> **que** beau,
Gras, poli, qui s'était fourvoyé par mégarde[1].
L'attaquer, le mettre en quartiers,
Sire Loup l'eût fait **volontiers** ;
Mais il fallait livrer bataille ;
Et le mâtin[2] était de taille
À se défendre **hardiment**.

1. Se fourvoyer par mégarde : se tromper.
2. Le mâtin : le chien.

Jean de La Fontaine, « Le Loup et le Chien », *Fables*.

1. À quelle classe de mots appartiennent les mots en gras ? Tu peux t'aider d'un dictionnaire pour répondre.

2. Mets le troisième vers de la fable au pluriel. Les mots en gras sont-ils modifiés ? Pourquoi ?

3. À partir de quel mot a-t-on formé **hardiment** ? Sur le même modèle, trouve un adverbe formé à partir du mot souligné.

Je retiens

- **Un adverbe** est un mot qui **précise ou modifie le sens** d'un verbe, d'un adjectif ou d'un autre adverbe.

  Elle <u>travaille</u> **rapidement**.　　　Il est **très** doux.　　　Nous avançons **trop** vite.
　　verbe　　　adverbe　　　　　　adv.　adj.　　　　　　　　　adv.　adv.

- Il existe différents types d'adverbes, notamment :
  - **les adverbes de temps** (parfois, toujours, souvent…) : Il ne vient **jamais** nous voir.
  - **les adverbes de lieu** (là, près, dedans…) : C'est **ici** que se déroulera le match.
  - **les adverbes de manière** (rapidement, bien, mal…) : De **mieux** en **mieux** !
  - **les adverbes de négation** (ne…pas, ne… jamais…) : Il n'a **pas** de chance.
- Beaucoup d'adverbes de manière sont formés à partir d'adjectifs auxquels on ajoute
  la terminaison **-ment** : hardi → hardiment – exceptionnelle → exceptionnellement
　　　　　　　　adj. masculin　　adverbe　　　　adj. féminin　　　　　adverbe
- Les adverbes sont **invariables** (voir leçon p. 122).

Je m'exerce

1 ★ **Recopie ces phrases et souligne les adverbes.**
- Vanessa est très timide.
- Arthur est plus grand que moi.
- J'ai beaucoup de travail cette semaine.
- Elle m'a regardé méchamment.

2 ★ **Recopie uniquement les adverbes.**
assez – très – gai – prendre – bien – livre –
dangereux – peu – longtemps – sec – elle –
souvent – aujourd'hui – moins – rentrée –
nom – nouveau – tard – partirai – joli –
plutôt – loin

3 ★ **Recopie et complète ces phrases avec les adverbes suivants.**

au-dessus – mal – bruyamment – là-bas –
toujours – beaucoup

- Nos voisins sont partis habiter ….
- Le bombardier a largué de l'eau … des flammes.
- Le ballon éclate ….
- Mon petit frère aime … les glaces à la fraise.
- Nous avons été … accueillis dans cet hôtel.
- Louis fait … ses devoirs après avoir goûté.

4 ★ **Construis un tableau à 3 colonnes** (adverbes de temps, adverbes de lieu **et** adverbes de manière) **et classe ces adverbes.**

timidement – là – lentement – aujourd'hui –
dedans – vite – toujours – en-dessous – après

5 ★ **Forme des adverbes à partir de ces adjectifs.**

- calme → …
- brutal → …
- sûr → …
- fort → …
- large → …
- facile → …

6 ★★ **Recopie ces phrases. Souligne les adverbes et précise si ce sont des adverbes de lieu, de temps, de manière ou de négation.**

- Hier, nous sommes allés à la patinoire.
- Le vent ne souffle pas violemment aujourd'hui.
- Les serviettes sont rangées au-dessus des gants.
- Félix n'a jamais aimé jouer au tennis.
- J'ai trouvé un billet de cinq euros ici.

7 ★★ **Transforme ces phrases affirmatives en phrases négatives en utilisant des adverbes de négation** (ne… pas, ne… plus, ne… jamais, ne… que…)**.**

- Juste avant les vacances, les enfants étaient fatigués.
- Il a souvent faim en sortant de table.
- Ce peintre utilise toutes les couleurs.
- Le médecin consulte encore après 19 heures.
- Ma sœur est toujours en retard au bureau.

8 ★★ **Recopie ces phrases. Entoure les adverbes et indique la nature des mots qu'ils modifient** (verbe, adjectif **ou** adverbe)**.**

- Antoine présente fièrement sa nouvelle médaille.
- Ma tante chante particulièrement faux.
- Le Père Noël reçoit beaucoup de courrier.
- Le couvreur avance prudemment sur le toit.
- Ce train va trop lentement !

9 ★★ **Recopie ces phrases et remplace chaque adverbe en rouge par un adverbe de sens contraire.**

- Il faut rouler vite dans les rues étroites.
- Kévin est peu bavard.
- Heureusement, le tireur a atteint sa cible.
- On doit parler fort en classe.
- On mange bien dans ce restaurant.
- Elle est tombée mollement sur le sol.
- Les insectes vivent souvent longtemps.

10 ★★★ **Recopie uniquement les adverbes.**

régiment – vaillamment – segment –
innocemment – rapidement – bâtiment –
suffisamment – inconsciemment – argument –
prudemment – élégamment – vêtement –
évidemment – mystérieusement –
régulièrement – appartement – document

11 ★★★ **Recopie et complète ces phrases. Utilise un adverbe du type indiqué entre parenthèses.**

- Les randonneurs marchent. (adverbe de manière)
- Mes grands-parents ont fait un grand voyage. (adverbe de temps)
- Maman a rangé le linge. (adverbe de lieu)
- Range ta chambre. (adverbe de négation)

12 ★★★ **Recopie ces phrases et remplace chaque groupe de mots en rouge par un adverbe.**

- Mon père roule avec prudence sur l'autoroute.
- La tempête a soufflé avec violence toute la nuit.
- Le chien de mon voisin aboyait d'un air méchant à l'approche du facteur.
- Fatoumata attendait les résultats de son examen avec nervosité.
- Les enfants s'approchent du clown en faisant du bruit.
- L'agent de police a répondu de manière aimable à mes questions.

Je repère dans un texte

Dans la fable p. 224, relève les adverbes et indique de quel type ils sont.

J'écris

Écris un petit texte en utilisant les adverbes suivants : hier – beaucoup – soudain – là.

Objectif : Savoir ce que sont les mots invariables, notamment les adverbes.
Texte en lien : *Le Renard et le Bouc*, p. 226.

Les mots invariables (1) : les adverbes

Je lis et je réfléchis

Renard venait de s'introduire dans un grand jardin où il espérait trouver de quoi calmer sa faim. Il inspectait les lieux du regard pour s'assurer qu'aucun danger ne le menaçait, lorsqu'il aperçut un énorme tambour suspendu à un arbre. Il s'approcha **prudemment** pour voir de quoi il s'agissait. **Soudain**, le vent se mit à souffler. Les branches de l'arbre bougèrent et frappèrent le tambour qui résonna **bruyamment**. Surpris, Renard sursauta et recula. Puis il s'approcha à nouveau et observa **longuement** le tambour.

Jean Muzi, « Renard et le Tambour », *Dix-Neuf Fables de Renard*,
© Castor Poche Flammarion, 2000.

1. À quelle classe de mots appartiennent les mots en gras ?
2. Mets la dernière phrase du texte au pluriel. Le mot en gras change-t-il ?
3. Mets la dernière phrase du texte au féminin. Le mot en gras change-t-il ?

Je retiens

- **Les mots invariables** sont des mots qui ne varient jamais en genre et en nombre.
  Le facteur sonna **gaiement**. → Les facteurs sonnèrent **gaiement**.
- Parmi les mots invariables, on trouve notamment tous **les adverbes**. C'est une des façons de les reconnaître dans la phrase.
  Attention ! tous les mots invariables ne sont pas des adverbes. N'oublie pas qu'**un adverbe modifie ou précise le sens** d'un verbe, d'un adjectif ou d'un autre adverbe (voir leçon p. 120).
- De nombreux adverbes formés à partir d'adjectifs se terminent par le son [amã], qui s'écrit **-emment** quand l'adjectif d'origine se termine par **-ent** et **-amment** quand il se termine par **-ant** :
  prud**ent** → prud**emment** – bruy**ant** → bruy**amment**

Je m'exerce

1 ★ **Recopie uniquement les adverbes.**
manger – découverte – d'abord – arbuste – finalement – curieux – toujours – courageusement – finissions – coupable – plante – derrière – lit – ici – hier

2 ★ **Recopie cette liste de mots et entoure les adverbes.**
aujourd'hui – facile – premièrement – compris – déjà – admirable – quelquefois – ménagement – encourageant – également – vraiment – rapide – beaucoup – capable – moins – exquis – combien

3 ★ **Retrouve la lettre finale de ces adverbes. Tu peux t'aider d'un dictionnaire.**
jamai… – volontier… – bientô… – aprè… – autrefoi… – tar… – toujour… – alor… – maintenan… – souven… – pratiquemen…

4 ★ **Recopie ces phrases et entoure les adverbes.**
- Ensuite, il ferma la porte.
- Les enfants sortent bruyamment.
- Il a beaucoup neigé hier.
- J'ai longtemps cru cette histoire.
- Ces animaux sont certainement dangereux.

5 ★★ **Recopie ces phrases et complète les mots invariables par -emment ou -amment. Tu peux t'aider d'un dictionnaire.**
- Il a brill… réussi son examen.
- Je viendrai bien évid… à ton mariage.
- Rémy a viol… claqué la porte en sortant.
- C'est suffis… difficile comme ça !
- Cette erreur est fréqu… commise.

6 ★★ **Mets ces phrases au pluriel. Souligne en rouge les adverbes.**
- Le train démarre lentement.
- Elle va parfois nager le mercredi.
- Mon grand-père allait souvent pêcher autrefois.
- Cet enfant ne doit pas se coucher trop tard le soir.
- Il a eu une note vraiment moyenne.
- Ma voisine viendra plutôt dîner lundi.

7 ★★ **Recopie ces phrases et remplace chaque adverbe en rouge par un adverbe synonyme.**
- Lison va **parfois** rendre visite à sa tante à Lyon.
- Il faut se laver **fréquemment** les mains pour éviter les microbes.
- Tu devrais **davantage** travailler si tu veux progresser.
- Est-ce **ici** que je dois poser ce paquet ?
- **Tout à coup**, une détonation retentit dans la nuit.
- Je ne le vois pas **beaucoup** en ce moment.

8 ★★ **Recopie et complète ces phrases avec un adverbe de ton choix.**
- …, les gens se déplaçaient à cheval.
- Quand nous sommes entrés dans la pièce, maman a … changé de sujet.
- Le livre que tu cherches est ….
- J'ai … trop mangé ce soir !
- Mieux vaut étendre le linge … : il sèche plus ….
- On peut y aller à pied : ce n'est pas ….

9 ★★★ **Trouve les adverbes qui correspondent aux définitions suivantes et écris une phrase avec chacun d'eux.**
- le jour avant aujourd'hui
- dans pas longtemps
- pas vite
- avec courage
- pas complètement
- avec joie
- pas près du tout

10 ★★★ **Recopie cette grille et retrouve les 12 adverbes suivants. Attention ! une lettre peut servir pour plusieurs mots.**
encore – près – combien – plus – tellement – environ – aussi – assez – trop – moins – beaucoup – davantage

B	A	S	S	E	Z	D	O	I
E	N	C	O	R	E	A	U	P
A	T	O	R	M	T	V	E	R
U	R	R	A	O	R	A	N	E
C	O	M	B	I	E	N	V	S
O	P	I	U	N	S	T	I	Q
U	A	U	S	S	I	A	R	U
P	L	U	S	O	U	G	O	A
T	E	L	L	E	M	E	N	T

11 ★★★ **Recopie et ajoute le plus d'adverbes possible à ces phrases. Attention ! elles doivent avoir un sens.**
- Le chat dort.
- Émilie est partie.
- Peut-il revenir ?
- Ils sont sortis.
- Les plantes poussent.

12 ★★★ **Recopie ce texte et complète les adverbes par -ement, -emment ou -amment. Tu peux t'aider d'un dictionnaire.**
Pendant les vacances, j'ai assisté à un accident : la voiture qui roulait devant nous a bizarr… quitté la route avant de percuter un arbre viol…. Appar…, le conducteur, qui n'avait pas suffis… dormi, s'est assoupi au volant. Heureus…, nous roulions prud… derrière lui et nous avons pu nous arrêter facil…. Les pompiers sont arrivés aussi bruy… que rapid…. Ils ont prud… sorti les passagers de la voiture accidentée qui, étonn…, n'étaient que légèr… blessés.

Je repère dans un texte

Dans la fable pp. 226-231, relève trois adverbes et fais une phrase avec chacun d'eux.

J'écris

Écris des devinettes pour faire trouver les adverbes suivants : demain – maintenant – dedans.

Le passé simple des verbes du 2ᵉ groupe

Je lis et je réfléchis

– Es-tu sûr de ce que tu avances ? demanda le Lion à Renard.

– Oui, Sire ! Aussi devriez-vous sacrifier la Vache sans attendre.

<u>Le Lion hésita et **finit** par accepter.</u> La Vache fut tuée et Renard se rassasia de viande avant de récupérer la peau qu'il emporta.

Il la sala, la huila et la mit à l'ombre pour qu'elle séchât doucement. Lorsque l'été arriva, il la découpa, **choisit** les meilleurs morceaux qu'il trempa dans de l'eau pour les ramollir, et il retourna chez le Lion.

Jean Muzi, « Renard, la Vache et le Lion – Fable d'Espagne »,
Dix-Neuf Fables de Renard, © Castor Poche Flammarion, 2000.

1. Mis à part les dialogues, cette fable est-elle écrite au passé, au présent ou au futur ?
2. Observe les verbes en gras. Quel est leur infinitif ? À quel groupe appartiennent-ils ?
3. À quelle personne sont-ils conjugués ? Conjugue le premier verbe en gras à la même personne au présent de l'indicatif. Que remarques-tu ?
4. Mets la phrase soulignée au pluriel. Comment se termine alors le verbe en gras ?

Je retiens

Au passé simple, les verbes du **2ᵉ groupe** ont toujours **les mêmes terminaisons : -is, -is, -it, -îmes, -îtes, -irent**.

je choisis – tu choisis – il, elle choisit – nous choisîmes – vous choisîtes – ils, elles choisirent

Attention ! les formes verbales du présent de l'indicatif et du passé simple sont identiques aux trois personnes du singulier. Ce sont les autres verbes du texte ou les indicateurs de temps qui permettent de situer le temps de ces verbes :

Le lion **hésita** et **finit** par accepter.
verbe du 1ᵉʳ groupe   verbe du 2ᵉ groupe
au passé simple   au passé simple

<u>Cette année-là</u>, il **réussit** ses examens.
indicateur   verbe du 2ᵉ groupe
du passé   au passé simple

Je m'exerce

1 ★ **Recopie uniquement les verbes conjugués au passé simple.**

elles démolirent – je réussirai – tu envahissais – nous grandîmes – ils s'épanouissent – vous atterrîtes – il investira – ils applaudirent – je grossirais – elles accomplirent

2 ★ **Recopie uniquement les phrases qui contiennent des verbes conjugués au passé simple.**

• Tino réunit toutes ses voitures et les installa sur son tapis.

• Tu brunis rapidement quand tu t'exposes au soleil.

• Maman remua lentement la sauce qui épaissit progressivement.

• Je réfléchis quelques secondes, puis je me mets au travail.

• César occupa d'abord la Provence, puis il envahit toute la Gaule en quelques années.

• Le peintre Soulages noircit ses toiles et griffe la peinture pour capter la lumière.

• Elles croisèrent soudain une gazelle qui traversait la savane.

3 ★ **Recopie et complète ces verbes conjugués au passé simple par un pronom de conjugaison qui convient.**

- … grossirent
- … ralentîmes
- … mugit
- … investis
- … épaissirent
- … agit
- … réunîtes
- … agrandîmes
- … salis
- … se divertit
- … unirent
- … choisîtes

4 ★ **Recopie et complète ces phrases avec les verbes suivants.**

réunîtes – finit – mincis – s'épanouirent – réussîmes

- Grâce au retour du soleil, les fleurs … rapidement.
- Lors de cette fête, vous … vos forces pour tout organiser.
- Nous … ensemble à surmonter ce problème.
- Après le dîner, il … ses devoirs avant d'aller dormir.
- Cet été-là, je … à vue d'œil.

5 ★★ **Réécris ces phrases au passé simple.**

- Le lion rugissait à l'approche des éléphants.
- Je salissais mon pantalon en tombant sous la pluie.
- Tu réussissais cet exercice sans difficulté.
- Ils guérissaient lentement de leurs blessures.
- Morgane et moi grandissions rapidement.

6 ★★ **Recopie ces phrases et remplace les sujets soulignés par ceux proposés entre parenthèses.**

- Elle franchit le ruisseau en sautant de pierre en pierre. (**Nous**)
- Les glaces ramollirent au soleil. (**Elle**)
- L'avion atterrit à l'heure. (**Ils**)
- Le danseur s'accroupit au rythme des chants. (**Tu**)
- Le juge punit les coupables. (**Vous**)

7 ★★ **Recopie ces phrases et conjugue les verbes entre parenthèses au passé simple.**

- Les troupes napoléoniennes (**envahir**) l'Italie.
- Dès le retour des beaux jours, la campagne (**reverdir**).
- Après avoir placé les graviers et les plantes, tu (**remplir**) l'aquarium d'eau fraîche.
- Après un brillant discours de Robert Badinter, les députés (**abolir**) la peine de mort.
- Tu (**franchir**) le portail dès que la sonnerie (**retentir**).

8 ★★★ **Recopie et complète ces phrases avec les verbes suivants conjugués au passé simple.**

mugir – unir – intervertir – bâtir

- Elles … leurs places.
- La vache … à l'arrivée du fermier.
- Nous … tous nos dessins pour en faire une fresque collective.
- Le maçon … un nouveau mur après la tempête.

9 ★★★ **Recopie ce texte et conjugue les verbes entre parenthèses au passé simple.**

Les chasseurs (**réussir**) à se réfugier dans une grotte. Mais l'ours gris (**bondir**) à leur poursuite. Ils (**unir**) alors toutes leurs forces pour boucher l'entrée de la caverne avec de lourdes pierres. Les nomades ne (**mollir**) pas dans leurs efforts, et ils (**bâtir**) un vrai rempart entre eux et le fauve. Le passage (**rétrécir**) rapidement et l'ours ne (**réussir**) pas à les atteindre. Il rugissait d'impuissance et griffait les blocs de roche. Il (**redoubler**) de violence et des pierres (**finir**) par tomber.

10 ★★★ **Recopie cette grille et complète-la en conjuguant les verbes suivants au passé simple à la personne indiquée entre parenthèses. Attention ! il n'y a pas que des verbes du 2e groupe.**

1. Verbe grandir (3e personne du pluriel)
2. Verbe finir (1re personne du pluriel)
3. Verbe abolir (2e personne du pluriel)
4. Verbe entrer (3e personne du singulier)
5. Verbe bénir (3e personne du pluriel)

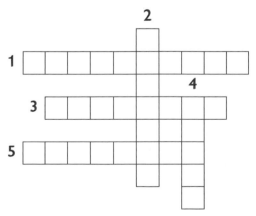

J'écris

Écris un de tes souvenirs. Utilise des verbes du 1er et du 2e groupe conjugués au passé simple.

Objectif : Savoir conjuguer les verbes irréguliers (3e groupe, **avoir** et **être**) au passé simple.
Texte en lien : *La Cigale et la Fourmi*, p. 224.

Le passé simple des verbes irréguliers

Je lis et je réfléchis

Un aigle, fondant d'une roche élevée, enleva un agneau. À cette vue, un choucas, pris d'émulation[1], **voulut** l'imiter. Alors, se précipitant à grand bruit, il **s'abattit** sur un bélier ; mais ses griffes s'étant enfoncées dans les boucles de laine, il battait des ailes sans pouvoir s'en dépêtrer. Enfin le berger, s'avisant de la chose[2], **accourut** et le **prit** ; puis il lui rogna le bout des ailes et, quand **vint** le soir, il l'apporta à ses enfants.

1. L'émulation : compétition ; le choucas veut faire aussi bien que l'aigle.
2. S'aviser de quelque chose : remarquer ce qui se passe.

Ésope, « L'Aigle, le Choucas et le Berger », *Fables*, coll. « Folio Junior », © Les Belles Lettres, Paris.

1. À quel temps les verbes en gras sont-ils conjugués ? Donne leur infinitif.
2. À quelle personne sont-ils conjugués ? Quelles sont leurs terminaisons ?
3. Que peux-tu en conclure sur les terminaisons des verbes irréguliers au passé simple ?

Je retiens

- Au passé simple, la plupart des verbes du **3e groupe** se terminent :
  - soit par **-us, -us, -ut, -ûmes, -ûtes, -urent**, comme **vouloir** : je voul**us** – tu voul**us** – il, elle voul**ut** – nous voul**ûmes** – vous voul**ûtes** – ils, elles voul**urent**
  - soit par **-is, -is, -it, -îmes, -îtes, -irent**, comme **prendre** : je pr**is** – tu pr**is** – il, elle pr**it** – nous pr**îmes** – vous pr**îtes** – ils, elles pr**irent**

  Attention ! pour ces verbes, le participe passé et les formes du passé simple peuvent se terminer par le même son : pouvoir → tu as p**u** – tu p**us** / prendre → il a pr**is** – il pr**it**

- Les verbes **venir** et **tenir**, ainsi que leurs dérivés, se terminent par **-ins, -ins, -int, -înmes, -întes, -inrent** : je v**ins** – tu v**ins** – il, elle v**int** – nous v**înmes** – vous v**întes** – ils, elles v**inrent**
- Le verbe **aller** se conjugue comme les verbes du 1er groupe : j'all**ai** – tu all**as** – il, elle all**a** – nous all**âmes** – vous all**âtes** – ils, elles all**èrent**
- Les auxiliaires **être** et **avoir** changent totalement de radical au passé simple :
  être → je f**us** – tu f**us** – il, elle f**ut** – nous f**ûmes** – vous f**ûtes** – ils, elles f**urent**
  avoir → j'**eus** – tu **eus** – il, elle **eut** – nous **eûmes** – vous **eûtes** – ils, elles **eurent**

Je m'exerce

1 ★ **Recopie uniquement les verbes conjugués au passé simple.**

j'ai connu – je voulus – ils vinrent – nous tenions – elle alla – vous eûtes – ils buvaient – nous combattîmes – elles parlent – ils feront – tu partis – j'eus – je parlais – elle aura – nous prîmes – ils feront

2 ★ **Construis un tableau à 2 colonnes** (se conjugue comme « vouloir » au passé simple **et** se conjugue comme « prendre » au passé simple) **et classe ces verbes. Tu peux t'aider de la leçon.**

vendre – plaire – battre – pouvoir – couvrir – lire – boire – défendre – apercevoir – tordre – vivre – savoir – rendre – mettre – courir

3 ★ **Recopie et complète avec un pronom de conjugaison qui convient.**
- … aperçûmes
- … cueillîtes
- … battirent
- … revint
- … reçus
- … mirent
- … vécûtes
- … crûmes
- … suivis
- … rit
- … allâtes
- … fis
- … eûmes
- … furent

4 ★ **Recopie et complète ces phrases avec les verbes suivants.**
fallut – firent – enfuis – retînmes – appris – fus
- Comme ils s'étaient perdus, ils … demi-tour.
- Dès que j'… à lire, je … enchantée de dévorer la bibliothèque de mes parents.
- Alors qu'il arrivait par la porte d'entrée, tu t'… par le garage.
- Il lui … beaucoup de courage pour faire cela.
- Nous la … aussi longtemps que possible.

5 ★★ **Recopie et donne l'infinitif de ces verbes.**
- nous fîmes → …
- elles tinrent → …
- tu battis → …
- vous fûtes → …
- je lus → …
- nous suivîmes → …
- elle écrivit → …
- vous crûtes → …
- vous mîtes → …
- ils eurent → …
- je vins → …
- il rompit → …

6 ★★ **Recopie et entoure la forme de chaque verbe en rouge correctement conjuguée au passé simple.**
- battre : je battis – je battai – je battus
- courir : je couris – je courus – je courai
- vivre : je vis – je vécus – je vivai
- mettre : je mettai – je mettus – je mis
- être : j'étai – je fus – je fis

7 ★★ **Recopie et complète ces phrases avec la forme correcte du verbe au passé simple.**
- Les athlètes (coururent / courirent) vite.
- Je (rendis / rendus) ce livre avec beaucoup de retard.
- Les médecins se (battirent / battèrent) pour sauver ce malade mais ils n'y (parvinrent / parvenurent) pas.
- Cet écrivain (eut / avait) beaucoup de succès au XIXᵉ siècle.
- Nous (fîmes / fûmes) attention à l'orage.

8 ★★ **Recopie et conjugue les verbes entre parenthèses au passé simple.**
- Tu faisais tes devoirs quand tu (recevoir) un appel.
- Ils (prendre) place à la table puis ils (boire) un thé.
- Le randonneur (suivre) les indications sur sa carte et (prendre) le sentier de la crête.
- Les hirondelles (partir) au début de l'automne et (revenir) au printemps.

9 ★★★ **Recopie ces phrases et remplace le sujet souligné par le sujet proposé entre parenthèses. Attention ! certains mots peuvent changer.**
- Après l'avoir écouté, tu voulus apprendre à jouer du piano. (elle)
- Ils firent tant de bruit que les voisins appelèrent la police. (tu)
- Tu ne sus pas répondre à cette question. (ils)
- Pendant que tu cuisinais, il alla chercher tes parents à la gare. (nous)
- Ils vendirent leur ferme avant de partir à l'étranger. (il)

10 ★★★ **Conjugue ces expressions au passé simple.**
faire des travaux – ne pas croire une histoire – revenir sur ses pas

11 ★★★ **Réécris ce texte à la 1ʳᵉ personne du pluriel. Attention ! certains mots peuvent changer.**
Je cherchais un paysage à peindre dans la campagne, lorsque j'aperçus une magnifique petite cabane au bord d'un ruisseau. La lumière était si belle que je courus chercher mon matériel à la voiture : je mis le chevalet sur mon dos, puis je revins rapidement à l'endroit choisi.

Je repère dans un texte

Dans la fable p. 224, trouve un verbe irrégulier conjugué au passé simple. Donne son infinitif et conjugue-le ensuite à toutes les personnes.

J'écris

Écris un petit texte sur un membre de ta famille : explique où il est né, où il a vécu, ce qu'il est devenu en grandissant… Utilise des verbes du 3ᵉ groupe conjugués au passé simple (naître – vivre – devenir – faire – …).

Objectif : Savoir retrouver les suffixes qui permettent la dérivation de certains mots.
Texte en lien : *La Cigale et la Fourmi*, p. 224.

Les suffixes

Je lis et je réfléchis

Un crabe, étant monté de la mer sur le rivage, cherchait sa vie **solitairement**. Un renard affamé l'aperçut : comme il n'avait rien à se mettre sous la dent, il courut sur lui et le prit. Alors le crabe, sur le point d'être dévoré, s'écria : « J'ai mérité ce qui m'arrive, moi qui, habitant de la mer, ai voulu devenir **terrien**. » Il en est ainsi des hommes : ceux qui abandonnent leurs propres occupations pour se mêler d'affaires qui ne les regardent pas tombent **naturellement** dans le malheur.

> Ésope, « Le Crabe et le Renard », *Fables*, coll. « Folio Junior », © Les Belles Lettres, Paris.

1. Pour chaque mot en gras, trouve un mot qui commence de la même façon mais qui n'a pas la même terminaison.

2. Comment s'appelle la partie que chaque famille de mots a en commun ?

3. Recopie ces mots, entoure la partie qu'ils ont en commun et souligne celle qui est différente.

Je retiens

- **Un suffixe** est **une terminaison** ajoutée au radical d'un mot pour former un nouveau mot de la même famille : solitaire/ment
  radical   suffixe
- Les suffixes permettent de **modifier le sens du radical**. Connaître leur sens aide à comprendre le sens d'un mot. Par exemple :
  – les suffixes **-able** et **-ible** servent à former des adjectifs et indiquent la possibilité : lav**able** – lis**ible**
  – les suffixes **-aison** et **-ison** servent à former des noms qui désignent une action ou son résultat : la pend**aison** – la guér**ison**
- Il existe de nombreux autres suffixes : **-ard, -age, -if, -ive, -ée, -et...** (voir le tableau des principaux suffixes et de leur sens, p. 254)
- **Attention !**
  – Pour un même radical, on peut souvent ajouter différents suffixes : siffl/er – un siffl/ement – siffl/oter...
  – Un mot peut avoir un préfixe et un suffixe : ir / récuper / able
                                                préfixe   radical   suffixe

Je m'exerce

1 ★ **Recopie ces mots, entoure leur radical et souligne leur suffixe.**

nombreux – abricotier – coupure – péniblement – livreur – sautiller – bassesse – promenade

2 ★ **Construis un tableau à 2 colonnes** (mots avec suffixe **et** mots sans suffixe) **et classe ces mots. Tu peux t'aider d'un dictionnaire.**

rectangulaire – statuette – sec – armoire – rien – jugement – douceur – jaune – interrogation

3 ★ Recopie et relie chaque radical au suffixe qui convient. Recopie ensuite les mots que tu as reconstitués.

une mur •   • ique
une mors •   • ement
climat •   • aille
un déménag •   • ure

4 ★ Recopie et complète pour former des noms de métiers. Tu peux t'aider d'un dictionnaire.

- une music…
- un méd…
- un décor…
- une chant…
- un écriv…
- une dessin…
- une box…
- un cuisin…

5 ★★ Recopie et entoure dans chaque série le mot qui ne contient pas de suffixe.

- incalculable – raisonnable – table – faisable
- découpage – sage – repassage – abordage
- décidément – ronflement – serment
- balançoire – écritoire – foire – nageoire
- revenant – manant – mourant – attaquant

6 ★★ À partir de chacun de ces verbes, trouve 2 mots avec des suffixes différents.

Ex. : adoucir → douc**ement** – un adouc**issant**
couper – balancer – finir – peindre

7 ★★ Recopie et supprime les suffixes pour former de nouveaux mots plus courts.

le dentifrice – le chantage – une jardinière – marchander – grandement

8 ★★★ Utilise des suffixes pour former de nouveaux mots. Attention ! le radical peut changer.

Ex. : lent → la lent**eur**
haut – rouge – musique – mont

9 ★★★ Transforme ces expressions comme dans l'exemple. Attention à choisir le bon suffixe !

Ex. : empiler des caisses → l'**empilage** des caisses

- charger une remorque → …
- réciter un poème → …
- dépanner une voiture → …
- transformer un bureau → …
- découper des rubans → …
- livrer une pizza → …

10 ★★★ Recopie et complète ce tableau.

	Préfixe	Radical	Suffixe
allonger	al	long	er
découpage			
malchanceux			
profondément			
embouteillé			
multicoloration			
impossibilité			

11 ★★★ Recopie et complète cette grille à l'aide des définitions suivantes. Les mots à trouver sont tous des adjectifs de la famille des mots en rouge.

1. Qui émerveille
2. Qui cause la **mort**
3. Qui a du **courage**
4. Qui provoque une forte **impression**
5. Garde le **silence**
6. Qui concerne l'empreinte d'un **doigt**

Je repère dans un texte

Dans la fable p. 224, trouve un mot dérivé de **ver** et un mot dérivé de **prêt**. Recopie-les et souligne les suffixes.

J'écris

Ajoute des suffixes aux mots suivants et construis une phrase avec ces mots : loup – brave – fille.

Le théâtre et la fable

Clés de lecture

Enchaîner les répliques d'un dialogue

Je cherche

1. Lis cet extrait de pièce de théâtre.

SGANARELLE : Je veux vous parler de quelque chose.

PANCRACE : Et de quelle langue voulez-vous vous servir avec moi ?

SGANARELLE : Parbleu ! de la langue que j'ai dans la bouche.

PANCRACE : Je vous dis : de quel idiome[1], de quel langage ?

SGANARELLE : Ah ! c'est une autre affaire.

1. Un idiome : une langue. Molière, *Le Mariage forcé*.

2. Combien de personnages dialoguent ensemble ? Comment s'appellent-ils ?

3. Combien de répliques prononce chacun d'eux ?

4. Relis les répliques de Pancrace. Quel type de phrases utilise-t-il pour parler ?

Je réfléchis

1. Lis cet extrait d'une autre pièce de théâtre.

Knock est un médecin qui reçoit en consultation le tambour de la ville.

LE TAMBOUR : Quand j'ai dîné, il y a des fois que je sens une espèce de démangeaison ici. Ça me chatouille, ou plutôt ça me gratouille.

KNOCK : Attention. Ne confondons pas. Est-ce que ça vous chatouille, ou est-ce que ça vous gratouille ?

LE TAMBOUR : Ça me gratouille. Mais ça me chatouille bien un peu aussi…

Jules Romains, *Knock ou le triomphe de la Médecine*, © éd. Gallimard.

2. Dans ce dialogue, quel personnage pose des questions ? Quel personnage y répond ?

3. Quels sont les verbes qui sont répétés plusieurs fois ?

4. À quoi servent ces répétitions ?

Je m'exerce

1. Recopie ces répliques en les remettant en ordre.

MME SMITH : Pourquoi nous demandez-vous ça ? / LE POMPIER : Oui, tous. / LE POMPIER : Est-ce qu'il y a le feu chez vous ? / MME MARTIN : Tous ? / LE POMPIER : C'est parce que… Excusez-moi, j'ai l'ordre d'éteindre tous les incendies dans la ville. / MR SMITH : Il ne doit rien y avoir. Ça ne sent pas le roussi. / MME SMITH : Je ne sais pas… je ne crois pas, voulez-vous que j'aille voir ? / LE POMPIER, *désolé* : Rien du tout ?…

D'après Eugène Ionesco, *La Cantatrice chauve*, © éd. Gallimard.

J'ai compris

• Pour enchaîner les répliques dans un dialogue de théâtre, l'auteur :
 – utilise **un échange rapide de questions et de réponses** ;
 – fait **reprendre par un personnage des mots ou des groupes de mots déjà prononcés par son interlocuteur** (ex. : LE TAMBOUR : Ça me gratouille, ou plutôt ça me chatouille. KNOCK : Attention. Ne confondons pas. Est-ce que ça vous gratouille, ou est-ce que ça vous chatouille ?).

Rapporter des paroles

Je cherche

1. Lis le début de cette fable.

Une Grenouille vit un Bœuf
Qui lui sembla de belle taille.
Elle, qui n'était pas grosse en tout comme un œuf,
Envieuse, s'étend et s'enfle, et se travaille,
Pour égaler l'animal en grosseur,
Disant : « Regardez bien, ma sœur ;

Est-ce assez ? dites-moi ; n'y suis-je point encore ?
– Nenni
– M'y voici donc ?
– Point du tout.
– M'y voilà ?
– Vous n'en approchez point. »

> Jean de La Fontaine, « La Grenouille qui veut se faire aussi grosse que le Bœuf », *Fables*.

2. À quel vers commence le dialogue entre la Grenouille et sa sœur ?
3. Combien de répliques prononce chacune d'elles ?
4. Quels signes de ponctuation du dialogue peux-tu relever ? À quoi servent-ils ?

Je réfléchis

1. Lis à présent le début de la même fable écrite de manière différente.

Une Grenouille voit passer un Bœuf de belle taille. Elle qui est aussi petite qu'un œuf veut tout faire pour l'égaler en grosseur. Elle se met à enfler, à enfler, et **demande** à sa sœur de bien la regarder et de lui **dire** si elle est assez grosse. Celle-ci lui **répond** qu'elle n'y est point du tout. La Grenouille insiste et **prie** sa sœur de lui annoncer si elle y est enfin. Sa sœur lui **réplique** qu'elle ne s'en approche point.

2. À partir de quelle phrase le narrateur rapporte-t-il le dialogue entre la Grenouille et sa sœur ?
3. Observe les verbes en gras. Qu'introduisent-ils ?

Je m'exerce

1. Réécris cet extrait de fable en rapportant les paroles des personnages.

« Va-t'en, chétif insecte, excrément de la Terre ! »
C'est en ces mots que le Lion
Parlait un jour au Moucheron.

L'autre lui déclara la guerre.
« Penses-tu, lui dit-il, que ton titre de roi
Me fasse peur ni me soucie… »

> Jean de La Fontaine, « Le Lion et le Moucheron », *Fables*.

J'ai compris

- Dans un texte, les paroles d'un ou plusieurs personnages peuvent être rapportées :
  - **directement** : on utilise alors **la ponctuation du dialogue** (deux-points, tirets, guillemets – voir leçon p. 40) ;
  - **indirectement** : on utilise **un verbe de parole** qui est suivi par **des compléments d'objet** qui indiquent soit les paroles des personnages, soit la personne à qui elles sont destinées :
    Elle **demande** à sa sœur de bien la regarder.   Elle lui **répond** qu'elle n'y est pas du tout.
    verbe   C.O.I.   C.O.D.   verbe   C.O.D.

Évaluation

Grammaire

1 Quelle phrase ne contient pas d'attribut du sujet ?
a. Cette scie à métaux semble rouillée.
b. Mon voisin a l'air de bonne humeur.
c. Les pêcheurs remontent leurs lourds filets.
d. Le prince est devenu un beau jeune homme.
Voir p. 104

2 Combien cette phrase contient-elle d'adjectifs épithètes et d'adjectifs attributs du sujet ?
Au centre de son immense toile, l'effrayante araignée velue restait immobile et guettait ses proies.
a. deux adjectifs épithètes et deux adjectifs attributs du sujet
b. deux adjectifs attributs du sujet et trois adjectifs épithètes
c. deux adjectifs épithètes et un adjectif attribut du sujet
d. un adjectif attribut du sujet et trois adjectifs épithètes
Voir p. 104

3 Quelle phrase contient un C.O.D. ?
a. Ils sont arrivés à Lille à huit heures.
b. Elsa a discuté hier avec sa grande sœur.
c. Le pêcheur a attrapé un énorme poisson-chat.
d. Madame Dumas va au marché tous les dimanches matin.
Voir p. 118

4 Dans la phrase suivante, quel mot est un adverbe ?
Les chiens aboient rageusement au passage du facteur.
a. chiens
b. aboient
c. rageusement
d. du
Voir p. 120

5 Dans cette phrase, quel mot l'adverbe en rouge modifie-t-il ou précise-t-il ?
Elle chantait mélodieusement dans le petit salon.
a. dans
b. chantait
c. petit
d. salon
Voir p. 120

Conjugaison

6 Parmi ces phrases, laquelle est au passé simple ?
a. Nous plongions avec délices dans la Méditerranée.
b. Elles indiquent le chemin à des passants.
c. Je ramassai un coquillage de forme étrange.
d. Tu corrigeras ton exercice au stylo vert. Voir p. 110

7 Avec quelle forme du verbe acheter **faut-il compléter cette phrase pour qu'elle soit au passé simple ?**
Théo et Dimitri … deux croissants et une baguette.
a. achetèrent
b. achetâmes
c. acheta
d. achetas
Voir p. 110

8 Par quelle forme verbale au passé simple peux-tu complèter cette phrase ?
Tu arrivas chez le fleuriste et … un magnifique bouquet.
a. choisîtes
b. choisissas
c. choisis
d. choisires
Voir p. 124

9 Dans quelle série les verbes prendre, faire **et** être **sont-ils tous bien conjugués au passé simple ? Recopie ces verbes au passé simple et barre les formes incorrectes.**
a. elle prena – il fit – nous serâmes
b. elle prit – il fit – nous fûmes
c. elle prit – il ferit – nous étâmes
d. elle prenda – il fut – nous fûmes
Voir p. 126

10 Quelle terminaison faut-il ajouter pour que le verbe de cette phrase soit conjugué au passé simple ?
Elle part… en courant.
a. ut
b. a
c. it
d. is
Voir p. 126

Orthographe

11 Avec quel participe passé faut-il compléter cette phrase ?

Sophie et ses cousines sont … sans faire de bruit.

a. parties

b. parti

c. partis

d. partie Voir p. 106

12 Dans laquelle de ces phrases le participe passé est-il écrit correctement ?

a. Nous avons bus un chocolat chaud.

b. Elles sont tombés dans l'eau.

c. Il est venus à Mobylette.

d. Vous avez voulu prendre ce chemin. Voir p. 106

13 Par quelle terminaison faut-il compléter le verbe en rouge ?

Quelques gardes vont surveill… l'entrée du bâtiment.

a. -er

b. -é

c. -aient Voir p. 108

14 Dans quelle phrase toutes les formes verbales sont-elles correctement écrites ?

a. Vous avez oublier votre porte-monnaie au supermarché.

b. Les livreurs ont bloquaient un instant la rue pour déchargé leurs colis.

c. Les élèves changeaient de tenue avant d'aller au gymnase.

d. Tu pouvais grimpé cette côte sans t'arrêtais. Voir p. 108

15 Parmi les phrases suivantes, quelle est celle où les mots en rouge sont tous écrits correctement ?

a. On est pas allés voir ce film car les critiques son mauvaises.

b. Ont n'est pas allés voir ce film car les critiques son mauvaises.

c. Ont est pas allés voir se film car les critiques sont mauvaises.

d. On n'est pas allés voir ce film car les critiques sont mauvaises. Voir p. 112

16 Avec quel groupe d'homonymes peux-tu compléter cette phrase ?

… était un homme gentil … doux qui prenait soin de … fleurs.

a. S'/ est / ces

b. C' / et / ses

c. S'/ et / ces

d. C' / est / ses Voir p. 112

17 Comment s'écrit l'adverbe formé à partir de l'adjectif prudent ?

a. prudament

b. prudement

c. prudamment

d. prudemment Voir p. 122

Vocabulaire

18 Quel mot de cette liste n'appartient pas à la même famille que le mot porte ?

a. porter

b. porteur

c. port

d. portail Voir p. 114

19 Quel mot de cette liste est formé avec le radical vent ?

a. inventer

b. ventouse

c. ventre

d. éventail Voir p. 114

20 Quel est le mot dans lequel im- n'est pas un préfixe ?

a. imprévisible

b. impressionnant

c. imprécision

d. imprévoyant Voir p. 116

21 Quelle liste contient uniquement des mots qui correspondent à une action ?

a. livraison – punition – récréation

b. bagage – vernissage – cage

c. profondément – balancement – complètement

d. pointure – lecture – voiture Voir p. 128

Objectifs : Savoir distinguer et utiliser les différents types de pronoms.
Texte en lien : *Fahrenheit 451*, p. 236.

Les pronoms

Je lis et je réfléchis

Elle regarda le livre, l'ouvrit et <u>le</u> feuilleta avec d'infinies précautions.
<u>Il</u> était vieux, vieux… C'était encore du vrai papier cellulosique, du papier
« d'arbre » ! Elle commença à lire quelques lignes :
*Les Orionis ont eux-mêmes du mal à comprendre comment le parasite minéral
qui ensemence le cerveau de certains enfants leur confère autant de particularités.*
« Nunzia ! Où es-**tu** ? »
C'était Marien. D'un coup, elle referma le livre et <u>le</u> glissa sous son blouson.

Danielle Martinigol, *L'Enfant-Mémoire*,
© Le Livre de Poche Jeunesse, 2007.

1. Quel personnage désignent les mots en gras ?
2. À quoi servent ces mots ? À quelle classe grammaticale appartiennent-ils ?
3. Quel objet désignent les mots soulignés ?
4. À quoi servent ces mots ? À quelle classe grammaticale appartiennent-ils ?
5. Quelle est la fonction du mot en gras dans la première phrase ? du mot souligné dans la dernière phrase ?
6. À quel nom se rapporte le mot en vert ? À quelle classe grammaticale appartient-il ?

Je retiens

- **Un pronom** sert à remplacer un nom ou un groupe nominal, afin d'éviter les répétitions :
  Le livre était vieux. → **Il** était vieux.
- Il existe plusieurs types de pronoms :
  – **Les pronoms personnels** singuliers (je, tu, il, elle, on, me, m', moi, te, t', se, le, la, l', lui)
  et pluriels (nous, vous, ils, elles, leur, se, eux). Ils peuvent être **sujets** ou **compléments** d'objet :

Elle regarda le livre.	Elle **l'** ouvrit.	Elle **le** **lui** donne.
sujet	C.O.D.	C.O.D. C.O.S.

  – **Les pronoms relatifs** (qui, que, qu') introduisent **une proposition relative**
  (voir leçons pp. 46 et 146) :
  Il existe **un parasite minéral**. **Ce parasite minéral** ensemence le cerveau de certains enfants.
  → Il existe **un parasite minéral** (qui) ensemence le cerveau de certains enfants.
        groupe nominal   proposition relative introduite par le pronom relatif **qui**

Je m'exerce

1 ★ **Recopie ces phrases et souligne le nom ou le groupe nominal auquel se rapporte le pronom en rouge.**
- Morgane s'installe dans la voiture. Elle attache sa ceinture.
- Bastien téléphone à son fils et lui demande de ses nouvelles.

- Le magicien qui a fait ce tour est très doué.
- Mes cousins sortent du magasin où ils ont acheté des baskets.
- J'ai beaucoup aimé le dernier film de pirates que j'ai vu.
- Margot a cueilli des framboises. Elle les mangera ce soir en dessert.

2 ★ **Recopie et complète ces phrases avec les pronoms personnels sujets qui conviennent.**
• Les deux sœurs bavardent et … rient de bon cœur.
• William et toi, … prenez des cours de dessin.
• Le sanglier grogne et, soudain, … se met à racler le sol.
• Ilona et moi, … habitons dans cette rue.
• Les pompiers montent dans leurs camions puis … sortent de la caserne.
• La meilleure amie d'Élie arriva et … lança un « bonjour » sonore.

3 ★★ **Recopie ces phrases et remplace chaque complément d'objet souligné par un pronom personnel complément.**
Ex. : Julie parle <u>à sa mère</u>. → Julie **lui** parle.
• Nous apportons un disque <u>à Renaud</u>.
• Il voit <u>son reflet</u> dans l'eau.
• Je vais offrir <u>ces fleurs</u> <u>à Cécile et Zoé</u>.
• Magali pense <u>à sa tante</u>.

4 ★★ **Recopie ces phrases et souligne les pronoms personnels compléments.**
• J'ai beaucoup pensé à lui cette semaine.
• Nadia leur a dit de venir samedi.
• Il faudra nous prévenir de ton arrivée.
• Patrick m'a annoncé son départ à la retraite.
• N'oublie pas de bien te couvrir : il fait froid !

5 ★★ **Recopie et complète ces phrases avec qui ou que.**
• Les marins … rentrent au port sont fiers de leur pêche.
• Le musée … j'ai visité est mondialement connu.
• Tu as vu des chaussures … te plaisent.
• L'eau … je bois est bien fraîche.
• Je n'ai pas fait attention à la femme … était là.
• Cette chanteuse … vous admirez tant est très élégante.

6 ★★ **Recopie ce texte et souligne d'une même couleur chaque pronom et le nom ou groupe nominal qu'il désigne.**
Le cavalier s'approcha de la maison de bois. Il l'avait aperçue depuis la colline et la curiosité l'avait poussé jusque-là. Il poussa la porte qui n'était pas fermée à clé, la referma et s'avança dans la pièce. Elle était propre et bien rangée. Sur la table étaient posées deux épées. Il les reconnut immédiatement.

7 ★★ **À partir de chaque couple de phrases, forme 1 phrase en évitant les répétitions à l'aide d'un pronom personnel sujet.**
• Le chat dort sur le fauteuil. Le chat ronronne.
• Mes parents partent en voyage. Mes parents reviendront dimanche.
• Irina et Delphine sortiront ce soir. Irina et Delphine iront danser.
• La réunion d'information a lieu à 19 heures. La réunion d'information durera une heure.

8 ★★★ **Recopie ces phrases en évitant les répétitions à l'aide d'un pronom personnel complément.**
• Jonathan rencontre ses amis et propose à ses amis de jouer au ping-pong.
• Les vaches sont rentrées à l'étable et le fermier peut traire les vaches.
• Julien rend visite à son oncle et apporte des chocolats à son oncle.
• Khaled finit son livre et range son livre dans la bibliothèque.
• La neige tombe sur la prairie et recouvre la prairie d'un manteau blanc.

9 ★★★ **Recopie ces phrases en évitant les répétitions à l'aide d'un pronom relatif.**
Ex. : La maîtresse a raconté une histoire. Cette histoire nous a fait rire. → La maîtresse nous a raconté une histoire **qui** nous a fait rire.
• Omar a consulté un médecin. Le médecin lui a prescrit des médicaments.
• Ils ont applaudi les comédiens. Les comédiens ont très bien interprété la pièce.
• Il a vendu cette table. Cette table est en bois.
• Justine lit un magazine. Justine a acheté ce magazine.

Je repère dans un texte

Dans le texte pp. 236-237, relève un pronom personnel sujet, un pronom personnel complément et un pronom relatif entre les lignes 1 et 6.

J'écris

Raconte une situation où tu as beaucoup ri. Utilise les pronoms suivants (tu peux les employer plusieurs fois et en utiliser d'autres) : elles *ou* ils – la – lui – elle *ou* il – leur – qui.

Objectif : Comprendre la notion d'antériorité d'un fait passé par rapport à un fait présent.
Texte en lien : *Fahrenheit 451*, p. 236.

L'antériorité d'un fait passé par rapport à un fait présent

Je lis et je réfléchis

Marcus salua Jordan et s'assit devant lui.

« Comment vas-tu ? Es-tu content de ton nouveau travail ?

– Eh bien, au début, j'avais un peu peur de ne pas y arriver. Maintenant ça va beaucoup mieux. En ce moment, je **déchiffre** des manuscrits <u>que les spatioarchéologues m'ont rapportés de Mars</u>. Ils contiennent peut-être des informations importantes sur Callisto, un des satellites de Jupiter.

– Tu as trouvé quelque chose ?

– Pas encore. Mais le docteur March pense **que j'ai déjà beaucoup avancé**. »

1. Dans la phrase en vert, quel indicateur de temps est placé avant le verbe en gras ? À quel temps celui-ci est-il conjugué ?
2. Quel événement décrit dans cette phrase s'est passé avant l'action exprimée par le verbe en gras ? Explique ta réponse.
3. Quelle est la fonction du groupe de mots souligné ?
4. Dans la dernière phrase du texte, quelle est la fonction du groupe de mots en gras ?

Je retiens

- Dans une même phrase (ou un même texte), **on peut décrire des événements qui ne se sont pas déroulés au même moment.** Pour bien marquer l'ordre chronologique des faits décrits, on peut :
  - **utiliser des indicateurs temporels :**
    <u>Au début,</u> j'avais un peu peur de ne pas y arriver. <u>Maintenant,</u> ça va beaucoup mieux.
    indicateur   fait passé   indicateur   fait présent
    du passé   (verbe à l'**imparfait**)   du présent   (verbe au **présent**)
  - **utiliser des propositions relatives** (voir leçons pp. 46 et 146) :
    Je déchiffre des manuscrits <u>qu'on m'a rapportés de Mars.</u>
    fait présent   proposition relative qui décrit un fait passé
    (verbe au **présent**)   (verbe au **passé composé**)
    <u>Hier, j'ai fait la tarte</u> **que nous mangeons.**
    fait passé   proposition relative qui décrit un fait présent
    (verbe au **passé composé**)   (verbe au **présent**)
  - **utiliser des C.O.D. ou des C.O.I.** qui contiennent un verbe conjugué à un temps du passé :
    Mais le docteur March pense <u>que j'ai déjà beaucoup avancé.</u> **Elle réfléchit** <u>à ce qu'elle a fait.</u>
    fait présent   C.O.D. qui décrit un fait passé   fait présent   C.O.I. qui décrit un fait passé

Je m'exerce

1 ★ **Construis un tableau à 2 colonnes (passé et présent) et classe ces indicateurs temporels.**
de nos jours – maintenant – la semaine dernière –

la veille – en ce moment – autrefois –
hier – quand j'avais 10 ans – dernièrement –
actuellement – aujourd'hui – jadis –
il y a trois jours

2 ★ **Recopie et complète chaque phrase avec le verbe entre parenthèses qui convient.**
- En 2007, Nadia (va / est allée) au Canada.
- Auparavant, beaucoup de monde (vivait / vit) à la campagne.
- Ces deux navires (voguent / voguèrent) en ce moment vers l'Espagne.
- Tu (as retrouvé / retrouves) sa boîte de jeux dans le garage il y a une semaine.
- Nous (survolons / survolions) à présent l'océan Atlantique.

3 ★ **Recopie et complète ces phrases avec des indicateurs temporels qui conviennent.**
- … le soleil brillait mais … il pleut.
- … Agnès lisait beaucoup de BD ; … elle préfère les romans.
- … nous sommes allés en Turquie : … nous partons en Finlande.
- … on lavait le linge à la main ; … on utilise des machines à laver.
- … personne n'avait entendu parler de ce peintre, mais … il vend des toiles dans le monde entier.

4 ★★ **Recopie ces phrases. Indique l'ordre des événements comme dans l'exemple.**
Ex. : Nora a eu une forte fièvre hier, (fait passé) mais elle va mieux aujourd'hui. (fait présent)
- Nous apprenons à l'instant qu'un tremblement de terre a eu lieu au Japon.
- Baptiste a acheté hier la chemise qu'il porte ce matin.
- Elles attendent leurs cousines qui sont arrivées de Marseille cet après-midi.
- Ils ont pique-niqué dans la clairière et maintenant ils construisent une cabane.
- Nous savourons le délicieux plat que papa a préparé.

5 ★★ **Recopie ce texte. Souligne en bleu les événements présents et en rouge les événements passés.**
Karim entre précipitamment dans la pièce et s'écrie : « Maman ! Les petits de Mindy sont nés ! Elle les a mis au monde dans la grange ! » La mère du garçon pose le roman qu'elle était en train de lire et accompagne son fils. Ils arrivent et voient la chienne allongée sur la paille. Les trois chiots, qui ont tété tout leur soûl, dorment contre le flanc de leur mère.

6 ★★ **Recopie ces phrases et conjugue les verbes entre parenthèses au temps qui convient (présent ou passé composé).**
- Il y a deux ans, tu (apprendre) cette poésie que tu (connaître) encore aujourd'hui.
- À présent, nous (accueillir) celle qui (gagner) la course il y a deux jours.
- Faustine (vivre) en Bretagne quand elle était petite et maintenant elle (habiter) à Paris.
- Je ne (être) pas d'accord avec ce que vous (dire) tout à l'heure.

7 ★★★ **Écris des phrases dans lesquelles trois actions se succèdent. Utilise les indicateurs temporels proposés.**
Ex. : Ce matin …, à midi … et ce soir … .
  → Ce matin il **est allé** au marché, à midi il **a déjeuné** avec sa sœur et ce soir il **sort**.
- Il y a une heure …, il y a dix minutes … et maintenant … .
- Il y a deux mois …, le mois dernier … et ce mois-ci … .
- Il y a trois jours …, hier … et aujourd'hui … .
- Il y a deux semaines …, la semaine dernière … et cette semaine … .
- Il y a quatre ans …, l'année dernière … et cette année … .

8 ★★★ **Recopie ce texte et conjugue les verbes entre parenthèses au temps qui convient (passé composé, imparfait ou présent).**
C' (être) le jour du départ. Aminata (déposer) sa lourde valise dans le hall de l'école. La veille, elle (préparer) ses bagages avec sa mère. Il (être) très tard lorsqu'elle (aller) se coucher. Elle (espérer) qu'elle n' (oublier) rien ! C' (être) la première fois qu'elle (partir) en classe de mer. Quand la maîtresse l' (annoncer), elle (sauter) de joie. Depuis, elle (attendre) ce moment avec impatience.

Je repère dans un texte

Dans le texte pp. 236-237, relève une phrase qui raconte un fait passé et une phrase qui raconte un fait présent.

J'écris

Raconte une histoire à laquelle tu croyais quand tu étais petit(e) mais à laquelle tu ne crois plus maintenant.

Le présent de l'impératif

Je lis et je réfléchis

– Il faut que tu te débarrasses de ce cahier, ai-je tranché.
Brûle-le et n'en parlons plus.
– Tu crois ?
– Mais oui ! Il est hyper-dangereux… Peut-être qu'il a
encore d'autres pouvoirs qu'on ne connaît même pas !
– Mais enfin, a-t-il bredouillé, c'est juste… un cahier. »
Je lui ai jeté un regard plein de désapprobation :
« **Écoute**, si tu ne veux pas le détruire, cache-le au moins dans un endroit sûr.
Imagine un peu, si quelqu'un te le volait et écrivait n'importe quoi dessus !
Ça serait une véritable catastrophe ! Non, vraiment, c'est trop risqué. »

Christophe Lambert, *Pages blanches et Magie noire*, © éd. Hachette Jeunesse – Vertige, 1998.

1. Quels sont les infinitifs des verbes en gras ? Ont-ils un sujet ?
2. À quelle personne sont-ils conjugués ?
3. Transforme la phrase qui commence par le verbe souligné comme si le personnage
s'adressait à plusieurs personnes. Qu'est-ce qui change pour le verbe ?
4. Qu'exprime cette phrase : une question, un ordre ou un conseil ?

Je retiens

- **Le mode impératif** est utilisé pour exprimer **un ordre, un conseil** ou **une consigne**.
  Range ta chambre !   Faites attention.   Trace une droite.
         ordre   conseil   consigne
- À l'impératif, le verbe ne se conjugue qu'à trois personnes et le sujet n'est jamais exprimé :
  Cache le cahier. (2e personne du singulier) – Cachons le cahier. (1re personne du pluriel) –
  Cachez le cahier. (2e personne du pluriel)
- Au présent de l'impératif :
  – les verbes du 1er groupe et certains verbes du 3e groupe (offrir, souffrir, ouvrir, cueillir) se terminent
    par **-e, -ons, -ez** au présent de l'impératif, comme **imaginer** : imagine – imaginons – imaginez
  – la plupart des verbes des **2e** et **3e groupes** se terminent par **-s, -ons, -ez** comme **finir** :
    finis – finissons – finissez
  – certains verbes du **3e groupe** ont des formes particulières, par exemple : aller → **va**, allons,
    allez – faire → **fais**, faisons, faites – dire → **dis**, disons, dites – savoir → **sache**, sachons, sachez
  – les verbes **être** et **avoir** changent de radical : être → sois – soyons – soyez / avoir → aie –
    ayons – ayez

Je m'exerce

1 ★ **Recopie uniquement les phrases écrites au présent de l'impératif.**
- Range tes affaires.
- Écoutons attentivement ses paroles.

- Vous prenez toute la place.
- Nous choisissons un dessert.
- N'aie pas peur.
- Accrochez cette affiche au mur.

2 ★ Recopie ces phrases et souligne les verbes conjugués au présent de l'impératif.
- Le vigile dit aux clients : « Rangez vos chariots sur le côté, s'il vous plaît. »
- Ne faites pas autant de bruit !
- Fais attention en traversant la rue.
- Rentrons vite pour nous réchauffer.
- Soulignez les verbes en bleu.
- Messieurs, levez-vous !

3 ★ Recopie et relie ces verbes conjugués au présent de l'impératif à leur infinitif. Construis ensuite une phrase avec chacun des verbes conjugués.

sache •   • être
voyez •   • avoir
aie •   • savoir
soyez •   • voir

4 ★★ Recopie ces phrases et conjugue les verbes entre parenthèses au présent de l'impératif et à la personne demandée.
- (Arroser) les plantes pendant mon absence. (2e pers. du plur.)
- (Avoir) confiance en ton ami. (2e pers. du sing.)
- (Dire) à Ilan que je l'attends. (2e pers. du plur.)
- (Commencer) le plus vite possible. (1re pers. du plur.)
- (Venir) avec moi au cinéma. (2e pers. du sing.)
- (Bâtir) un château sur cette colline. (1re pers. du plur.)
- (Épaissir) la sauce. (2e pers. du sing.)

5 ★★ Recopie et conjugue ces verbes à la personne demandée au présent de l'indicatif et au présent de l'impératif.

Infinitif et personne	Présent de l'indicatif	Présent de l'impératif
donner (2e pers. du sing.)	…	…
agir (1re pers. du plur.)	…	…
attendre (2e pers. du plur.)	…	…
écrire (2e pers. du sing.)	…	…
défaire (2e pers. du plur.)	…	…

6 ★★ Transforme ces phrases comme dans l'exemple.
Ex. : Il ne faut pas que tu grignotes entre les repas.
→ **Ne grignote pas** entre les repas.
- Il ne faut pas que vous effaciez le tableau.
- Il ne faut pas que nous leur annoncions la nouvelle trop vite.
- Il faut que tu cueilles ces fleurs.
- Il faut que vous grandissiez un peu.

7 ★★★ Pour chaque verbe, invente une phrase affirmative et une phrase négative à la personne demandée.
Ex. : suivre (2e personne du pluriel) → **Suivez** mon conseil. – **Ne suivez pas** cet itinéraire.
- jouer (2e personne du singulier)
- vendre (1re personne du pluriel)
- être (2e personne du pluriel)
- sortir (1re personne du pluriel)
- aller (2e personne du singulier)
- boire (2e personne du pluriel)

8 ★★★ Recopie cette recette et conjugue les verbes en rouge à la 2e personne du pluriel du présent de l'impératif.

Soufflés au chocolat

1. Préchauffer le four à thermostat 7 (220 °C) et beurrer 8 ramequins.
2. Faire fondre le chocolat.
3. Dans un saladier, battre les jaunes d'œufs et le sucre pour obtenir un mélange mousseux. Ajouter le chocolat fondu.
4. Monter les blancs en neige avec une pincée de sel et les incorporer délicatement à la préparation précédente.
5. Remplir les ramequins.
6. Faire cuire environ 15 mn et servir.

Je repère dans un texte

Dans le texte pp. 238-239, relève un verbe au présent de l'impératif entre les lignes 32 et 43. Indique son infinitif et la personne à laquelle il est conjugué.

J'écris

Invente la recette d'une potion qu'on pourrait trouver dans un vieux livre de sorcellerie. Écris ton texte au présent de l'impératif et à la 2e personne du singulier.

Objectif : Savoir distinguer des homophones grammaticaux fréquents.
Texte en lien : *Fahrenheit 451*, p. 236.

Les homophones grammaticaux (2) : mes/mais, ou/où, la/l'a/l'as/là

Je lis et je réfléchis

Les deux équipiers mirent le cap sur la bibliothèque municipale, <u>où</u> **la** bibliothécaire qui trônait **là** semblait avoir été récemment momifiée. Lorsqu'ils le lui demandèrent, elle parvint cependant à indiquer aux adolescents l'emplacement des volumes reliés de *Littleport News*.

> A. J. Butcher et Spy High. *L'École des espions – Mission 6 : L'Agenda de l'annihilation*, © éd. du Rocher, 2007.

1. Lis les mots en gras à voix haute. Que remarques-tu ?
2. À quelle classe grammaticale appartient le mot **la** ? Par quel mot peux-tu remplacer **là** ?
3. Observe le mot souligné. Qu'introduit-il ?
4. Quel autre mot se prononce de la même manière ? Comment s'écrit-il ?

Je retiens

- Attention à ne pas confondre **mes** et **mais** :
  - **mes** : déterminant possessif (1re personne du pluriel). On peut le remplacer par **tes** ou **ses** : **mes** cahiers → **tes** cahiers
  - **mais** : conjonction de coordination qui marque une opposition, un changement : Il fait beau **mais** un orage va éclater.
- Attention à ne pas confondre **ou** et **où** :
  - **ou** : conjonction de coordination qui peut être remplacée par **ou bien** : Veux-tu un thé **ou** un café ? → Veux-tu un thé **ou bien** un café ?
  - **où** : adverbe ou pronom relatif qui indique le lieu, la direction ou le temps : **Où** est la bibliothèque municipale ? (adverbe) – C'est une planète **où** il fait très chaud. (pronom relatif)
- Attention à ne pas confondre **la**, **l'a**, **l'as** et **là** :
  - **la** : article féminin singulier ou pronom personnel complément. On peut remplacer ce mot par un autre article (**une**) ou par un autre pronom personnel complément (**le**, **les**) : **la** bibliothécaire → **une** bibliothécaire – Il **la** voit. → Il **les** voit.
  - **l'a** et **l'as** : forme élidée du pronom complément **le** ou **la** (**l'**) devant l'auxiliaire **avoir** conjugué à la 2e ou 3e personne du présent de l'indicatif. On peut remplacer ces mots par **l'avais** ou **l'avait** : Il **l'a** vu. → Il **l'avait** vu.
  - **là** : adverbe de lieu. Il peut être remplacé par **ici** : Elle est **là**. → Elle est **ici**.

Je m'exerce

1 ★ **Recopie et complète ces phrases avec le mot entre parenthèses qui convient.**

- J'aurais volontiers pris du thé (mes / mais) il n'y en a plus.
- (Mes / Mais) pourquoi es-tu resté sous la pluie ?
- Je suis sans nouvelle de (mes / mais) amis depuis deux jours.
- Je cherche (mes / mais) lunettes partout (mes / mais) je ne les trouve pas.
- (Mes / Mais) où sont-ils passés ?

2 ★ **Recopie uniquement les phrases dans lesquelles le mot en rouge peut être remplacé par** ou bien.

- Tu préfères aller à la plage **ou** te promener ?
- Savez-vous **où** se trouve la terre Adélie ?
- Ils ont l'air pressés. **Où** vont-ils ?
- Le voleur est-il passé par la porte **ou** par la fenêtre ?

3 ★ **Recopie et complète ces phrases avec les homophones qui conviennent.**

- As-tu vu (là / la) petite souris ? Elle est passée par ici, elle reviendra par (là / la).
- Malou est contente : son grand-père (la / l'as / l'a) emmenée au manège.
- Tu as renversé ton verre sur ta jupe et tu (la / l'as / l'a) salie.
- Dès qu'il (la / l'as / l'a) vit, il (la / l'as / l'a) reconnut.
- Tu (l'a / la / l'as / là) prévenue que nous sommes (l'a / la / l'as / là) ? Nous sommes si pressés de (l'a / la / l'as / là) revoir !

4 ★★ **Recopie et complète ces phrases avec** mes **ou** mais.

- Où as-tu rangé … dossiers ?
- Il a voulu éviter le piéton … c'était trop tard.
- … doigts sont gelés !
- … que se passe-t-il ici ?
- … crayons sont dans ma trousse … ma gomme n'y est plus.
- … pneus sont crevés … Maxime va me les changer.

5 ★★ **Recopie et complète ces phrases avec** ou **ou** où.

- Ils savent … est cachée la sorcière.
- … vas-tu : au gymnase … au stade ?
- Vous prenez le pion rouge … le pion bleu ?
- On ne sait pas … partir en vacances : à la mer … à la montagne ?
- L'entreprise … travaille ma sœur n'est pas très loin d'ici.
- Elle est professeur de français … d'histoire ?

6 ★★ **Recopie et complète ces phrases avec** la, l'as **ou** l'a.

- Tu … croisé à … mairie.
- L'aigle a saisi … proie et … emportée.
- … femme a embrassé … fillette et … prise dans ses bras.
- Yvan a enfourné … tarte et … fait cuire 30 minutes.

7 ★★ **Recopie ces phrases et mets un accent grave sur le** u **de** ou **quand c'est nécessaire.**

- Il ne sait plus ou il a rangé ses affaires.
- Je me demande ou est passé mon chat. Il doit être dans le jardin ou chez le voisin.
- Désirez-vous un thé ou un café ?
- Là ou tu vas, tu trouveras bien un endroit ou téléphoner.
- Au cas ou nous ne serions pas revenus, demande la clé au voisin ou à la gardienne.
- Ou puis-je trouver un téléphone : dans le salon ou dans le couloir ?
- Je ne sais plus ou je l'ai rangé.

8 ★★ **Recopie ces phrases et mets un accent grave sur le** a **de** la **quand c'est nécessaire.**

- La mésange a construit son nid la, sur cette branche.
- Vois-tu la biche la-bas ?
- J'aime m'asseoir la et écouter le bruit de la pluie.
- Vous emporterez la valise qui est la.
- C'est la que la poule a pondu.
- La n'est pas la question.
- Elle la laissa sans lui dire où elle partait.

9 ★★★ **Recopie et complète ce texte avec** la, là, l'a **ou** l'as.

Ben a sonné. … voisine lui a ouvert … porte et … fait entrer. Elle … emmené dans la cuisine. Le chaton était …, dans son panier. … voisine a délicatement saisi … petite boule de poil et … posée dans la main de Ben. Quand le petit garçon … caressé, le chaton a poussé un léger miaulement de plaisir. « Eh bien, je crois que tu … adopté », a dit … voisine.

Je repère dans un texte

Dans le texte pp. 236-237, relève les homophones grammaticaux entre les lignes 1 et 17.

J'écris

Continue le dialogue suivant. Utilise au moins une fois les mots homophones de la leçon.
Samia demande à Bruno :
« **Où** as-tu rangé tes rollers ?
– Je ne sais plus… Dans ce placard… »

Objectif : Comprendre un mot en s'aidant de son radical, de son préfixe et/ou de son suffixe.
Texte en lien : *Virus L.I.V. 3 ou la Mort des livres*, p. 238.

Comprendre un mot grâce au radical, au préfixe ou au suffixe

Je lis et je réfléchis

Thalin avait les traits tirés. Se déplacer par <u>téléportation</u>, surtout pour franchir des années-lumière, comportait beaucoup de risques et demandait une intense concentration. Mais en ces temps de guerre **intergalactique**, c'était le moyen le plus sûr de voyager en toute sécurité. Il s'assit à côté de sa fille.

« Ikko, voici un objet de valeur inestimable. Je te demande d'en prendre grand soin.

– Qu'est-ce que c'est ?

– Le dernier livre paru avant la <u>déshumanisation</u> des habitants de la Terre par les Machines en 2076. »

1. Observe le mot en gras. Que signifie le préfixe **inter** ?
2. Trouve un autre mot formé avec le radical **galac**.
3. Donne maintenant une définition du mot en gras en t'aidant de tes réponses aux questions 1 et 2.
4. En procédant de la même façon, donne une définition de chacun des mots soulignés.

Je retiens

• Pour comprendre un mot qui n'est pas souvent utilisé ou que l'on rencontre pour la première fois dans un texte, on peut souvent **s'aider de son radical, de son préfixe ou/et de son suffixe**.

inestimable → in/   estim / able   → si précieux qu'on ne peut pas estimer sa valeur
       préfixe   radical   suffixe
       indiquant   d'estime   indiquant
       le contraire   la possibilité

• Il est donc important de connaître le sens des principaux préfixes et suffixes (voir tableau p. 254).

Je m'exerce

1 ★ **Recopie chaque liste de mots et indique leur radical commun.**

• mobiliser – immobile – mobilité – démobilisation → …

• incomplet – complément – complémentaire – complètement → …

• découragement – courageux – encourager – courageusement → …

• chargement – décharger – rechargeable – chargeur → …

• sécheresse – dessèchement – séchage – assécher → …

2 ★ **Recopie et complète ces phrases avec le mot entre parenthèses qui convient.**

• Les archéologues ont (recouvert / découvert) la tombe d'un pharaon.

• Matthieu (referma / enferma) doucement la porte avant de sortir.

• Les élèves ont cherché l'Afrique sur le globe (terrien / terrestre).

• Mon père paraît (inoccupé / préoccupé) par la situation.

• Ces athlètes pratiquent un (entraînement / entraîneur) quotidien.

3 ★ **Recopie ces mots et sépare le préfixe, le radical et le suffixe.**

Ex. : déshumanisation → dés/human/isation
inévitable – enrichissement – déboussoler – interminable – transformation

4 ★ **Recopie et relie ces mots de la même famille à la définition qui leur correspond.**

climatologie •   • relatif au climat
acclimatation •   • maintien d'une température déterminée dans un endroit fermé
climatisation •   • science qui étudie les climats
climatique •   • adaptation d'un être vivant à un nouveau climat

5 ★★ **Ajoute un préfixe et un suffixe à chacun de ces mots pour former un verbe et un nom appartenant à la même famille.**

Ex. : une personne → dépersonnaliser (verbe) – dépersonnalisation (nom)
• une forme → un verbe – un nom
• rouler → un verbe – un nom
• long → un verbe – un nom
• peupler → un verbe – un nom

6 ★★ **Recopie et ajoute le préfixe qui convient devant** porter **pour former des mots qui correspondent aux définitions.**

re – trans – im – ap – em
• déplacer un objet ou une personne d'un lieu à un autre → ...porter
• prendre un objet avec soi en quittant un lieu → ...porter
• remettre à un autre moment → ...porter
• porter quelque chose à quelqu'un → ...porter
• faire entrer dans un pays des marchandises provenant de l'étranger → ...porter

7 ★★ **Recopie et ajoute un radical derrière le préfixe** inter- **pour former des mots qui correspondent aux définitions.**

• feuille cartonnée séparant des feuilles dans un classeur → un inter...
• qui se passe entre plusieurs pays → inter...
• endroit où se coupent deux droites → une inter...
• téléphone à haut-parleur permettant des communications à l'intérieur du même bâtiment → un inter...
• espace blanc entre deux lignes → un inter...

8 ★★ **Recopie ces phrases et remplace le groupe de mots souligné par un adjectif formé avec un préfixe et un suffixe.**

Ex. : C'est un endroit auquel on n'a pas accès.
→ C'est un endroit **inaccessible**.
• C'est un objet qu'on ne peut pas déformer.
• Il a eu une attitude qu'on ne peut admettre.
• Le commissaire avance des preuves qu'on ne peut discuter.
• Cet objet est fabriqué avec un matériau qu'on ne peut détruire.
• Cette légende raconte l'histoire de héros qui ne peuvent pas mourir.
• Cet acteur a un charme auquel on ne peut résister.

9 ★★★ **Recopie et complète chaque adjectif par un nom qu'il peut qualifier. Écris ensuite une définition de l'adjectif.**

Ex : ... indélébile → **une encre** indélébile
→ qui ne peut pas être effacé
• ... extrascolaire   • ... équilatéral
• ... indéformable   • ... intouchable
• ... surchauffé   • ... intraveineuse

10 ★★★ **Écris la définition de ces mots puis emploie-les dans une phrase.**

incontestable – épépiner – l'embellissement – mémorable – ensanglanté

11 ★★★ **Voici des préfixes et des suffixes d'origine grecque suivis de leur signification entre parenthèses. Forme 7 mots en associant ces préfixes et ces suffixes. Écris ensuite la définition de ces mots, puis vérifie dans un dictionnaire.**

• Préfixes : bio (la vie) – chrono (le temps) – géo (la terre)
• Suffixes : logie (l'étude de...) – graphie (l'écriture) – mètre (la mesure)

Je repère dans un texte

Dans le texte pp. 238-239, relève au moins deux mots formés à partir d'un préfixe, d'un radical et d'un suffixe, puis définis-les.

J'écris

Crée des mots nouveaux à partir des préfixes suivants, puis donne-leur une définition : anti- – para- – télé-.

Objectifs : Savoir identifier et manipuler les termes génériques et les termes spécifiques.
Texte en lien : *Virus L.I.V. 3 ou la Mort des livres*, p. 238.

Les termes génériques

Je lis et je réfléchis

Le volume avait une seule page. C'était en réalité un écran, mais si doux au toucher et si agréable à lire qu'on aurait cru du papier vélin. Sur le côté, des boutons permettaient de changer la taille, la forme et la brillance des caractères. Quand Phil me fit une petite démonstration, je compris ce que signifiait le mot *total*. Il m'avait offert une véritable bibliothèque contenant plus d'informations que vingt mille livres classiques. [...] Mais le plus fascinant, c'étaient les milliers d'histoires qui attendaient mon bon plaisir : des <u>romans</u>, des <u>légendes</u>, des <u>mythes</u>, des <u>contes</u> de fées venus de milliers de **planètes**...

Bruce Coville, *Mon Cerveau congelé a capté un message de Museau*,
© éd. Pocket Jeunesse, 1998.

1. Relève dans le texte le terme générique sous lequel on peut regrouper tous les noms soulignés.
2. Trouve des noms qui correspondent au terme générique en gras.
3. Observe le mot en vert. Par quoi est-il suivi ? Existe-t-il d'autres types de contes ?

Je retiens

- **Un terme générique** est un mot qui désigne un ensemble d'objets, d'animaux ou de personnes. Chaque élément de cet ensemble est appelé **un terme spécifique**.
  une histoire (terme générique) → un roman – un conte – un mythe – une légende (termes spécifiques)
- Un même mot peut être à la fois terme générique et terme spécifique :
  Les tabourets et les fauteuils sont <u>des sièges</u>. → **Les sièges et les armoires** sont <u>des meubles</u>.
      termes spécifiques   terme générique   termes spécifiques   terme générique
- On utilise les termes génériques :
  – pour **écrire les articles de dictionnaire** : **Pigeon (nom masculin)** – Oiseau au corps trapu, gris, blanc ou brun. → **oiseau** est un terme générique
  – pour **regrouper plusieurs faits ou éléments sous un même titre**, notamment dans les textes documentaires : les impressionnistes – le mobilier du XIXe siècle
  – pour **éviter les répétitions** : Le **loup** vit en horde. **Cet animal** a besoin de vivre avec ses semblables.
                        terme spécifique   terme générique

Je m'exerce

1 ★ **Recopie et entoure le terme générique dans chaque série.**
- un pull – un manteau – une chemise – un vêtement – un pantalon
- une tulipe – une fleur – une rose – une marguerite – une jonquille
- bleu – rouge – une couleur – vert – jaune
- une pie – un pigeon – un hibou – une corneille – un oiseau

2 ★ **Recopie ces phrases. Dans chacune d'entre elles, souligne en rouge le terme générique et en bleu le terme spécifique.**
- Le saumon est un poisson apprécié pour sa chair.
- Le continent le plus vaste du monde est l'Asie.
- Le bouleau est un arbre dont l'écorce est blanche.
- Le bateau que j'aperçois là-bas est un voilier.
- Le tyrannosaure était un des dinosaures les plus féroces.

3 ★ **Recopie chaque série de mots et trouve le terme générique correspondant.**

• La poire, la pomme, l'abricot, la banane, la pêche sont des ....

• Le cyclisme, le football, la natation, le rugby, le tennis sont des ....

• La sauterelle, le scarabée, la fourmi, la guêpe sont des ....

• Les Alpes, les Pyrénées, le Jura, les Vosges sont des ....

4 ★ **Recopie chaque terme générique et trouve 4 termes spécifiques qui lui correspondent.**

des instruments de musique – des outils – des formes géométriques – des capitales européennes – des métiers

5 ★★ **Recopie chaque liste de mots et barre l'intrus. Justifie ta réponse.**

Ex. : la salade – un haricot vert – une carotte – un géranium – un chou → Ce sont tous des légumes alors que le géranium est une fleur.

• samedi – septembre – lundi – dimanche – vendredi

• une angine – une otite – une bronchite – une canine – un rhume – une grippe

• la Normandie – le Limousin – l'Aquitaine – l'Alsace – la Seine

6 ★★ **Retrouve les 2 listes de termes spécifiques qui se sont mélangées et trouve le mot générique qui correspond à chacune.**

l'avion – le thé – l'eau – le train – l'automobile – le soda – le jus de fruits – la bicyclette – la moto – la grenadine – le bateau – la limonade

7 ★★ **Recopie et remplace chaque terme générique souligné par 3 termes spécifiques.**

Ex. : Nous avons ramassé des coquillages.
    → Nous avons ramassé **des moules, des coques** et **des palourdes.**

• Robin a acheté des bonbons.

• Beaucoup de véhicules circulent sur cette autoroute.

• Lors de ce voyage en bateau, j'ai eu la chance de voir des mammifères marins.

• Cette année, j'ai visité des pays d'Amérique du Sud.

8 ★★★ **Recopie et complète ces phrases avec le terme générique qui correspond aux termes spécifiques en rouge. Tu peux t'aider d'un dictionnaire.**

• Le Mistral et la Tramontane sont des ... qui soufflent dans le Sud de la France.

• Il existe de nombreuses sortes de ... : le blé, le seigle, le maïs.

• Nous avons fait une leçon sur ... : le centimètre, le décamètre, l'hectomètre.

• Des émeraudes, des rubis, des diamants, des saphirs et de nombreuses autres ... remplissaient le coffre.

• Agnès aimerait pratiquer un ... mais elle hésite encore entre le judo, le karaté ou l'aïkido.

9 ★★★ **Forme 2 phrases avec chacun des mots suivants : l'une où il est terme spécifique, l'autre où il est terme générique. Tu peux t'aider d'un dictionnaire.**

Ex. : bague → **Une bague** est un bijou. (terme spécifique) – Une alliance est **une bague.** (terme générique)

une fleur – un conifère – un rapace – la musique

10 ★★★ **Recopie cette grille. Trouve le terme générique et les 8 termes spécifiques qui lui correspondent.**

P	E	U	P	L	I	E	R
B	O	U	L	E	A	U	W
S	C	X	A	Q	V	A	S
A	H	E	T	R	E	R	A
U	E	B	A	K	P	B	P
L	N	B	N	R	I	R	I
E	E	X	E	J	N	E	N

Je repère dans un texte

Dans le texte pp. 238-239, relève tous les mots qui désignent la résidence de Bois-Joli.
Trouve le terme générique qui peut les regrouper.

J'écris

Tu prépares ta valise pour des vacances au bord de la mer. Fais la liste de ce que tu vas y mettre, en classant les éléments dans différentes catégories, nommées avec des termes génériques.

Objectifs : Savoir repérer et utiliser les propositions relatives.
Texte en lien : *L'Orpheline de Mars*, extrait 2, p. 246.

La proposition relative

Je lis et je réfléchis

Papa me laisse expliquer la situation. J'ai la **voix** <u>qui chevrote un peu</u> quand je prends la parole.

– Tu étais étonné que notre aérodyne soit tombé en panne et tu avais raison : c'était un sabotage. Nous ne sommes pas non plus arrivés chez toi par hasard. Nous avons été guidés par un vampire.

– Un vampire ? C'est impossible !

– C'est ce **vampire** <u>qui est la cause de tout</u>. Il est la preuve que sa race est intelligente.

Joëlle Wintrebert, *Les Ouraniens de Brume*, D.R.

1. À quelle classe grammaticale appartiennent les mots en gras ?
2. Quelle est la fonction des groupes de mots soulignés par rapport aux mots en gras ?
3. Par quel mot commence chaque groupe souligné ? À quelle classe grammaticale appartient-il ?
4. Quels mots remplace-t-il ?
5. Recopie la deuxième phrase en remplaçant le groupe de mots souligné par un adjectif qui veut dire la même chose.

Je retiens

- **La proposition relative** est une expansion d'un nom ou d'un pronom. Elle appartient donc au groupe nominal et peut souvent être remplacée par une autre expansion du nom (un adjectif qualificatif épithète ou un nom complément du nom) :

  un oiseau **qui vit la nuit** – un oiseau **nocturne** – un oiseau **de nuit**
       proposition relative   adjectif   complément du nom

- La proposition relative est introduite par **un pronom relatif**, le plus souvent **qui** ou **que (qu')**. Le nom qu'elle complète s'appelle **l'antécédent** :

  J'ai la **voix** <u>qui chevrote un peu</u>. – Le **vampire** <u>que tu as attrapé</u> est responsable du sabotage.
    antécédent   proposition relative   antécédent   proposition relative

- La proposition relative peut être l'expansion de n'importe quel nom : elle peut donc se trouver à plusieurs endroits dans la phrase.

  <u>Les élèves **qui jouent**</u> sont en CM1.   Je connais <u>ce vampire **qui est la cause de tout**</u>.
    groupe nominal sujet   groupe nominal C.O.D.

Je m'exerce

1 ★ **Recopie ces groupes nominaux. Souligne les propositions relatives et entoure les pronoms relatifs.**

- le cheval qui saute un obstacle
- la lampe électrique qui ne fonctionne plus
- le vélo de course que j'avais acheté l'an dernier
- le loup affamé qui sort du bois
- la délicieuse crème au caramel que je déguste

2 ★ **Recopie ces phrases. Souligne les propositions relatives et entoure les antécédents.**

- Le garçon qui vient de sortir s'appelle Hector.
- Je n'ai pas vu la voiture qui arrivait en sens inverse.
- Cédric a ramassé le verre qu'il avait renversé.
- Fiona prend le train qui part dans un quart d'heure.
- La carte postale que tu as reçue vient de Montréal.

3 ★ Recopie et complète ces phrases par **qui**, **que** ou **qu'**.
• Mitsi est le nom du chat … j'ai adopté.
• L'orage … a éclaté n'était pas très violent.
• L'immeuble … nous habitons est dans un parc.
• Anissa nous montre le collier … elle a choisi.
• Vous préparez un plat … va leur plaire.
• Le numéro … elle demande n'est pas attribué.

4 ★ Recopie ces phrases et supprime les propositions relatives.
• Cette chanteuse que tu admires est à Paris.
• Lila invente une histoire qui fait peur.
• L'accusé que cet avocat défend est innocent.
• Les photos que tu cherches sont dans ce tiroir.

5 ★★ Recopie et complète ce texte avec les propositions relatives suivantes.
qui l'accueillirent – qui tenait à peine
sur ses jambes – qu'il avait traversées –
qu'il avait parcourus
Le cavalier … était exténué. Les kilomètres … à travers tout le pays, les forêts et les rivières … avaient eu raison de ses forces. Les serviteurs … l'aidèrent à descendre de cheval.

6 ★★ Recopie ces phrases et remplace chaque adjectif qualificatif souligné par une proposition relative.
Ex. : J'entends un bruit effrayant.
→ J'entends un bruit **qui m'effraie**.
• Ils ont félicité l'équipe gagnante.
• Nous avons appelé notre cousin alsacien.
• La table pliante est rangée dans le garage.
• Elle se retrouva devant un torrent infranchissable.
• Utilise ce produit détachant pour ton pantalon.
• Julia est une enfant rêveuse.

7 ★★ Recopie ces phrases et remplace chaque proposition relative soulignée par un complément du nom.
Ex. : J'ai pris la bouteille qui était sur la table.
                    proposition relative
→ J'ai pris la bouteille **de limonade**.
                    complément du nom
• Le stylo que j'ai emprunté à Yasmine a une pointe fine.
• François mange un steak qui est très cuit.
• L'homme qui est dans la voiture porte des lunettes noires.
• Zoé a servi la soupe qu'elle avait préparée.
• Vois-tu cette maison qui est au bout du village ?

8 ★★★ Recopie ces phrases et remplace les mots ou les expressions en rouge par des propositions relatives.
• Dans le jardin, on voit la pelouse sortir de terre.
• Je regarde cet homme courir après le bus.
• Les hommes respectant la nature sont peu nombreux.
• Les enfants regardent les animaux manger.

9 ★★★ Recopie ces phrases et complète chaque nom en rouge par une proposition relative.
• Le chien a montré ses crocs.
• Maxime construit un meuble.
• Les guirlandes sont argentées.
• Le commissaire poursuit un homme.
• Ce grand arbre est centenaire.

10 ★★★ Utilise chacune de ces propositions relatives dans une phrase.
qui revient des Antilles – que ton frère apporte – qu'elle distribuera – qui défendent le château

11 ★★★ Transforme ces couples de phrases comme dans l'exemple.
Ex. : La bougie est allumée. La bougie éclaire faiblement la pièce. → La bougie **qui est allumée** éclaire faiblement la pièce.
• Le restaurant est sur la place de la mairie. Le restaurant est ouvert tous les jours.
• La fillette saute à la corde. La fillette porte une robe à fleurs.
• Nous devons marquer le but. Ce but nous donnera la victoire.
• Tu apportes des fleurs. Ma mère met les fleurs dans un vase.

Je repère dans un texte

Dans le texte pp. 246-247, relève deux propositions relatives introduites par **qui** et une proposition relative introduite par **que** entre les lignes 1 et 16. Indique quels sont leurs antécédents.

J'écris

Imagine ce que peut être un **aérodyne** dans le texte p. 146. Décris-le, explique à quoi il sert, comment il fonctionne… Utilise des propositions relatives.

Objectif : Savoir repérer les verbes conjugués et leurs sujets dans des phrases complexes.
Texte en lien : *Le Monde d'En Haut*, p. 242.

Identifier les verbes conjugués et leurs sujets dans des phrases complexes

Je lis et je réfléchis

Là-bas, dans le désert des Pierres-Jaunes, il n'y avait plus rien. Que du sable et des pierres. Si l'une de ces pierres semblait bouger encore, ce ne pouvait être que sous l'effet du vent Menyr.

On raconte que les tongres vont mourir dans le désert quand ils se sentent inutiles pour leur tribu.

Il semble plutôt qu'ils soient saisis d'un désir de se faire minéraux à leur tour. **Leurs os se font pierres, leur sang devient solide, leur fourrure se mue en lichen.** Leur esprit se mêle au vent Menyr et ce dernier n'en souffle que plus fort. <u>Il emporte et balaie tout ce qui n'est pas sable.</u>

Yves Frémion, *Tongre*, coll. « Folio Junior », D. R.

1. Relève le verbe conjugué de la première phrase. Donne son infinitif.
2. Relis la phrase en gras. Combien d'actions décrit-elle ?
3. Combien de verbes sont conjugués dans cette phrase ? Relève-les.
4. Quels sont leurs sujets ?
5. Combien y a-t-il de verbes conjugués dans la phrase soulignée ? Ont-ils tous le même sujet ?

Je retiens

- Une phrase qui ne comporte qu'**un seul verbe conjugué** s'appelle **une phrase simple** (même si elle est longue) : Là-bas, dans le désert des Pierres-Jaunes, il n'y **avait** plus rien.
  verbe
- Une phrase qui comporte **plusieurs verbes conjugués** s'appelle **une phrase complexe** :
  Il **emporte** et **balaie** tout ce qui n'**est** pas sable.
      verbe   verbe   verbe
- Pour identifier les verbes conjugués dans une phrase complexe, il faut bien **repérer les différentes actions ou descriptions** (voir leçon p. 32) et bien **identifier le sujet qui les commande**.
  - Ils peuvent avoir **le même sujet**. Dans ce cas, certains des verbes peuvent être très éloignés du sujet : <u>L'homme</u> **entre** dans la pièce, y **jette** un regard puis **ressort** aussitôt.
          sujet   verbe 1   verbe 2   verbe 3
  - Ils peuvent avoir **un sujet différent** : <u>Je</u> **finis** de manger et <u>nous</u> **pourrons** partir.
          sujet 1 verbe 1   sujet 2   verbe 2

Je m'exerce

1 ★ **Recopie ces phrases et souligne le sujet des verbes en rouge.**
- J'ai cassé une assiette et maman m'a grondé.
- Pierre va à la bibliothèque et emprunte trois bandes dessinées.
- Delphine allume la télé et le présentateur apparaît.
- Dix minutes plus tard, elle prenait le téléphone et composait le numéro.
- Quand les lumières s'éteignirent, on entendit une étrange musique.

2 ★ **Recopie ces phrases et souligne les verbes conjugués. Indique pour chacune d'elles s'il s'agit d'une phrase simple ou d'une phrase complexe.**

- Maman monte dans la voiture et démarre.
- Surpris par l'orage, ils coururent jusqu'à la maison.
- L'année dernière, pendant les grandes vacances, nous avons visité le Sud de l'Italie.
- Ilona ferma la porte à double tour, descendit l'escalier et sortit de l'immeuble.
- Je ne suis pas allé à la piscine car j'étais malade.

3 ★ **Recopie uniquement les phrases complexes et souligne les verbes conjugués.**

- Il a claqué la porte tellement fort que sa sœur a sursauté.
- Le joueur s'effondra sur la pelouse, victime de la bousculade.
- Quand ils sont revenus de la grotte, les nains sont entrés dans la petite maison et ont trouvé Blanche-Neige inanimée.
- Poursuivie par les bandits, elle préféra se cacher dans un lieu sûr.

4 ★★ **Recopie ces phrases complexes et souligne les verbes conjugués.**

- Les musiciens montent sur scène, saluent le public, accordent leurs instruments et attendent le premier signe du chef d'orchestre.
- Les gendarmes arrêtent les véhicules qui dépassent la limite de vitesse.
- Dans mon jardin vit un hérisson qu'on peut apercevoir si on est très patient.
- Laura prit son élan, fit trois grands pas et franchit la barre qui indiquait 1,75 m.
- Trace un cercle de centre O et place trois points à l'extérieur de ce cercle.

5 ★★ **Recopie ces phrases. Dans chacune, souligne d'une même couleur les verbes conjugués et leurs sujets.**

- Le renard pénétra dans le poulailler mais le coq donna l'alerte.
- Marianne finit ses devoirs et sort jouer dans le jardin.
- Le peintre qui a réalisé ce tableau a vécu au XIXe siècle.
- Matthieu a compris qu'il pouvait compter sur toi.
- Le vieux marin arpentait nerveusement le pont et scrutait l'horizon.

6 ★★★ **Recopie et complète chaque phrase pour former une phrase complexe. Utilise le verbe entre parenthèses. Attention à bien choisir le temps de conjugaison et à bien accorder le verbe !**

- Enzo écrit une carte postale …. (envoyer)
- Au plus profond d'une sombre forêt vivait un bûcheron …. (avoir)
- … quand tout à coup surgit sur le chemin un loup aux oreilles dressées. (se promener)
- Leïla ne pouvait pas nager dans ce lac …. (être)
- … mais ils réussirent à atteindre le sommet. (grimper)

7 ★★★ **Écris une phrase complexe avec chaque série de verbes.**

Ex. : enlever – accrocher → Manuel enlève son blouson et l'accroche au porte-manteau de l'entrée.

- monter – sauter
- prendre – courir – franchir
- explorer – découvrir
- marcher – descendre – tourner
- mettre – partir
- se lever – manger – partir

8 ★★★ **Recopie ce texte. Souligne les verbes conjugués et relie-les à leurs sujets par une flèche. Donne ensuite leur infinitif.**

Je me souviens de cette journée où mon cousin m'emmena au parc d'attractions. C'est ce jour-là que je fis un tour de « montagnes russes » pour la première fois. Je montai avec une certaine appréhension dans le wagonnet mais je ne voulus rien montrer de ma peur à mon cousin. Je ne pus cependant m'empêcher de crier dans la première descente, car je crus que j'allais m'envoler et j'avais l'impression que mon estomac remontait dans ma gorge. Mais, au bout de quelques minutes, je m'habituai au rythme effréné des montées et des descentes.

Je repère dans un texte

Dans le texte pp. 242-243, relève deux phrases complexes entre les lignes 1 et 10. Recopie-les et souligne d'une même couleur les sujets et les verbes conjugués qu'ils commandent.

J'écris

En t'inspirant du texte p. 148, imagine ce que sont les tongres et comment est leur vie. Utilise au moins deux phrases simples et deux phrases complexes.

Objectifs : Savoir repérer et écrire les mots invariables.
Texte en lien : *L'Orpheline de Mars*, extrait 3, p. 248.

Les mots invariables (2) : conjonctions, prépositions et pronoms relatifs

Je lis et je réfléchis

Sous le ventre de notre navette, et <u>sur les côtés</u>, commençaient à défiler les faubourgs de la réserve Mok'wad ; côté décor, c'était un peu décevant. On avait bien affaire à une véritable ville suspendue flottant entre deux courants stellaires, mais ici pas de fières citadelles, pas de palais gigantesques, à l'abri de remparts infranchissables. Ici, nul donjon hautain, nulle fenêtre de cristal, nul dôme couronné d'or brillant dans l'immensité comme mille soleils !... Non, du taudis en veux-tu en voilà.

Claude Carré, *Week-end sur Mars*, © éd. Casterman, 2006.

1. Réécris le groupe de mots en gras au pluriel. Quels mots ne changent pas ?
2. À quelle classe grammaticale appartiennent-ils ?
3. Réécris le groupe de mots souligné au singulier. Quel mot ne change pas ?
4. Trouve deux autres mots invariables qui ne sont pas des adverbes dans le texte.

Je retiens

- Parmi les mots invariables (voir leçon p. 122), on distingue :
  - **les conjonctions de coordination** (mais, ou, et, donc, or, ni, car) : La navette décolle **et** quitte la planète. → Les navettes décollent **et** quittent les planètes.
  - **les prépositions** (à, dans, de, avant, sous, sur...) : Elle demande **à** <u>sa sœur</u>. → Il demande **à** <u>son frère</u>.
  - **les pronoms relatifs** (qui, que) : Je sors <u>la poubelle</u> **qui** sent mauvais. → Je sors <u>les poubelles</u> **qui** sentent mauvais.
- Il faut apprendre l'orthographe de ces mots par cœur.

Je m'exerce

1 ★ **Recopie ces phrases et entoure les mots invariables.**

- Aymeric part chez sa grand-mère avec son père et sa petite sœur.
- Je suis heureuse d'être parmi vous ce soir.
- L'ami que j'ai amené à cette soirée habite dans le Perche.
- Pendant ce temps, sur la branche, l'oiseau continuait à chanter.
- Charlotte aime la glace au chocolat mais préfère la glace à la vanille.
- C'est Michael qui est devant moi.

2 ★ **Recopie et complète ces phrases avec le mot qui convient.**

- Vous apprendrez cette poésie (pour / par) la semaine prochaine.
- Il voulut entrer, (car / mais) la porte était fermée à clé.
- Nous emménagerons (dès / vers) que les travaux seront terminés.
- Tu ne peux pas sortir (sous / sans) ton bonnet et ton écharpe.
- Je viendrai vous rendre visite cet après-midi (or / ou) ce soir.

3 ★ **Construis un tableau à 3 colonnes et classe ces mots invariables** (conjonctions de coordination, prépositions **et** pronoms relatifs).
devant – qui – et – entre – après – mais – sur – à – ou – en – que – et

4 ★★ **Recopie ces phrases et complète les mots invariables. Tu peux t'aider d'un dictionnaire.**
• Le nageur plonge, fait quelques longueurs en apnée pu… sort la tête ho… de l'eau.
• Y a-t-il un adulte par… eux ?
• Excep… lui, je ne vois pas q… je pourrais appeler.
• Malg… ton arrivée tardive, elle a quand même voulu venir te chercher.
• Je passe toujours mon dimanche ch… elle.

5 ★★ **Recopie ces phrases et remplace chaque groupe de mots en rouge par un seul mot invariable.**
• David arrivera vers 10 heures, Jimmy arrivera plus tard.
• Elle se promène en compagnie de ses amis.
• Je l'ai rencontré au cours de mon voyage en Inde.
• Les canetons marchent à la suite de leur mère.
• Je l'ai rangé à l'intérieur de ce tiroir.

6 ★★ **Mets ces phrases au pluriel. Souligne les mots invariables et indique leur nature.**
• Le roman que cet auteur a écrit est intéressant.
• Il a aperçu le berger qui gardait son troupeau.
• L'enfant est ravi car il va assister à un spectacle magique.
• Le roi et la reine ont récompensé le général qui a gagné la bataille.
• Préfère-t-elle un gâteau ou une tarte ?

7 ★★★ **Recopie et complète chaque phrase avec un mot invariable qui convient. Propose autant de solutions que le nombre indiqué entre parenthèses.**
Ex. : Margot est venue … son petit frère. (2)
→ Margot est venue **avec** son petit frère. – Margot est venue **sans** son petit frère.
• Tu peux emporter tes baskets … tes bottes. (2)
• Hakim a trouvé ce petit morceau de papier … la table. (3)
• Ils partiront en vacances … une semaine. (2)
• Les pigeons roucoulent … le lever du jour. (2)
• Mes amies et moi dînerons … 20 heures. (4)

8 ★★★ **Recopie et complète ce texte avec des conjonctions, des prépositions ou des pronoms relatifs.**
La recette des œufs mimosa
Plongez les œufs … une casserole d'eau salée. Mettez la casserole … le feu. Comptez 10 minutes de cuisson. … qu'ils cuisent, préparez une mayonnaise : mettez un jaune d'œuf … un bol, battez-le … une cuillère en bois pour former une crème à laquelle vous ajouterez l'huile … petites quantités. Égouttez ensuite les œufs … passez-les … le robinet d'eau froide. Écalez-les, coupez-les … deux … le sens de la longueur. Enlevez les jaunes … briser les blancs. Disposez les blancs … un plat et remplissez-les de mayonnaise. Saupoudrez les blancs avec les jaunes … vous avez passés au mixeur. Servez bien froid.

9 ★★★ **Pour chaque mot ou groupe de mots suivants, trouve un mot invariable synonyme et utilise-le dans une phrase.**
• à l'intérieur
• à l'extérieur
• durant
• parce que

10 ★★★ **Retrouve et recopie les 15 mots invariables cachés dans cette grille** (horizontalement **et** verticalement). **Avec les 8 lettres restantes, tu peux former un nouveau mot invariable.**

M	A	I	S	R	E	S	E	T
D	P	A	R	M	I	A	D	D
E	R	C	H	E	Z	N	O	E
P	E	N	T	R	E	S	N	V
U	S	I	C	A	V	E	C	A
I	E	I	A	R	R	E	D	N
S	U	R	R	S	O	U	S	T

Je repère dans un texte

Dans le texte pp. 248-249, relève un pronom relatif, trois prépositions et deux conjonctions de coordination entre les lignes 1 et 22.

J'écris

Écris la règle d'un jeu que tu connais bien ou une recette. Utilise des conjonctions de coordination, des pronoms relatifs et des prépositions.

Objectifs : Savoir repérer et utiliser
les différents temps du passé.
Texte en lien : *Le Monde d'En Haut*, p. 242.

Les temps du passé

Je lis et je réfléchis

Antarès **serra** la mâchoire. Ses maxillaires <u>se bombaient</u> et <u>se rétractaient</u> imperceptiblement.

« J'ai passé mon enfance sur Altaïr, dit-il d'une voix sans timbre. Mon père, savant de renom, y avait établi son laboratoire. Il cherchait à percer le secret de la matière depuis des années. Ses travaux portaient sur la célèbre expérience « le tapir de Schlesinger », ça vous dit quelque chose, je suppose ? » Johanna **hocha** la tête. N'importe quel physicien de niveau 8 connaissait cette théorie.

Lambert / Bishop, *Les Pétrifiés d'Altaïr*, © éd. Degliame, 2000.

1. Ce texte est-il écrit au passé, au présent ou au futur ?

2. À quel temps les verbes en gras sont-ils conjugués ? Expriment-ils une action ou une description ?

3. À quel temps les verbes soulignés sont-ils conjugués ? Expriment-ils une action ou une description ?

4. À quel temps le verbe de la première phrase du dialogue est-il conjugué ? L'action qu'il exprime est-elle terminée ?

Je retiens

Les différents temps du passé ne sont pas utilisés dans les mêmes circonstances.

• **Le passé composé** est **le temps du discours au passé** : on l'utilise pour raconter des événements ou des actions. Il permet de :

– rapporter **des événements ou des actions qui se sont déroulés et sont achevés** : J'**ai passé** mon enfance sur Altaïr.

– raconter **des événements passés qui se succèdent** : Il **s'est levé** et **est sorti** rapidement.

– rapporter les paroles de quelqu'un d'autre : Il m'**a dit** <u>qu'elle était là</u>.

• **Le passé simple** est **le temps du récit au passé**. Il est employé à l'écrit. Comme le passé composé, on l'utilise pour :

– exprimer **des événements ou des actions ponctuels**, qui se sont déroulés et sont achevés : Antarès **serra** la mâchoire.

– raconter **des événements passés qui se succèdent** : Il **se leva** et **sortit** rapidement.

• **L'imparfait** s'utilise autant à l'oral qu'à l'écrit. Il sert à :

– exprimer **une action habituelle** dans le passé : Tous les jours, j'**allais** à l'école à pied.

– faire **une description ou un portrait** dans un récit au passé : L'homme **était** grand et fort.

– exprimer **une action qui n'a pas de début ou de fin précis** : Il **cherchait** à percer le secret de la matière depuis des années.

Je m'exerce

1 ★ **Construis un tableau à 3 colonnes** (imparfait, passé composé **et** passé simple) **et classe ces verbes.**
il entra – il est entré – il entrait – nous vîmes – nous voyions – nous avons vu – elles dansaient – elles dansèrent – elles ont dansé – vous fîtes – vous avez fait – vous faisiez – tu rangeas – tu rangeais – tu as rangé

2 ★ **Recopie ces phrases. Souligne en bleu les verbes à l'imparfait, en orange les verbes au passé composé et en vert les verbes au passé simple.**

- Il marchait depuis deux heures, quand il vit une voiture arriver.
- Gaëtan a franchi la barrière qui séparait les deux jardins.
- Elle a juste eu le temps de comprendre ce qui se passait.
- Huit heures sonnèrent au clocher : il était temps de partir.
- Tu as crié mais les autres ne t'entendaient pas.

3 ★ **Recopie ce texte et indique si les verbes en rouge sont conjugués à l'imparfait, au passé composé ou au passé simple.**

La troupe démarra lentement en route. Le temps était gris et l'orage menaçait, ce qui rendait les chevaux nerveux. Tout à coup, un cavalier arriva au galop devant le roi : « Sire, votre avant-garde a été attaquée par l'armée adverse ! Nous avons lutté tant que nous avons pu, mais ils étaient plus nombreux. J'ai été obligé de sonner la retraite. »

4 ★★ **Recopie et complète ces phrases avec la forme du verbe entre parenthèses qui convient.**

- Alors que Marjane (prenait / prit) son petit-déjeuner, une guêpe (se posait / se posa) sur le pot de confiture.
- Les enfants (jouèrent / jouaient) depuis une demi-heure, quand l'orage (éclata / éclatait).
- Il (observait / observa) patiemment les éléphants : c'est alors qu'un barrissement (retentissait / retentit).
- Le nourrisson (ouvrit / ouvrait) les yeux et (hurla / hurlait) : il (eut / avait) faim.
- À cet instant, la maison (tremblait / trembla) : l'ogre (venait / vint) d'arriver.

5 ★★ **Recopie et complète ces phrases en utilisant un verbe au passé simple.**

- Léna passait devant la librairie, quand tout à coup …
- Un groupe de mouettes planait au-dessus de l'océan. Soudain, …
- Le prince montait régulièrement à cheval. Un jour, …
- Alors que nous montions dans le télésiège, …
- Comme je réparais la vieille automobile, …

6 ★★★ **Construis un tableau à 2 colonnes (événements avec un début et une fin marquée et événements sans durée définie) et classe ces phrases.**

- J'ai fini mon travail !
- L'avion survolait la ville.
- Le canard s'ébroua en sortant de l'eau.
- Nous craignions l'arrivée de l'orage.
- Je suis allé à la poste ce matin.

7 ★★★ **Recopie ces phrases et indique si elles expriment une action ponctuelle ou une action habituelle.**

- Soudain, il éternua violemment.
- Enfant, il passait beaucoup de temps à la piscine.
- Mégane courut se jeter dans les bras de son père.
- L'étranger prit son sac et le jeta sur son épaule.
- Autrefois, j'adorais les fêtes de famille.

8 ★★★ **Recopie ce texte en conjuguant les verbes entre parenthèses au temps qui convient (imparfait, passé simple ou passé composé).**

Le soleil (être) déjà haut dans le ciel lorsque l'homme (franchir) les portes de la ville. Il (porter) un chapeau et des bottes. Sa veste (dissimuler) à peine un revolver accroché à sa ceinture. Il (descendre) de cheval et se (diriger) vers le bureau du shérif. C'est alors que les habitants le (reconnaître) et un frisson (parcourir) la foule. L'homme s'(approcher) du shérif et (demander) : « Il paraît que Big Bill (passer) il y a trois jours. Vous l'(voir) ? » Le shérif (examiner) l'homme et (attendre) un long moment avant de prendre la parole.

Je repère dans un texte

Dans le texte pp. 242-243, relève une phrase écrite au passé simple et une phrase écrite à l'imparfait entre les lignes 20 et 28. Indique ce qu'expriment les verbes (des actions ponctuelles, une description…).

J'écris

Raconte en quelques lignes un événement drôle ou marquant qu'un membre de ta famille a vécu quand il était petit. Utilise des temps du passé. Tu peux commencer ton texte par : « Mon grand-père m'a raconté que, quand il était petit, … »

L'origine des mots

Je lis et je réfléchis

La salle de détente se trouvait au milieu du vaisseau, à mi-chemin entre le bloc médical et les chambres de l'équipage. On y trouvait tout ce qu'il fallait pour se délasser durant les longs vols spatiaux : un holo-<u>jacuzzi</u>, un court de **squash** virtuel, un mini-**bar** et divers **gadgets** électroniques… Uber C. écoutait la télé. Irgos, temporairement débranché, rechargeait ses batteries à côté d'un plot énergétique.

Lambert/Bishop, *Les Pétrifiés d'Altaïr*, © éd. Degliame, 2000.

1. À ton avis, quelle est l'origine des mots en gras ?
2. Cherche dans ton dictionnaire l'origine du mot souligné. Par quel(s) mot(s) français pourrais-tu le remplacer ?
3. Cherche dans le dictionnaire la langue d'origine du mot en vert. Cette langue est-elle toujours parlée aujourd'hui ?

Je retiens

- La plupart des mots de la langue française viennent du latin ou du grec ancien : **chambre** vient du mot latin **camera** – le mot **électronique** vient du mot grec **êlektron**
- Mais le français est **une langue vivante** : elle a évolué dans le passé et continue à évoluer aujourd'hui, en intégrant **des mots d'origine anglaise, italienne, arabe, espagnole**… : un **gadget** (anglais) – une **pizza** (italien) – un **couscous** (arabe) – un **toréador** (espagnol)
- Certains mots d'origine étrangère peuvent être remplacés par des mots qui appartiennent à la langue française depuis longtemps : un **building** (mot anglais) → un **gratte-ciel** (mot français)
- L'origine des mots est souvent donnée dans le dictionnaire.

Je m'exerce

1 ★ **Recopie les mots en rouge de ce texte et indique leur origine. Tu peux t'aider d'un dictionnaire.**

Après avoir mangé ses corn-flakes et bu son chocolat, Tom enfile son jean et son pull. Il met ensuite ses baskets et son anorak. Puis il prend son sac à dos dans lequel il a glissé son kimono et se rend à son cours de karaté. Cet après-midi, il jouera au handball avec ses amis. Il ira ensuite manger un couscous, puis jouer au bowling. Enfin, il rentrera à la maison pour regarder un film à la télévision. Quelle journée !

2 ★ **Recopie et complète ces phrases avec les mots d'origine latine suivants.**

lavabo – tibia – détritus – aquarium – silex

- Julie a jeté tous les … dans un grand sac-poubelle.
- Ouvre le robinet et frotte bien tes mains au-dessus du ….
- On a retrouvé des pointes de … datant de la préhistoire.
- Le joueur s'écroule après avoir reçu un violent coup dans le ….
- Dans cet …, vous pouvez voir des requins blancs.

3 ★ **Recopie et relie chaque mot français au mot latin dont il est issu.**

l'hôpital •   • lumen
le peuple •   • populus
la famille •   • hospitalis
la lumière •   • familia

4 ★ **Recopie et relie ces suffixes et préfixes latins et grecs pour former 5 mots.**

poly •   • graphie
hippo •   • latère
photo •   • mobile
quadri •   • gone
auto •   • campe

5 ★★ **Recopie les noms de ces plats et indique leur origine. Tu peux t'aider d'un dictionnaire.**

une paella – une moussaka – un hamburger – une pizza – des sushis – des nems – des macarons

6 ★★ **Trouve les mots ou groupes de mots français qui correspondent à ces mots d'origine anglaise.**

un skateboard – un match – un goal – un square – une star – un show

7 ★★ **Cherche le sens de ces mots latins et utilise chacun d'eux dans une phrase.**

minimum – agenda – verso – rébus – index

8 ★★ **Trouve 5 noms de sports qui sont des mots d'origine étrangère.**

9 ★★★ **Recopie chaque série de mots et barre l'intrus. Explique ta réponse et cherche l'origine du mot intrus.**

• un parking – un barman – électronique – un jogging
• un piano – le loto – les spaghettis – un casque
• un bonsaï – un logo – le judo – un tatami
• un vasistas – des babouches – un émir – un bled

10 ★★★ **Recopie ces définitions et trouve les mots d'origine anglaise qui leur correspondent. Vérifie l'orthographe dans le dictionnaire.**

• endroit où stationnent les voitures → …
• la fin de la semaine → …
• un produit pour se laver les cheveux → …
• un pantalon en toile bleue → …

11 ★★★ **Recopie ces phrases et remplace les mots en rouge par des mots ou groupes de mots synonymes.**

• Chaker a eu des rollers pour son anniversaire.
• Je zappe souvent quand je regarde la télévision.
• Il fait très froid dehors : n'oublie pas de mettre ton anorak.
• J'ai acheté les tickets pour ce spectacle il y a déjà deux mois.
• Le stock de ce magasin est bientôt épuisé.

12 ★★★ **Recopie et complète cette grille à l'aide des définitions suivantes.**

1. Mot latin à l'origine du mot eau.
2. Mot anglais qui désigne un sport qui se joue avec des raquettes et un volant.
3. Mot grec à l'origine du mot technique.
4. Mot latin à l'origine du mot chaleur.
5. Mot anglais qui désigne un endroit où l'on fait nettoyer ses vêtements.
6. Mot anglais qui désigne une sauce rouge que l'on mange souvent avec des frites.
7. Mot anglais qui désigne des rondelles de pommes de terre frites.

Je repère dans un texte

Dans le texte pp. 246-247, relève deux mots d'origine grecque et un mot d'origine anglaise entre les lignes 1 et 20.

J'écris

Écris un cours dialogue entre deux personnes qui emploient des mots d'origine anglaise (week-end – shopping – bowling – parking…).

Objectifs : Savoir identifier et exprimer un jugement ou un avis.
Texte en lien : *L'Orpheline de Mars*, extrait 1, p. 244.

Des mots pour exprimer un jugement ou un avis

Je lis et je réfléchis

– Vous voyez ? me dit Kaha en avançant dans la coursive avec un petit air satisfait. *Le ménage a été très bien fait.* **Par contre, il me semble inutile de nourrir les animaux ce soir***…*

Dans le poste de pilotage, aucune trace de Pitt ni de Brull.

– Que sont-ils devenus ? Crois-tu que les tigrilons…

– Oh ! je parierais plutôt pour les Dénébiens. <u>*Mais croyez-vous qu'ils méritent qu'on se soucie d'eux ?*</u>

– S'ils ont été pris comme otages…

– Vous pensez partir à leur recherche ? Ou peut-être passer une annonce ?

– Non. Tu as raison.

Christian Grenier, *Aïna, fille des étoiles*, © Christian Grenier.

1. Qu'exprime la phrase en gras ? Un ordre, un conseil ou un avis ?

2. Dans la phrase soulignée, quel mot Kaha emploie-t-il pour demander l'avis de son interlocuteur ?

3. À quelle classe grammaticale appartient ce mot ?

4. Quel est l'avis de Kaha sur le ménage ? Quels mots te le montrent ?

Je retiens

- **Pour exprimer un jugement ou un avis**, on peut utiliser :
  - des verbes d'opinion : penser (que) – estimer (que) – considérer (que) – croire (que)…
  - des expressions contenant un verbe : avoir l'impression que – avoir le sentiment que…
  - des groupes de mots comme : à mon avis – selon moi – d'après moi…
  - des phrases affirmatives ou négatives : Le ménage a été **très bien fait**. – Le ménage **n'a pas** été **bien fait**.
- Le jugement et l'avis peuvent s'exprimer **de façon plus ou moins catégorique** : Je suis **convaincu** qu'il a tort. (jugement catégorique) – Il **me semble qu'**il a tort. (jugement modéré)

Je m'exerce

1 ★ **Recopie uniquement les phrases qui expriment un avis.**

- J'estime que tu as raison.
- Vous buvez du thé.
- D'après lui, ce spectacle est formidable.
- Je pense souvent à eux.
- Elles trouvent que cet endroit est dangereux.
- Tu as trouvé la solution du problème.
- Quelle chance tu as !

2 ★ **Recopie ces phrases et souligne les mots ou groupes de mots qui expriment un jugement.**

- Notre voisin considère que la rue est trop bruyante.
- Après ce traitement, je suis convaincue qu'il guérira.
- Nous ne doutons pas un seul instant de vos capacités.
- Je suppose qu'elles vont tirer une leçon de leur expérience.
- Certains villageois croient que l'hiver sera rude.

3 ★ **Construis un tableau à 2 colonnes** (exprime un jugement ou un avis **et** n'exprime ni un jugement ni un avis) **et classe ces phrases.**
• Vous méritez largement cette récompense.
• Vous allez à la piscine tous les mardis.
• Ce vendeur ne connaît pas son métier !
• Tu marches tranquillement au bord du canal.
• Tu as tort de mettre des sandales par ce froid.
• Cette route mène au village voisin.

4 ★★ **Réécris ces phrases en donnant un avis contraire.**
• À mon avis, cet homme est fort sympathique.
• Je trouve que ce gâteau au chocolat est délicieux.
• Ne penses-tu pas que notre voisine porte une robe hideuse ?
• Ce livre me semble très ennuyeux.
• Ce jongleur me paraît très habile.

5 ★★ **Recopie ces phrases et indique si elles expriment un avis positif ou négatif.**
• Le scénario de ce film manque d'originalité.
• Les comédiens sont excellents.
• Les décors sont magnifiques.
• Les dialogues sont mal écrits.
• Cette comédie nous a fait à peine sourire.

6 ★★ **Recopie ces phrases et indique le métier de la personne qui a pu prononcer chacune d'elles.**
Ex. : Je pense que nous pourrons éteindre ce feu rapidement. → **un pompier**
• Je trouve que tu as énormément progressé au cours du 2ᵉ trimestre.
• J'ai examiné votre voiture, et d'après moi le problème vient du liquide de frein.
• J'ai bien l'impression que tu as attrapé la varicelle.
• J'ai relevé les indices et je suis persuadé que le voleur est parti par là.

7 ★★ **Recopie et complète ces phrases avec les mots ou expressions suivants.**
selon – pour ma part – je ne pense pas – à mon avis
• Personnellement, … que nous parviendrons à trouver un accord.
• …, vous devriez profiter des soldes.
• … certains scientifiques, les glaces du pôle Nord commencent déjà à fondre.
• …, je trouve que tu t'es bien sorti de cette épreuve.

8 ★★★ **Complète ces phrases d'après l'indication donnée entre parenthèses.**
Ex. : Je pense que … (jugement favorable)
→ Je pense que **tu as bien fait de venir**.
• J'estime que … (jugement défavorable)
• Nous croyons que … (jugement favorable)
• Elle suppose que … (jugement défavorable)
• Je suis convaincu que … (jugement favorable)
• Vous considérez que … (jugement favorable)

9 ★★★ **Recopie ces phrases. Dans chacune d'elles, souligne en rouge les expressions qui expriment un jugement ou un avis catégorique et en bleu celles qui désignent un jugement ou un avis prudent.**
• Nous sommes persuadés que Véronique trouvera du travail bientôt.
• Il me semble que le magasin est fermé.
• J'ai l'impression que le bébé s'est endormi.
• D'après moi, cette pizzeria est la meilleure de la ville.
• Ce gratin est trop salé à mon goût.

10 ★★★ **Recopie ces phrases et remplace les groupes de mots en rouge par l'un des verbes ou groupes de mots suivants. Attention aux accords !**
être favorable à – contester – approuver – être hostile à
• Nous sommes d'accord avec le discours du maire.
• Le joueur n'est pas d'accord avec la décision de l'arbitre.
• Les habitants ne sont pas d'accord avec la construction d'une autoroute près de leur village.
• Vous êtes d'accord pour l'organisation d'un festival de musique l'été prochain.

Je repère dans un texte

Dans le texte pp. 244-245, relève une phrase qui exprime un jugement porté par Ludmilla entre les lignes 10 et 19.

J'écris

Donne ton avis sur le dernier livre, le dernier film ou le dernier spectacle que tu as vu (l'histoire, les personnages, l'action, le suspense, les émotions …). Emploie des verbes d'opinion ou des groupes de mots comme **d'après moi**…

Utiliser les temps du récit

Je cherche

1. Lis cet extrait d'un récit de science-fiction.

Le docteur Matheson pénétra sans bruit dans la chambre obscure. Mais dès qu'il entendit la porte tournant sur ses gonds, le robot KZ 821 leva ses yeux photoélectriques de son cyberlivre et observa l'humain entrer dans son antre. Matheson s'arrêta, hésitant. **La pièce qu'il contemplait était pratiquement vide ; son décor se composait d'un simple lit, d'une table et d'une chaise**. Soudain son regard se fixa sur la main du robot. Celui-ci, d'un geste furtif, tenta de dissimuler la couverture de son cyberlivre.

2. Dans la première phrase, à quel temps est le verbe ?

3. Quels sont les autres verbes qui font progresser l'action ? Que remarques-tu ?

4. Dans la phrase en gras, quel est le temps des verbes ?

5. Relis l'extrait sans cette phrase. Comprend-on encore le déroulement de l'action ?

Je réfléchis

1. Lis ces deux phrases qui décrivent une action qui a la même durée.

Le robot KZ 821 lisait depuis deux heures.

Le robot KZ 821 lut pendant deux heures puis entendit la porte s'ouvrir.

2. Ont-elles exactement le même sens ? Explique ta réponse.

3. Lis maintenant la suite du premier extrait.

Le robot KZ 821 **restait** immobile. Son visage d'acier, lisse et impassible, ne **comportait** évidemment aucune trace d'émotion. Matheson s'empara du livre posé sur la table, le glissa dans sa poche et recula vers la porte. KZ 821 **regardait** l'humain battre en retraite. Il ne **bougeait** pas.

4. À quel temps sont les verbes en gras ? Les faits qu'ils décrivent ont-ils une durée définie ?

Je m'exerce

1. Réécris ce texte en choisissant les temps des verbes entre parenthèses qui conviennent.

Alors que Matheson (alla / allait) regagner le couloir, le robot (détendit / détendait) son bras articulé et (saisit / saisissait) un pan de la blouse du docteur. Matheson se (dégagea / dégageait) et (parvint / parvenait) à sortir. Maintenant, il (sut / savait).

J'ai compris

- Dans un récit au passé, on utilise :
  – **le passé simple** pour raconter les événements qui se trouvent au premier plan de l'histoire et font progresser l'action. Il permet de raconter **des faits limités dans le temps**, qui ont un début et une fin marqués : Le robot KZ 821 lut pendant deux heures puis entendit la porte s'ouvrir.
  – **l'imparfait** pour **ce qui n'est pas indispensable à la compréhension de l'action**, ce qui se trouve au second plan : décors, faits habituels, commentaires. L'imparfait décrit des faits qui n'ont pas de début ou de fin marqués : Le robot KZ 821 restait immobile.

Parler du futur

Je cherche

1. Lis cet extrait de roman de science-fiction.

Jonathan enfila sa combinaison thermique (sur Mars, la température oscille entre – 150 et + 30 °C), et quitta la base d'Arès, fondée depuis maintenant une centaine d'années par la première colonie humaine. Bien qu'il soit installé ici depuis plus d'un an maintenant, le paysage qui s'offrait à lui lui coupa le souffle : des canaux s'étendaient à perte de vue sous le ciel rougeâtre chargé d'oxyde de fer.

2. Quelles informations sont véridiques ? Quelles informations sont imaginaires ? Aide-toi d'un dictionnaire ou d'une encyclopédie pour répondre.

Je réfléchis

1. Lis ce second extrait de roman et la liste d'expressions qui désignent des objets du futur.

A. Patricia Hardie, assise dans son **arbre-appartement**, étudiait un guide général abrégé. Elle était vêtue d'un **trois-jours** ordinaire qu'elle ne porterait qu'un jour avant de le détruire. Partout des **roboutils** travaillaient sous le contrôle de leurs cerveaux électroniques.

A.E. Van Vogt, *Les Joueurs du A*, traduit par Boris Vian, © Gallimard pour la traduction française.

B. filmer avec une Volcam – un télécran sonique – un vol hyperspatial – un métaréacteur – un réservoir d'hydrogazogel – un vaisseaucargo interplanétaire – un antigrav

2. Dans l'extrait A, comment sont construits les mots en gras ? Peux-tu en donner une définition ?
3. Dans les mots de la liste B, reconnais-tu des parties de mots existants ?

Je m'exerce

1. Recopie et complète ce texte avec des mots pour parler du futur tirés de la liste ci-dessus. Tu peux aussi en inventer d'autres.

Dès que le technicien eut rempli les réservoirs …, les passagers s'embarquèrent pour un …. Chacun avait sur son dos un …. Les … rugirent et le vaisseau décolla. Une fois dans l'espace, les passagers s'absorbèrent alors dans leurs occupations : filmer les étoiles avec leur … ou faire un jeu vidéo sur leur … personnel.

J'ai compris

- Dans un récit de science-fiction, pour parler du futur, l'auteur **s'appuie sur des informations scientifiques réelles** qu'il intègre à un récit imaginaire (ex. : la température sur Mars oscille bien entre – 150 et + 30 °C, mais aucune colonie humaine n'y est implantée).
- Il invente aussi des mots nouveaux pour parler des objets du futur. Cela peut être :
  - **des mots composés** : un trois-jours
  - **des mots-valises** : un roboutil (robot + outil)
  - **des mots fabriqués** à partir de mots facilement reconnaissables : un antigrav (préfixe **anti-** [contre] + abréviation de **gravité**)
  - **des mots-sigles** : la TGB (la Très Grande Bibliothèque)

Évaluation

Grammaire

1 Combien y a-t-il de pronoms personnels et relatifs dans cette phrase ?

Elle trouva le coffret qui contenait les bijoux que nous lui avions offerts.

a. 3 pronoms personnels et 2 pronoms relatifs

b. 4 pronoms personnels et 1 pronom relatif

c. 4 pronoms personnels et 2 pronoms relatifs

d. 6 pronoms personnels et 1 pronom relatif

Voir p. 134

2 Avec quel groupe de pronoms peux-tu compléter cette phrase ?

… emprunteront le chemin … je … indiquerai.

a. Nous / qui / leur

b. Vous / le / t'

c. Mon ami / que / lui

d. Ils / que / leur   Voir p. 134

3 Par quelle proposition relative peux-tu compléter le groupe nominal de cette phrase ?

Les abeilles … produisent un miel onctueux.

a. qu'elles butinent ces fleurs

b. qui butinent ces fleurs

c. que butinent ces fleurs

d. que ces fleurs butinent   Voir p. 146

4 Dans cette phrase, quel est l'antécédent de la proposition relative ?

Le jeune homme offre à sa fiancée des roses qu'il a cueillies dans son jardin ce matin.

a. sa fiancée

b. Le jeune homme

c. son jardin

d. des roses   Voir p. 146

5 Combien de verbes conjugués y a-t-il dans cette phrase complexe ?

Dès qu'il avait un moment, Tom rejoignait Eliott qui habitait près de la rivière et ils partaient pêcher jusqu'au soir.

a. 5

b. 2

c. 4

d. 7   Voir p. 148

6 Quelle phrase n'est pas une phrase complexe ?

a. Trente secondes plus tard, les policiers arrivaient et bouclaient le quartier.

b. Pour le moment, nous sommes dans l'impossibilité de donner suite à votre demande.

c. Il enfila son casque, enfourcha sa moto et démarra en trombe en un temps record.

d. Il y a ici quelqu'un qui souhaite vous parler.

Voir p. 148

Conjugaison

7 Avec lequel de ces groupes de verbes peux-tu compléter cette phrase ?

Les deux sœurs … aujourd'hui d'une maison qui … jadis à leur arrière-grand-père.

a. héritaient / appartient

b. héritent / appartiendra

c. ont hérité / appartient

d. héritent / appartenait   Voir p. 136

8 Dans quel ordre dois-tu mettre ces groupes de mots pour compléter la phrase suivante ?

Les athlètes ….

a. calent ensuite leurs pieds dans les starting-blocks

b. et démarrent au signal sonore

c. s'échauffent quelques minutes   Voir p. 136

9 Dans quelle phrase le verbe est-il conjugué au présent de l'impératif ?

a. À présent, vous brossez vos dents.

b. Nous commençons un nouveau chapitre.

c. Maintenant, allongez-vous sur le sol.

d. Tu dois penser à emporter ton goûter ! Voir p. 138

10 Quel est l'infinitif du verbe de cette phrase ?

Surtout, soyez très prudents pendant la randonnée !

a. avoir

b. être

c. savoir

d. sortir   Voir p. 138

11 Qu'exprime cette phrase ?

Soudain, le lion se mit à rugir.

a. une action passée et ponctuelle

b. une action passée qui n'a pas de début
et de fin marqués

c. une action qui a lieu en ce moment Voir p. 152

**12 Avec quelle forme verbale faut-il
compléter cette phrase ?**

Ils avançaient prudemment sur le sentier, quand
soudain des hurlements leur … le sang.

a. glace

b. glaçaient

c. glacèrent

d. a glacé Voir p. 152

Orthographe

**13 Dans quelle phrase les homophones
grammaticaux sont-ils tous correctement
écrits ?**

a. Par chance, j'ai retrouvé mais clefs là ou
je les avais posées il y a un quart d'heure.

b. Par chance, j'ai retrouvé mais clefs l'as où
je les avais posées il y a un quart d'heure.

c. Par chance, j'ai retrouvé mes clefs l'a ou
je les avais posées il y a un quart d'heure.

d. Par chance, j'ai retrouvé mes clefs là où
je les avais posées il y a un quart d'heure. Voir p. 140

**14 Avec quels mots invariables faut-il
compléter cette phrase ?**

Marion trouva … ses photos celle qu'elle recherchait
… deux semaines … elle poussa un cri de joie.

a. entre / pendant / mais

b. parmi / devant / car

c. parmi / depuis / et

d. entre / depuis / qui Voir p. 150

Vocabulaire

**15 Avec quel mot peux-tu compléter
cette phrase ?**

Ce conducteur est … : il n'a conduit que trois fois
depuis qu'il a son permis.

a. inexpérimenté

b. incorrigible

c. indéracinable

d. inaudible Voir p. 142

**16 Quelle est la signification
du mot inatteignable ?**

a. qu'on ne peut pas teindre

b. qu'on peut empêcher d'atteindre

c. qu'on ne peut pas atteindre Voir p. 142

**17 Quel terme particulier ne correspond
pas au terme générique en rouge ?**

Dans ce champ vivaient plusieurs sortes de rongeurs.

a. une souris

b. un chien

c. un rat

d. un mulot Voir p. 144

**18 Par quel terme particulier peux-tu
compléter cette définition ?**

… est un moyen de communication.

a. Le téléspectateur

b. Le téléphone

c. Le télescope

d. Le téléphérique Voir p. 144

**19 Lequel de ces mots n'est pas d'origine
anglaise ?**

a. le volley-ball

b. un barman

c. le parking

d. un bonsaï Voir p. 154

**20 Parmi ces phrases, quelle est celle
qui exprime un jugement ?**

a. Il pleut sans discontinuer depuis ce matin.

b. Nous venons de parcourir 20 kilomètres à vélo.

c. Elles ont écrit une longue lettre au maire.

d. Vous estimez qu'il n'a pas assez travaillé. Voir p. 156

**21 Classe ces phrases en allant du jugement
le moins affirmé au jugement le plus affirmé.**

a. Je pense que cette expédition ne présente
aucun danger.

b. Cette expédition ne présente aucun danger,
n'est-ce pas ?

c. Il me semble que cette expédition ne présente
aucun danger.

d. Je suis convaincu que cette expédition
ne présente aucun danger. Voir p. 156

lecture

Grammaire : Les types de phrases, p. 14.
Grammaire : La ponctuation, p. 16.
Conjugaison : Le verbe : l'infinitif et les groupes, p. 24.

La Princesse au petit pois

Il y avait une fois un prince qui voulait épouser une princesse, mais une princesse véritable. Il fit donc le tour du monde pour en trouver une, et, à la vérité, les princesses ne manquaient pas ; mais il ne pouvait jamais être sûr que c'étaient de vraies princesses. Toujours quelque chose en elles lui parais-
5   sait suspect. Et il finit par rentrer chez lui, bien affligé de n'avoir pas trouvé ce qu'il désirait.

Un soir, il faisait un temps horrible, les éclairs se croisaient, le tonnerre grondait, la pluie tombait à torrents ; c'était épouvantable ! Quelqu'un frappa à la porte du château, et le vieux roi s'empressa d'ouvrir.

10   C'était une princesse. Mais grand Dieu ! comme la pluie et l'orage l'avaient arrangée ! L'eau ruisselait de ses cheveux et de ses vêtements, entrait par la pointe dans ses souliers, et sortait par le talon. Néanmoins, elle se donna pour une véritable princesse.

« C'est ce que nous saurons bientôt ! » pensa la vieille reine. Puis, sans rien
15   dire, elle entra dans la chambre à coucher, ôta toute la literie, et mit un petit

suspect : qui éveille les soupçons.
affligé : profondément triste.

s'empresser : se dépêcher.

se donner pour : prétendre être.

ôter : enlever.

Je comprends

1. Que recherche le prince ?
2. Pourquoi ne trouve-t-il pas ce qu'il cherche ?
3. Qui se présente au château un soir d'orage ?
4. De quoi cette personne a-t-elle l'air ?
5. Que décide de faire la vieille reine pour vérifier qu'elle est une véritable princesse ?
6. Que se passe-t-il le lendemain matin ?
7. Comment se termine cette histoire ?

Je repère

1. Quel est le titre de ce texte ?
2. Par quelle formule commence-t-il ?
3. Quand se passe cette histoire ? À quoi le vois-tu ?
4. De quel type d'histoire s'agit-il ? Explique ta réponse.
5. Que t'indiquent les guillemets ligne 14 ?
6. Qui intervient dans la dernière phrase du texte ?
7. Par quel type de point se termine-t-elle ? À quoi sert-il ?

pois au fond du lit. Ensuite elle prit vingt matelas, qu'elle étendit sur le pois, et encore vingt édredons qu'elle entassa par-dessus les matelas.

C'était la couche destinée à la princesse. Le lendemain matin, on lui demanda comment elle avait dormi.

20 « Bien mal ! répondit-elle. C'est à peine si j'ai fermé les yeux de toute la nuit ! Dieu sait ce qu'il y avait dans le lit ! C'était quelque chose de dur qui m'a rendu la peau toute violette. Quel supplice ! »

À cette réponse, on reconnut que c'était une véritable princesse, puisqu'elle avait senti un pois à travers vingt matelas et vingt édredons. Quelle femme,
25 sinon une princesse, pouvait avoir la peau aussi délicate ?

Le prince, bien convaincu que c'était une véritable princesse, la prit pour épouse, et le pois fut placé dans le musée, où il doit se trouver encore, à moins qu'un amateur ne l'ait enlevé.

Voilà une histoire aussi véritable que la princesse !

Hans Christian Andersen, *Andersen Contes*,
choisis par Lisbeth Zwerger, © Casterman.

la couche :
le lit.
un supplice :
une torture.
un édredon :
une couette.
un amateur :
une personne
qui aime
particulièrement
quelque chose.

Je dis

1. Relis le texte des lignes 20 à 23. De quoi parle la princesse ?
2. Quels mots montrent que la princesse a passé une très mauvaise nuit ?
3. Lis ce passage en insistant sur ces mots et en prenant la voix d'une véritable princesse.

Je débats

Une véritable princesse

1. Pourquoi est-il si important pour le prince de se marier avec une **véritable** princesse ?

L'histoire

2. Dans la dernière phrase du texte, pourquoi l'auteur compare-t-il son conte à cette princesse ?

J'écris

1. Recopie sans erreurs le premier paragraphe du texte et souligne les verbes à l'infinitif.
2. La princesse dit au roi et à la reine qu'elle a bien mal dormi. Imagine ce qu'ils lui répondent. Écris au moins deux phrases qui se terminent par un point différent. Fais attention à la ponctuation de ton dialogue.

Grammaire : La ponctuation, p. 16.
Conjugaison : Les temps : passé, présent, futur, p. 18.
Conjugaison : Le verbe : l'infinitif et les groupes, p. 24.

Les Trois Petits Cochons

modeste : sans grande valeur.

Il était une fois trois petits cochons qui habitaient avec leur mère dans une modeste ferme. Un beau matin, la maman réunit les petits cochons autour d'elle pour leur dire
5 qu'elle était très pauvre et qu'elle ne pouvait plus s'occuper d'eux. « Vous êtes grands maintenant », dit-elle. « Je voudrais que vous alliez bâtir chacun votre maison. Mais construisez-la avec soin pour qu'elle soit bien solide, afin
10 que le méchant loup ne puisse entrer et vous manger. » Les trois petits cochons embrassèrent leur maman et partirent à la recherche de matériaux pour construire leur maison.

Le premier petit cochon se construisit une
15 maison de paille, parce qu'il était trop paresseux pour chercher autre chose de plus solide. Le deuxième petit cochon, tout aussi paresseux, construisit sa maison avec des branches mortes qu'il trouva sur le sol.

Je comprends

1. Pourquoi les trois petits cochons doivent-ils quitter leur mère ?
2. Quels conseils leur donne-t-elle pour bâtir leurs maisons ?
3. Quels matériaux chaque cochon va-t-il utiliser ?
4. Qu'a dû faire le troisième cochon avant de construire sa maison ?
5. Quel personnage cherche à manger le premier cochon ?
6. Comment s'y prend-il pour détruire sa maison ?
7. Que fait alors le premier cochon ?

Je repère

1. Par quelle formule commence cette histoire ?
2. Qui en sont les personnages principaux ?
3. De quel type d'histoire s'agit-il ? Explique ta réponse.
4. Quels mots indiquent de quel cochon parle l'auteur ? Où les trouve-t-on ?
5. Quel verbe apparaît trois fois entre les lignes 14 et 24 ?
6. Quels passages du texte sont écrits au présent ? Pourquoi ?

20 Les deux maisons étaient si fragiles et négligemment bâties qu'il semblait que le moindre souffle d'air les jetterait à terre.

Le troisième petit cochon avait plus d'énergie et de bon sens que les deux autres réunis. Il travailla sans arrêt afin d'acheter un tas de briques pour construire sa maison. Et, quand il l'eut terminée, il lui restait encore assez de
25 briques pour faire une belle cheminée.
« Je suis vraiment fier de cette maison », se dit-il. « Elle est solide et bien faite et, surtout, elle est garantie contre les loups ! »

Le premier petit cochon était en train de faire des rêves dans sa maison de paille, quand il entendit le méchant loup renifler au seuil de sa porte.
30 « Laisse-moi entrer, petit cochon ! » grogna le loup. « Je suis venu pour te manger. »
« Non », répondit le petit cochon d'une voix tremblante. « Jamais de la vie ! »
« Dans ce cas », tonna le loup, « je soufflerai comme un bœuf et je ferai sauter ta maison ! »
Alors il respira profondément, souffla, souffla… souffla si fort qu'il fit s'envoler
35 la maison de paille.

Échappant de justesse aux terribles mâchoires du loup, le petit cochon courut chez son frère, celui qui habitait la maison de bois. Il eut tout juste le temps de rentrer dans la maison que le loup frappait à la porte. […]

Les Trois Petits Cochons : un conte traditionnel, © Larousse, 2005.

négligemment : sans faire attention, sans soin.

avoir du bon sens : être capable de juger les choses raisonnablement.

le seuil : le pas.

Je dis

1. Relis le texte de la ligne 30 à la ligne 35. Quels personnages prononcent chaque réplique ?
2. À quoi sert la répétition du verbe **souffler** ligne 34 ?
3. Quels sont les sentiments de chaque personnage dans ce passage ?
4. Jouez la scène à trois (le cochon, le loup, le narrateur). Adaptez le ton à votre personnage.

Je débats

La maman

1. La mère des petits cochons leur demande de quitter la ferme. A-t-elle raison de le faire ?

Les trois petits cochons

2. Quels cochons ne suivent pas le conseil de leur mère ? Pourquoi ?
3. Quel cochon suit son conseil ? Quel est son trait de caractère ?
4. Lequel préférerais-tu être ?

J'écris

1. Recopie le paragraphe 4 du texte.
2. Écris un paragraphe qui raconte ce qui se passe quand le loup est devant la maison en bois. Réutilise des phrases de dialogue et des expressions du paragraphe 4 et pense à bien mettre la ponctuation.

Les étapes du conte

Je lis

1. Lis ces cinq paragraphes qui résument dans le désordre le conte
Les Trois Petits Cochons dont tu as lu le début.

A. Un beau matin, la maman réunit les petits cochons pour leur dire qu'elle ne pouvait plus s'occuper d'eux. Ils devaient se construire leur propre maison.

B. Il monta alors sur le toit pour rentrer par la cheminée. Le troisième cochon alluma un grand feu dans la cheminée au moment où le loup y descendait ; celui-ci tomba dans le feu et s'enfuit en hurlant.

C. Le premier cochon se construisit une maison de paille, le deuxième une maison avec des branches mortes, le troisième, qui était plus travailleur, une solide maison de briques. Le loup souffla sur la maison de paille et la fit s'envoler. Ensuite, il souffla sur la maison en bois et la fit s'envoler. Puis il souffla sur la maison en briques… mais la solide maison ne bougea pas.

D. Il était une fois trois petits cochons qui habitaient avec leur mère dans une modeste ferme.

E. Les deux petits cochons paresseux furent si reconnaissants d'être sauvés qu'ils promirent à leur frère de devenir des travailleurs sérieux comme lui.

2. Qu'as-tu compris du conte ? Les affirmations suivantes sont-elles vraies ou fausses ?
  – Les maisons des trois cochons sont construites avec soin.
  – Le troisième cochon est le plus travailleur.
  – Le loup parvient à détruire les trois maisons.
  – Le troisième cochon sauve ses deux frères.

3. Remets les étapes du conte dans l'ordre. De quels mots ou expressions t'es-tu aidé(e) ?

4. Associe les paragraphes aux différentes étapes du conte : le début, l'événement qui déclenche l'action, les événements qui font progresser l'action, l'événement qui termine l'action, la conclusion de l'histoire.

5. Combien d'événements presque identiques se répètent plusieurs fois ?

J'ai appris

• Dans un conte, **cinq étapes** se succèdent :
  – le **début** (*ex. :* « Il était une fois trois petits cochons… ») ;
  – l'**événement qui déclenche l'action** (*ex. :* « Un beau matin, la maman réunit les petits cochons pour leur dire qu'elle ne pouvait plus s'occuper d'eux. ») ;
  – les **événements qui font progresser l'action** (*ex. :* la construction des maisons et les tentatives du loup pour les détruire) ;
  – l'**événement qui termine l'action** (*ex. :* le loup s'enfuit en hurlant) ;
  – la **conclusion** de l'histoire (*ex. :* les deux premiers cochons promettent de devenir des travailleurs sérieux).
• Des événements presque identiques peuvent se répéter plusieurs fois (*ex. :* chaque fois qu'un cochon construit une maison, le loup souffle dessus pour la détruire).

Ajouter un épisode à un conte

Je lis

1. Voici le début du conte *Les Musiciens de la ville de Brême*.

Un homme avait un âne qui, depuis des années, portait sans relâche les sacs au moulin, et dont les forces s'épuisaient. Il était à ce point usé par le travail que son maître décida de le faire abattre. L'âne se doutant de quelque chose, s'échappa. Il galopa vers la ville de Brême, en se disant qu'il pourrait y devenir musicien. Quand il eut fait un bout de chemin, il trouva un chien de chasse étendu sur la route qui gémissait et qui avait l'air épuisé d'avoir trop couru.

« Qu'as-tu donc à gémir de la sorte ? » demanda l'âne.

« Parce que je suis vieux et faible » répondit le chien. « Comme je ne peux plus aller à la chasse, mon maître a voulu me tuer et je me suis sauvé. Mais maintenant, comment vais-je gagner mon pain ? »

« Écoute-moi », dit l'âne. « Je vais à Brême pour devenir musicien de la ville. Viens avec moi, nous nous ferons engager dans la fanfare municipale. »

Mon Premier Larousse des contes, tome II, © Larousse, 2004.

2. Qui sont les personnages du conte ?

3. Pourquoi se sont-ils sauvés de chez eux ?

4. Comment appelle-t-on ces animaux qui vivent auprès des hommes ?

5. Quelles étapes du conte retrouves-tu dans le texte ?

J'écris

• **Imagine un nouvel épisode à ce conte : les deux nouveaux amis rencontrent un troisième personnage.**

Étape 1 : Je réfléchis

1. Quel nouvel animal domestique peuvent rencontrer l'âne et le chien ?

2. Quel travail cet animal effectue-t-il ?

3. Pourquoi se sauve-t-il de chez lui ?

4. Que lui disent l'âne et le chien pour le convaincre de venir avec eux ?

5. Que décide de faire l'animal rencontré ?

Étape 2 : Je me prépare à écrire

1. Choisis un animal qui rend service à l'homme et décris-le.
• Un animal domestique : un cheval – une vache – un chat...
• Sa description : fatigué – épuisé – exténué – vieux – âgé – l'air malheureux – l'air triste...

2. Utilise les temps du conte pour raconter.
• marcher : ils marchèrent – rencontrer : ils rencontrèrent – demander : ils demandèrent...

3. Utilise les temps du passé, du présent et du futur dans le dialogue. Aide-toi de l'épisode ci-dessus.

4. Fais parler les animaux en utilisant différents types de phrases.
• Phrase interrogative : « Qu'as-tu donc ? » « Comment vais-je gagner mon pain ? »
• Phrase impérative : « Écoute-moi. » « Viens avec nous. »
• Phrase déclarative : « Je vais à Brême pour devenir musicien de la ville. »

Étape 3 : Je me relis

• J'ai respecté la ponctuation dans la partie racontée et dans les dialogues.
• J'ai réutilisé des événements du début du conte en les modifiant.
• Je vérifie que mon épisode peut bien être suivi par un épisode presque identique.

Grammaire : Les formes de phrases, p. 28.
Grammaire : Les classes de mots, p. 30.

La Princesse à la boule de bowling

quelconque : qui n'a pas grand intérêt.

Il était une fois un Prince. Pour une raison quelconque, le papa et la maman de ce Prince (le Roi et la Reine, donc) s'étaient mis en tête qu'aucune princesse ne serait assez bonne pour leur fils si elle n'était pas capable de sentir un petit pois à travers cent matelas.

se dégoter : trouver (langage familier).

5 Rien d'étonnant, dès lors, à ce que le Prince eût le plus grand mal à se dégoter une Princesse. À chaque fois qu'il rencontrait une fille à son goût, son papa et sa maman empilaient cent matelas sur un petit pois et l'invitaient à dormir dessus.

flanquer quelqu'un à la porte : mettre quelqu'un dehors (langage familier).

Quand la Princesse descendait pour
10 le petit déjeuner, la Reine demandait :
« Bien dormi, ma chère ? »
« Très bien, merci », répondait
poliment la Princesse.
Et le Roi la flanquait à la porte.

Je comprends

1. Que recherche le prince de cette histoire ?
2. Qu'est-ce que ses parents se sont mis en tête ?
3. Que se passe-t-il à chaque fois que le prince rencontre une princesse à son goût ?
4. Que décide-t-il de faire un jour ?
5. Pourquoi le roi et la reine sont-ils satisfaits de la réponse de la princesse ?
6. Comment se termine cette histoire ?

Je repère

1. Par quelle formule commence cette histoire ?
2. Par quelle formule finit-elle ?
3. De quel type d'histoire s'agit-il ? Explique ta réponse.
4. Compare le titre à une histoire que tu as déjà lue. Qu'est-ce qui change ? Pourquoi est-ce amusant ?
5. Relève des mots familiers. Pourquoi l'auteur en utilise-t-il ?
6. Qui désigne le pronom **Ils** ligne 28 ?

15 Ce manège dura trois ans. Et bien sûr, pas une fille n'était capable de sentir le petit pois à travers cent matelas. Un beau jour, le Prince rencontra la créature de ses rêves. Il décida de prendre les choses en main. Cette nuit-là, avant que la Princesse n'aille se coucher, il glissa sa boule de bowling sous les cent matelas.

20 Quand la Princesse descendit pour le petit déjeuner le lendemain matin, la Reine lui demanda :
« Bien dormi, ma chère ? »
« Sans vouloir vous vexer », répondit la Princesse, « vous devriez changer de matelas. J'ai eu l'impression de dormir sur une bosse de la taille d'une boule de bowling. »

25 Le Roi et la Reine furent satisfaits.
Le Prince et la Princesse se marièrent.
Ils vécurent heureux et eurent beaucoup d'enfants, tous aussi fourbes qu'eux. Fin.

Jon Scieszka et Lane Smith,
*Le Petit Homme de fromage
et Autres Contes trop faits,*
© Le Seuil Jeunesse, 1995.

un manège : une façon d'agir.
la créature : la femme.

fourbe : qui trompe les gens.

Je dis

1. Relis les paragraphes 3 et 5. Sur quel ton parle la princesse du paragraphe 3 ? et celle du paragraphe 5 ?
2. Dis ces répliques en changeant de ton selon les réponses des princesses.

Je débats

La ruse

1. Quelle ruse utilise le prince pour pouvoir épouser la princesse qu'il a rencontrée ? À ton avis, croit-il aux princesses des contes traditionnels ?

L'histoire

2. Quels points communs y a-t-il entre ce conte et le conte source, *La Princesse au petit pois* (p. 164) ? Quelles différences ?
3. Lequel des deux contes préfères-tu ? Pourquoi ?
4. Pourquoi dit-on que *La Princesse à la boule de bowling* est « un conte **refait** » ?

J'écris

1. Réécris le dernier paragraphe du texte à la forme négative.
2. Quel autre objet le prince aurait-il pu glisser sous le matelas de la princesse ? Écris trois nouveaux titres de contes refaits.

Grammaire : Les formes de phrases, p. 28.
Conjugaison : Le présent des verbes des 1er et 2e groupes, p. 34.

Un tour de cochon

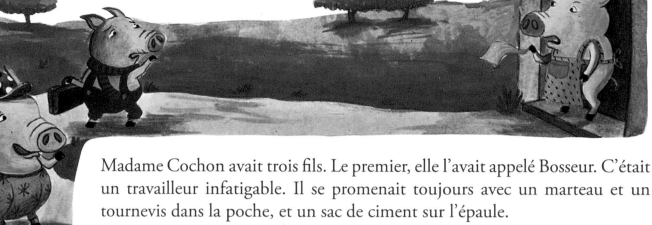

Madame Cochon avait trois fils. Le premier, elle l'avait appelé Bosseur. C'était un travailleur infatigable. Il se promenait toujours avec un marteau et un tournevis dans la poche, et un sac de ciment sur l'épaule.

– Relevons-nous les manches, chantonnait-il chaque matin. Le travail nous attend !

5 Exactement le genre de phrase qui agaçait ses frères.

Le second, madame Cochon l'avait baptisé Farfelu. Il préférait s'amuser plutôt que travailler. Il pouvait passer sa journée à faire du toboggan sur les meules de foin !

– La vie est faite pour rigoler ! affirmait-il en roulant dans la paille.

10 Exactement le genre de phrase qui désespérait sa mère.

Le troisième, Madame Cochon l'avait surnommé Traîne-Sabots. Et, sans mentir, c'était un sacré paresseux. Il dormait la moitié de la journée et se reposait le reste du temps.

– J'irais bien faire une petite sieste, disait-il en bâillant après chaque repas.

15 Exactement le genre de phrase qui amusait Farfelu et faisait enrager Bosseur.

Même si ses enfants étaient très différents, madame Cochon les aimait tous les trois autant. Mais ses petits cochons devenaient grands, et elle pensait que le moment était venu pour eux de quitter la maison. Comme elle le répétait souvent : « Il y a un âge où l'on doit voler de ses propres ailes. » Avant de les

20 laisser partir, les larmes aux yeux et le mouchoir sur le groin, elle leur fit une dernière recommandation : « Méfiez-vous du loup ! Il s'appelle Garou, il est petit, mais il est féroce et très intelligent. Je suis sûre qu'il va essayer de vous jouer un mauvais tour ! »

Ce lundi matin, les trois cochons se retrouvèrent donc à la porte de la

25 porcherie familiale.

– Bon, déclara Bosseur, relevons-nous les manches. Le tr…

– Oui, oui, on sait, soupirèrent ses deux frères.

– N'oubliez pas ce que Maman nous a expliqué, bougonna Bosseur. Le loup est petit mais féroce, et il a plus d'un tour dans son sac ! Alors, moi, je vais

voler de ses propres ailes : se débrouiller tout seul.

le groin : le museau du cochon.

une recommandation : un conseil.

la porcherie : l'endroit où vivent les cochons.

se relever les manches : se mettre au travail.

bâtir ma maison sur cette colline pour le voir arriver de loin. Et vous feriez
bien d'en faire autant.

— Je préfère me construire une cabane dans la forêt, dit Farfelu. Je pourrai m'amuser
dans les arbres, me rouler dans les feuilles mortes et siffler avec les oiseaux.

— Moi, je vais m'installer du côté de la plage, décida Traîne-Sabots. C'est
tellement agréable de faire une sieste au bord de l'eau.

Bosseur s'écria :

— Très bien, riez, dormez, mais quand le loup arrivera, il sera trop tard pour pleurer !
Ses deux frères levèrent les yeux au ciel en soupirant. Vexé, Bosseur leur tourna
le dos et partit seul.

— Il fait encore sa tête de lard, pouffa Farfelu.

Bosseur ne se souciait pas des moqueries de ses frères. Au sommet de la
colline, il construisit sa maison. Enfin, si on peut encore appeler « maison »
un bâtiment aux murs de trois mètres d'épaisseur, en béton armé et en granit,
surmonté de barbelés, orné de barreaux aux fenêtres et d'une porte blindée
munie de quatre serrures. La demeure de Bosseur ressemblait davantage à une
prison ou un blockhaus mais, au moins, il y était en sécurité.

— Ha ! Ha ! se réjouit-il en s'enfermant chez lui. Ce n'est pas demain que le
loup me mangera !

Peut-être pas demain… Mais après-demain ?
Deux jours plus tard, Garou le loup arriva dans les environs. Il portait un sac
à dos où étaient rangées ses affaires de voyage, car il revenait de loin, du Nord,
là où il fait froid et où la nourriture est rare. C'est donc avec une faim de loup
et la hargne au ventre qu'il se dirigea vers la maison de Bosseur.

Par ses fenêtres à barreaux, celui-ci regarda Garou gravir la colline, s'approcher de chez lui et s'arrêter devant la porte blindée.

— Ouvre-moi ! rugit Garou de sa plus grosse voix et en montrant les dents.

— Tu me prends pour un cochonnet ! se moqua Bosseur en l'observant par
l'œilleton de sa porte. Débrouille-toi pour essayer d'entrer ! Souffle sur ma
maison, par exemple. Tu réussiras peut-être à la faire s'écrouler. Ha ! Ha !

Et Bosseur, qui n'avait pourtant pas l'habitude de rire beaucoup, était pour une
fois franchement plié en deux. Mais le loup se mit aussi à rire, d'un rire carnassier.

— Ce que tu ignores, dit-il en sortant divers crochets de son sac à dos, c'est que
mon père était serrurier. Chez les loups, c'est un métier très répandu !
Il commença à triturer les serrures qui lâchèrent des cliquetis inquiétants.

Bosseur transpirait à grosses gouttes. Il vit les quatre serrures s'ouvrir les unes
après les autres. Il n'y avait plus qu'une solution : le petit cochon se précipita
dans un tunnel qu'il avait creusé en prévision de ce genre de désagrément.
Alors que Garou entrait dans sa maison, Bosseur disparut à l'intérieur de son
passage secret. Il en ressortit en bas de la colline et, sans attendre, il courut
vers la forêt pour y retrouver son frère.

**faire sa tête
de lard :** faire
la tête, râler.

**une porte
blindée :** une
porte très solide.

un blockhaus :
un bâtiment
militaire très solide,
fait en béton.

**la hargne
au ventre :**
avec mauvaise humeur,
avec agressivité
(familier).

gravir : grimper.

l'œilleton :
la petite ouverture
ronde dans la porte
qui permet
de regarder
qui arrive.

carnassier : cruel.

triturer :
manipuler dans
tous les sens.

un désagrément :
un événement
désagréable.

– Farfelu ! appela-t-il. Farfelu !

– Que se passe-t-il ? lui demanda son frère.

Bosseur leva le groin et découvrit Farfelu perché dans une cabane qu'il s'était construite en haut d'un arbre.

75 – Le loup ! raconta Bosseur. Il est entré dans ma maison. Et il me poursuit certainement ! Il va arriver !

Farfelu lui lança une échelle de corde et Bosseur le rejoignit dans sa cabane.

– Pas de panique, le rassura Farfelu. Les loups ne savent pas grimper aux arbres. Ici, on est en sécurité. Regarde, j'ai même accroché une balançoire à
80 cette branche. Tu veux essayer ?

– Ce n'est pas le moment de s'amuser ! paniqua Bosseur. Voici le loup !

En effet, Garou arrivait au pas de course, son sac toujours sur son dos.

– Tiens donc, lança-t-il au pied de l'arbre. Comme on se retrouve.

– Va voir ailleurs si on y est ! lui rétorqua Farfelu. Tu ne pourras jamais grimper !

85 – Ce que tu ignores, répondit Garou en sortant une petite tronçonneuse de son sac, c'est que mon grand-père était bûcheron. Chez les loups, c'est un métier très répandu !

la sciure :
la poussière qui tombe quand on scie du bois.

Il mit sa machine en marche et approcha la lame du tronc ! Un tas de sciure se forma rapidement. Les deux petits cochons transpiraient à grosses gouttes.
90 Puis l'arbre s'inclina… Il n'y avait plus qu'une solution : avant qu'il ne s'écrase au sol, Bosseur et Farfelu sautèrent de la cabane, atterrirent dans un tas de feuilles mortes, et décampèrent à toute vitesse en direction de la plage !

décamper :
partir (familier).

– Courez, courez, se moqua le loup en rangeant sa tronçonneuse. Mais vous ne m'échapperez pas !

95 Les deux petits cochons arrivèrent bientôt à la plage en tirant la langue.

– Traîne-Sabots ! appelèrent-ils d'une voix faible. Traine-Sabots !

Leur frère, qui faisait la sieste près de l'eau, ouvrit un œil.

– Que se passe-t-il ? demanda-t-il en s'étirant.

– Le loup ! raconta Bosseur. Il est entré dans ma maison.

100 – Et il a abattu l'arbre où j'avais installé ma cabane, termina Farfelu. Il nous poursuit !

– Calmez-vous, les rassura Traîne-Sabots. Nous allons nous réfugier dans ma maison.

– Ta maison ? Quelle maison ? s'affola Bosseur. Tu n'as encore rien construit !

105 Traîne-Sabots désigna alors fièrement un radeau au bord de l'eau.

– Ce ne sont que des vieilles planches reliées avec de la corde ! protesta Bosseur. Le mât est de travers et la voile à moitié déchirée !

– La voile, c'est très pratique, précisa Traîne-Sabots. Elle permet de faire avancer le radeau sans effort et on peut aussi s'en servir comme parasol,
110 comme parapluie, ou comme couverture pour la nuit. Fais-moi confiance, cette fois, c'est nous qui allons jouer un mauvais tour à ce loup.

– Je ne vois pas comment ! se fâcha Bosseur. Et je refuse de monter sur... cette chose !

– C'est notre seule chance d'échapper au loup ! hurla Farfelu en le poussant
115 sur le bateau.

Traîne-Sabots hissa aussitôt la voile. Le radeau s'éloignait de la plage avec les trois petits cochons quand le loup arriva au bord de l'eau.

– C'est encore moi ! leur cria-t-il en se léchant les babines.

– Inutile de faire le malin, lui lança Traîne-Sabots. Tout le monde sait que les
120 loups ne savent pas nager.

– Ce que tu ignores, répliqua le loup en sortant une bouée de son sac à dos, c'est que mon oncle est directeur d'un grand supermarché. Chez les loups, c'est un métier très répandu ! Il m'a offert cette bouée en forme de canard quand il a su que je venais au bord de la mer. Elle est belle, non ?

125 Et le loup souffla, souffla et souffla encore, et la bouée, magnifique en effet, fut bientôt gonflée. Il la passa autour de sa taille et se jeta à l'eau, avant de nager en direction du radeau !

– Vous n'avez pas de chance, ricana-t-il en rattrapant l'embarcation des petits cochons. Le vent est tombé.

infestée : remplie.

un aileron : une nageoire.

des cercles concentriques : des cercles de même centre mais de diamètres différents.

130 Bosseur et Farfelu suaient à grosses gouttes. Seul Traîne-Sabots continuait à sourire à l'idée du mauvais tour qu'il était en train de jouer à Garou.

– Ce que tu ignores, dit-il au loup, c'est que cette eau est infestée de requins. C'est pour cette raison que je ne m'y baigne jamais !

Le loup remarqua alors deux, trois puis quatre ailerons qui tournaient autour
135 de lui, en décrivant des cercles concentriques... Puis il sentit qu'on lui mordillait les chevilles !

Je comprends

1. Comment s'appelle chacun des fils de madame Cochon ?
2. Pourquoi doivent-ils quitter leur mère ?
3. Selon elle, de qui doivent-ils se méfier ?
4. À quel endroit s'installe chacun d'eux pour construire sa maison ?
5. En quels matériaux sont construites les deux premières maisons ?
6. Comment le loup détruit-il chacune d'elles ?
7. Qu'est-ce qu'a construit le troisième cochon ?
8. Qu'arrive-t-il au loup à la fin de l'histoire ?

Je repère

1. Comment commence cette histoire ? Par quelle formule finit-elle ?
2. Compare ces trois cochons à ceux du conte *Les Trois Petits Cochons*. Leurs maisons sont-elles présentées dans le même ordre ? Quelles différences y a-t-il ?
3. Quels métiers ont faits le père, le grand-père et l'oncle de Garou ? Pourquoi est-ce amusant ?
4. Relève les passages qui sont répétés plusieurs fois presque à l'identique.
5. Combien d'épisodes cette histoire comporte-t-elle ?
6. Explique le titre de cette histoire.
7. De quel type d'histoire s'agit-il ? Explique ta réponse.

– Aaaaah ! Ces requins ont une dent contre moi ! s'affola Garou en s'agitant dans tous les sens.

Il se battit, se débattit et combattit avec brio… mais, bientôt, il disparut sous l'eau, victime d'un mauvais tour de cochon !

Seule la bouée remonta à la surface.

– Youpi ! s'exclama Farfelu en dansant sur le radeau. On est débarrassés de ce maudit loup !

– Je dois avouer que ton plan était ingénieux, admit Bosseur en félicitant Traîne-Sabots. Ce radeau est une très bonne idée. Il faudrait juste y apporter quelques améliorations. Une coque plus grande et un pont solide. On pourrait aussi fabriquer des cabines et installer des voiles supplémentaires pour aller plus vite, et aussi…

Farfelu et Traîne-Sabots s'étaient déjà allongés sur le radeau, à l'ombre de la voile. Ils regardaient le ciel bleu pendant que leur frère, incorrigible, dressait un plan des travaux.

– … et aussi une cuisine et un moteur pour les jours sans vent, et…

Et c'est ainsi que les trois petits cochons ont échappé au loup et naviguent aujourd'hui encore autour du monde sur un magnifique bateau !

Marc Cantin, *Un tour de cochon*, texte inédit.

avec brio :
avec talent.

ingénieux :
malin, intelligent.

Je dis

1. Relève les trois phrases prononcées par les cochons entre les lignes 4 et 14.
2. Dis-les les unes à la suite des autres. Adapte le ton selon le caractère du cochon qui parle.

Je débats

L'histoire

1. Pourquoi chacun des cochons se sent-il à l'abri dans sa maison ?
2. Le loup peut-il s'y prendre de la même façon que dans le conte *Les Trois Petits Cochons* pour détruire les maisons ? Pourquoi ?
3. Compare la fin de cette histoire avec celle des *Trois Petits Cochons*. Pouvait-on s'y attendre ?

Les cochons

4. Compare le caractère des trois cochons de ce conte avec celui du conte *Les Trois Petits Cochons*. Que remarques-tu ?
5. Traîne-Sabots et Bosseur ont-ils le même avis sur le radeau et sur la façon de vivre en général ? Et toi, avec lequel es-tu d'accord ?

J'écris

1. Recopie la dernière phrase prononcée par le loup avant de disparaître. De quelle forme de phrase s'agit-il ? Cherche dans le dictionnaire l'expression : « avoir une dent contre quelqu'un. »
2. Imagine à ton tour un plan ingénieux pour te débarrasser du loup. Écris ton texte au présent.

Les personnages de conte

Je lis

1. Lis ces titres de contes. Classe-les dans un tableau à deux colonnes (**titres de contes traditionnels** et **titres de contes refaits**).

La Laide au Bois dormant – Le Petit Bonhomme de pain d'épices – Le Vilain Petit Canard – Cendrillon – Le Petit Chaperon rouge – Le Petit Homme de fromage – Les Fées – Le Petit Chaperon bleu marine – La Belle au bois dormant – L'Immonde Petit Canard – Cendrillon dépoussiérée – La Fée du robinet

2. Quels changements annoncent les titres des contes refaits par rapport aux contes traditionnels sources ?

3. Lis le début de ces deux contes.

A. Il était une fois une petite vieille et un petit vieux qui vivaient ensemble dans une vieille petite maison. Ils étaient bien seuls. Alors, la petite vieille décida de confectionner un homme à partir d'un vieux bout de fromage. Elle lui donna un morceau de bacon en guise de bouche et deux olives en guise d'yeux et le mit à cuire dans son four. Lorsqu'elle ouvrit le four pour voir s'il était cuit, la puanteur la prit à la gorge.

> Jon Scieszka et Lane Smith, *Le Petit Homme de fromage et Autres Contes trop faits*,
> © Le Seuil Jeunesse, 1995.

B. Il était une fois un bon vieux et une bonne vieille. Un jour, la bonne vieille dit :
« Et si nous faisions un bonhomme de pain d'épices ? »
« Bonne idée ! » répondit le bon vieux. Et ils se mirent aussitôt au travail. Ils pétrirent la pâte, l'étalèrent au rouleau à pâtisserie, modelèrent les petits bras, modelèrent les petites jambes, modelèrent enfin la petite tête. […] Quand tout fut prêt, ils mirent au four ce bonhomme de pain d'épices et attendirent. Une délicieuse odeur les avertit peu après que le petit bonhomme était cuit.

> *Le Petit Bonhomme de pain d'épices*, © éd. Circonflexe, 1998.

4. Quel extrait provient du conte traditionnel source ? Comment l'as-tu reconnu ?

5. Quelles sont les ressemblances et les différences entre les personnages ?

6. Pourquoi les caractéristiques des personnages du conte refait peuvent-elles rendre la suite du conte amusante ?

J'ai appris

- Dans les contes refaits, les noms des personnages traditionnels sont souvent transformés (*ex. : Le Petit Chaperon rouge → Le Petit Chaperon bleu marine*).
- La situation des personnages et leurs caractéristiques changent. **Les rôles sont souvent inversés :** par exemple, les gentils deviennent méchants (*ex. : C'est le cochon le plus paresseux qui sauve ses frères / Le petit homme de fromage a une odeur épouvantable et fait fuir tout le monde*).
- Ce sont ces changements du personnage et de sa situation qui rendent les contes refaits **amusants**.

Écrire le début d'un conte refait

Je lis

Il était une fois un gentilhomme veuf qui épousa une femme orgueilleuse et fière. Cette femme avait deux filles égoïstes et méchantes. Le mari avait de son côté une jeune fille très douce et très bonne. À peine mariée, la belle-mère montra l'étendue de son mauvais caractère et ne put supporter les qualités exceptionnelles de sa belle-fille. Elle la chargea donc des tâches les plus difficiles dans la maison et la fit coucher dans une petite chambre au grenier. Lorsqu'elle avait terminé son travail, la pauvre jeune fille allait se réchauffer près de la cheminée et s'asseyait dans les cendres. C'est pourquoi ses belles-sœurs la surnommèrent « Cendrillon ».

Cendrillon, d'après Charles Perrault.

1. Qui sont les personnages de ce conte ?

2. Décris leurs caractères.

3. Qui est le personnage principal ?

4. Quelle est sa situation au début de ce conte ?

J'écris

• **À partir du début de _Cendrillon_, écris le début d'un conte refait en le rendant amusant.**

Étape 1 : Je réfléchis

1. Fais la liste des différents personnages de ton conte.

2. Quelles sont leurs caractéristiques ?

3. Qui est le personnage principal ? Quel est son problème au début de l'histoire ?

4. Qu'aimerais-tu garder du début du conte traditionnel (les méchants, l'héroïne, son problème, le lieu de l'action...) ?

5. Qu'aimerais-tu changer (le caractère du personnage, sa situation, l'époque ou le lieu, les autres personnages...) ?

Étape 2 : Je me prépare à écrire

1. Invente un titre en changeant le nom du personnage ou en lui ajoutant une caractéristique.
• _Ex._ : Le Chat botté → Le Chat empoté – Le Petit Chaperon rouge → Le Très Grand Chaperon rouge

2. Change la situation du personnage principal ou bien d'un autre personnage de l'histoire.
• son caractère
• son rôle dans l'histoire
• son problème
• l'époque à laquelle il vit
• ...

Étape 3 : Je me relis

• J'ai utilisé le début du conte traditionnel pour écrire le début de mon conte refait.
• J'ai changé la situation ou le comportement du personnage principal.
• Je vérifie que mon début de conte est surprenant et amusant.

Raconter une histoire à partir d'images

J'observe et je réfléchis

1. Observe ces dessins qui racontent l'histoire du *Petit Chaperon rouge*.

2. Identifier les personnages :
- Quels personnages sont présents dans ces vignettes ?
- Qui est le personnage principal ? Explique ta réponse.
- Décris chacun des personnages (ses caractéristiques, son comportement, ses émotions…).

3. Présenter les lieux :
- Où se déroule chaque vignette ? Décris chacun d'entre eux.

4. Décrire les événements :
- Que fait chacun des personnages ? Pourquoi ?
- Recherche des mots qui permettent de relier ces différents événements entre eux.

Je raconte l'histoire

- **Reconstitue l'histoire du *Petit Chaperon rouge* à partir de ces images et raconte-la en la faisant vivre.**

Pour bien raconter mon histoire

- Je suis les étapes du conte.
- J'utilise les expressions que l'on rencontre dans les contes.
- Je fais parler les personnages entre eux.
- J'adopte le ton qui convient pour chaque personnage.

Bilan

Pour faire le bilan de tes lectures, recopie les phrases qui correspondent le mieux à chaque histoire que tu viens de lire. Puis explique tes choix en répondant aux questions.

Thème 1 : Du conte traditionnel...

1. Vrai ou faux ?
   a. Dans les contes traditionnels, on retrouve toujours les mêmes personnages, humains ou animaux : prince, princesse, loup, ogre, sorcière, fée...
   b. Les contes traditionnels se déroulent aujourd'hui.
   c. Les contes traditionnels commencent et se terminent par une formule.
   d. Dans les contes traditionnels, le plus souvent, tout s'arrange à la fin pour les héros.
2. Connais-tu d'autres contes traditionnels que ceux que tu as lus dans ce chapitre ? Lesquels ? Raconte-les oralement.
3. Tes camarades connaissent-ils les mêmes contes traditionnels que toi ? À ton avis, pourquoi ?

Thème 2 : ... au conte refait

1. Vrai ou faux ?
   a. Pour pouvoir lire et comprendre un conte refait, il faut connaître le conte traditionnel source.
   b. Dans un conte refait, les événements se déroulent exactement comme dans le conte traditionnel source.
   c. Dans les contes refaits, les caractéristiques ou le comportement du personnage principal changent.
   d. Les contes refaits sont drôles.
2. Compare les éléments qui composent un conte traditionnel et un conte refait : les personnages, leur situation, la fin de l'histoire...
3. Comment l'auteur s'y prend-il pour rendre son conte refait amusant ?

Lectures en réseaux

• **Des contes traditionnels**

– *Mon Premier Larousse des contes*, éd. Larousse.
– *Contes de Grimm*, éd. Le Seuil.
– *Mille ans de contes*, éd. Milan.
– *Contes et Légendes des fées et des princesses*, éd. Nathan.
– *Contes d'Europe*, éd. Le Seuil.

• **Des contes refaits**

– *Mademoiselle Sauve-qui-peut*, Philippe Corentin, éd. L'École des loisirs.
– *Dans la gueule du loup*, Fabian Negrin, éd. du Rouergue.
– *La Vérité sur l'histoire des trois petits cochons*, Jan Scieszka et Lane Smith, éd. Nathan.
– *Les Trois Cochons*, David Wiesner, éd. Circonflexe.
– *Contes à l'envers*, Philippe Dumas et Boris Moissard, éd. L'École des loisirs.
– *Le Petit Chaperon vert*, Grégoire Solotareff, éd. L'École des loisirs.

Grammaire : Le groupe nominal, p. 44.
Grammaire : Le nom propre et le nom commun, p. 50.

Touchez pas au roquefort !

Pendant la nuit, Grasdouble, un marchand de fromage, a été victime d'un cambriolage…

l'entrepôt : le lieu de stockage.
stupéfait : très étonné.

appeler quelqu'un à la rescousse : appeler quelqu'un à l'aide.

avoir le fin mot de l'affaire : comprendre ce qui s'est passé.

Lorsqu'il entra dans l'entrepôt, Grasdouble s'immobilisa sur le pas de la porte. Stupéfait, il promena son regard sur les étagères : elles étaient vides. Des voleurs avaient tout emporté, il ne restait plus le moindre morceau de fromage. « Une seule chose à faire, pensa immédiatement Grasdouble :
5 appeler l'inspecteur Souris à la rescousse. » L'inspecteur Souris ne tarda pas à arriver sur les lieux. Il était accompagné de son adjoint, Sam Ledentu.

« Dieu merci, vous êtes là, inspecteur ! J'ai été cambriolé, les voleurs ont emporté toutes mes réserves de fromage, gémit Grasdouble.

– Hmmm », murmura l'inspecteur Souris en jetant un regard dans l'entrepôt.

10 Il remarqua aussitôt un indice qui ne pouvait échapper à son œil de détective professionnel.

« C'est Jo Lerayé qui a fait le coup, marmonna l'inspecteur.

– Comment diable pouvez-vous le savoir ?! s'exclama Grasdouble, visiblement impressionné.

15 – Je croyais que Jo Lerayé était de notre côté, fit remarquer Ledentu en sortant sa loupe.

– Peu importe, dit l'inspecteur, viens avec moi Ledentu, nous allons avoir le fin mot de l'affaire. »

Je comprends

1. Quel méfait a été commis au début de l'histoire ?
2. Qui en est la victime ?
3. Quels personnages vont mener l'enquête ?
4. Qui soupçonnent-ils ?
5. Que sont ces personnages ? Explique ta réponse en relevant des indices dans le texte.
6. Dans quel lieu se rendent d'abord les enquêteurs ? Pourquoi ?
7. Où sont cachés les voleurs ?
8. Observe le dessin. Quel indice l'inspecteur Souris a-t-il repéré ?

Je repère

1. Relève le titre de cette histoire. De quel type de phrase s'agit-il ?
2. Dans un début d'enquête, on trouve une victime, un enquêteur et un suspect. Qui sont-ils dans ce texte ?
3. De quel genre de roman s'agit-il ? Relève les mots et expressions qui te permettent de répondre.
4. Que se passe-t-il toujours au début de ce genre de roman ? À quelles phrases du texte cela correspond-il ?
5. Quelles sont les étapes de l'enquête ?

L'inspecteur Souris et son adjoint se rendirent au « Club du Bleu d'Auvergne »,
20 un bar mal famé qui se trouvait sur le port. Lorsqu'ils poussèrent la porte
du club, l'orchestre des Rock Forts était en train de jouer : il y avait John
Reblochon à la batterie, Duke Emmenthal au piano et Hornett Chavignol
au saxophone ténor. Ils accompagnaient Rosy Coulommiers, la chanteuse de
charme du groupe. L'inspecteur Souris s'avança vers le bar d'un pas nonchalant
25 et s'accouda face à Bobby Lindic, son informateur.

« Salut, Bobby, je parie que tu sais où se trouve Jo Lerayé », dit l'inspecteur
d'un ton menaçant.

Bobby Lindic se mit à trembler de peur.

« Pour sûr, inspecteur, répondit-il d'une voix mal assurée, il… il est dans un vieil
30 entrepôt désaffecté, là-bas, sur le quai. C'est là qu'il se cache avec toute sa bande. »

L'inspecteur Souris et Sam Ledentu se rendirent à l'adresse indiquée et entrèrent
silencieusement dans le bâtiment.

« Ils sont sûrement à la cave, murmura l'inspecteur. Il suffit de soulever la
trappe pour vérifier.

35 – Vous avez raison, inspecteur, ils sont là, dit Ledentu dans un souffle, et regardez,
les fromages volés sont empilés sur la table. Attaquons-les par surprise.

– Non, il vaut mieux attendre, conseilla l'inspecteur, toute la bande est au
complet, regarde, il y a Jo Lerayé, Dédé Parmesan, Freddy Munster, Paulo le
Basané, la petite Betty Quartdebrie et même Oscar Grosbonnet, le chef du
40 gang. Il nous faudra du renfort. J'ai un plan. »

Bernard Stone, *Touchez pas au roquefort !*,
traduit de l'anglais par Jean-François Ménard, © éd. Gallimard.

mal famé :
mal fréquenté.

un pas nonchalant :
un pas lent, tranquille.

un informateur :
quelqu'un qui donne des informations sur un crime.

mal assurée :
peu sûre d'elle.

désaffecté :
qui n'est plus utilisé.

le renfort :
le secours.

Je dis

1. Relis le texte des lignes 26 à 30.
   À qui s'adresse l'inspecteur Souris ?
2. Relève les groupes de mots qui indiquent sur quel ton les personnages parlent.
3. Jouez la scène à deux avec le bon ton.

Je débats

L'inspecteur Souris

1. Pourquoi Grasdouble est-il impressionné par l'inspecteur Souris ?
2. À ton avis, quel indice celui-ci a-t-il pu repérer au début de l'enquête ?

L'histoire

3. Quels sont les éléments qui rendent ce texte humoristique (méfait, personnages…) ?

J'écris

1. Recopie le texte des lignes 35 à 40. Souligne trois noms propres en vert, deux noms communs masculins singuliers en bleu, deux noms communs féminins singuliers en noir et un groupe nominal de quatre mots en rouge.
2. Imagine qu'un autre méfait a été commis dans un lieu différent. Réécris le premier paragraphe, sans changer les personnages (tu peux l'écrire au présent de l'indicatif).

Le roman policier
Thème 3 : Le roman policier animalier

Grammaire : La fonction sujet, p. 46.
Orthographe : L'accord sujet/verbe, p. 52.

Tirez pas sur le scarabée !

Il se passe de drôles de choses dans le Jardin. Bug Muldoon, détective privé, est convoqué par la reine des fourmis. Il suit sans résistance l'escorte qui est venue le chercher. Nul ne veut se mettre les fourmis à dos !

une escorte : un groupe de personnes qui accompagnent quelqu'un.

Mon escorte me poussa en avant et dit :
« Bug Muldoon, Majesté. »
La Reine me jeta un regard glacial.
« Voilà donc le tristement célèbre Bug Muldoon, détective privé… Dites-
5 moi, vous qui êtes un scarabée, d'où vous vient votre nom ?
– C'est une longue histoire, mademoiselle, et je vous la raconterai peut-être un jour… »

L'une des fourmis de la garde impériale fit claquer ses mandibules de façon menaçante. Je présume qu'il était inconvenant d'appeler la Reine « mademoiselle ».
10 « En ce cas, monsieur Muldoon, dit Sa Majesté, j'ai une autre question à vous poser. Combien croyez-vous que nous soyons dans cette colonie ? »

une mandibule : une partie de la mâchoire.
présumer : supposer, croire.
inconvenant : impoli.
descendre d'une octave : devenir plus grave.

Je ne suis pas très doué pour les devinettes, mais pour faire plaisir à la dame, je tentai :
« Huit… dix mille ?
15 – Réponse fausse, fit la reine, et sa voix descendit d'une octave : nous ne sommes qu'*un*, monsieur Muldoon. Peu importe le nombre d'individus, le Nid ne compte qu'un seul et unique être vivant. Chaque fourmi n'existe que pour servir le Nid. Sans lui, nous ne sommes rien. Grâce à lui, nous sommes complètes. »

Je comprends

1. Qui sont les personnages de ce roman ?
2. Quel type d'animal est Bug Muldoon ?
3. Quel est son métier ?
4. Où est-il emmené par l'escorte de fourmis ?
5. Quel méfait a été commis selon la Reine des fourmis ?
6. Comment réagit Bug Muldoon lorsqu'il l'apprend ?
7. Pourquoi la Reine des fourmis l'a-t-elle fait venir ?

Je repère

1. Relève le titre de cette histoire. De quel type de phrase s'agit-il ?
2. Compare-le avec celui du texte p. 180. Que remarques-tu ?
3. Qui est le narrateur de cette histoire ?
4. Où se déroule-t-elle ? Pourquoi est-ce amusant ?
5. Quels signes de ponctuation montrent que la Reine fait durer le suspense ?
6. De quel genre de roman s'agit-il ? Relève les mots et les expressions qui te permettent de répondre.

20 Je haussais les épaules. « Bon, donc, à dix mille près, j'avais touché juste. Et où voulez-vous en venir ? »

— Sachez, monsieur Muldoon, que j'ai été mise au courant de… (elle cherchа les termes appropriés)… une nouvelle situation qui s'est développée ici même, au cœur de la fourmilière. »

25 Elle s'octroya une pause pour faire durer le suspense. J'attendis qu'elle se décide. « Certains d'entre nous ont choisi de rejeter notre façon de vivre. Ils sont devenus… des *individualistes*. »

À la façon dont elle prononça ce mot, on aurait dit qu'il la révulsait. J'eus un sourire torve. […]

30 « Et alors ? Qu'y a-t-il de si terrible ? Pourquoi quelques fourmis ne se mettraient-elles pas à penser pour elles-mêmes ? Laissez-les donc respirer un peu. La vie est si courte, pourquoi ne pas prendre un peu de bon temps… »

Je sentis une vague de révulsion secouer la salle. Je préférai enfoncer le clou : « Et si quelqu'un veut se retrouver et faire des trucs pour lui-même ? Dans la

35 fourmilière, on ne peut jamais être seul, vous le savez mieux que moi. Pour une jeune fourmi, c'est un peu pesant.

— Dans la fourmilière, corrigea la Reine, on n'est jamais SOLITAIRE. Vous n'avez pas l'air de comprendre, monsieur Muldoon. Un tel phénomène menace les bases mêmes de notre existence, et il faut l'étouffer dans l'œuf. »

40 Elle avait haussé le ton, et sa voix résonna dans la salle souterraine.

« Bon, bon, dis-je. Mais qu'est-ce que je viens faire dans cette histoire ?

— Nous avons besoin de votre aide pour identifier les coupables, répondit-elle. Bien sûr, vos services seront dûment rémunérés. »

Paul Shipton, *Tirez pas sur le scarabée*, © Le Livre de Poche Jeunesse, 2007.

Je dis

1. Que répond la Reine à Bug Muldoon lorsqu'il évalue le nombre de fourmis à dix mille ? Quels mots sont écrits de façon différente des autres ?
2. Dis la réplique de la Reine d'une voix grave en appuyant sur ces mots.

Je débats

Bug Muldoon

1. Que penses-tu des réactions de Bug face au problème des fourmis ? Quelles différences y a-t-il entre son comportement et celui de l'inspecteur Souris ?

L'histoire

2. Quelle est l'opinion de Bug Muldoon et celle de la Reine des fourmis sur ce qui se passe dans la fourmilière ?
3. À ton avis, lequel des deux a raison ? Pourquoi ?

J'écris

1. Recopie les cinq premières lignes du texte, puis encadre les verbes conjugués et souligne leur sujet.
2. À partir des indices donnés dans le texte sur le comportement et le caractère de Bug Muldoon, décris-le en quelques lignes.

L'enquête dans un roman policier

Je lis

1. Lis ces cinq extraits d'une enquête policière.

A. Bob Cocker fit asseoir Lord Setter. « La porte ouverte, la paire de gants blancs et le sécateur étaient de fausses pistes laissées par la coupable, dit-il. Allons maintenant demander à votre fille pourquoi elle a dissimulé vos tableaux dans la cave. »

B. Les trois suspects désignés par Lord Setter se présentèrent devant Bob Cocker. Il s'agissait de Bill Colley le majordome, de Bull Dog le jardinier, et de la propre fille de Lord Setter, Miss Chihuahua. Aucun d'entre eux n'avait rien vu, ni rien entendu.

C. Ce soir-là, en rentrant au manoir, Lord John Setter trouva sa porte grande ouverte. Il ne fut pas long à comprendre ce qui s'était passé : tous les tableaux de la galerie de ses ancêtres canins avaient disparu.

D. Le détective Bob Cocker inspecta ensuite la galerie à la recherche d'indices. Il y trouva une paire de gants blancs et un sécateur. Puis, sur le sol, il aperçut la trace d'une serpillière passée à la hâte… Elle menait jusqu'à la porte de la cave. Et là, devant la porte, un nouvel indice : l'empreinte d'un pied chaussé de talon aiguille !

E. Dès son arrivée sur les lieux, le détective Bob Cocker interrogea Lord Setter. La grosse serrure de la porte n'avait pas été forcée. Le coupable avait forcément les clés du manoir. Avait-il des soupçons ?

2. Qu'as-tu compris de l'enquête ? Les affirmations suivantes sont-elles vraies ou fausses ?
  – Le méfait commis est un vol de tableaux.
  – Le détective Bob Cocker trouve deux indices.
  – Trois suspects ont les clés du manoir.
  – Le coupable est le jardinier qui a laissé son sécateur dans la galerie.

3. Remets les extraits de l'enquête dans l'ordre. Comment as-tu fait ?

4. Associe les paragraphes aux différentes étapes d'un roman policier : la découverte du méfait, le déclenchement de l'enquête, la recherche d'indices, l'interrogatoire des suspects, l'identification du coupable.

J'ai appris

- Dans une enquête policière, **cinq étapes** se succèdent :
  – la **découverte du méfait** (ex. : le vol des tableaux de Lord Setter) ;
  – le **déclenchement de l'enquête** (ex. : le détective Bob Cocker arrive sur les lieux et interroge Lord Setter) ;
  – la **recherche d'indices** (ex. : la porte ouverte, les gants blancs, le sécateur…) ;
  – l'**interrogatoire des suspects** (ex. : Bob Cocker interroge les trois suspects) ;
  – l'**identification du coupable** (ex. : Bob Cocker accuse Miss Chihuahua).
- Pour rendre l'enquête passionnante, les auteurs utilisent différents ingrédients : existence de plusieurs suspects et de fausses pistes, découverte du coupable retardée jusqu'aux dernières pages.

Écrire le début d'une enquête policière animalière

Je lis

1. Voici le début d'un roman policier qui se déroule dans une ferme :
Barigrognon enrageait. Il venait de marcher dans une flaque sombre.
En partie enfouie sous une pyramide de graines, la dernière victime
reposait, le bec mi-ouvert. Le poulailler venait de perdre une cinquième
pondeuse en l'espace d'une semaine. Une voix résonna dans le noir :
« Poule qui pond n'amasse rien de bon.
– Ah ! ça, j'aurais pas trouvé mieux, commissaire, dit Barigrognon
en dégageant la victime de sous la pyramide.
– Nous mettrons fin à ce carnage avant demain, foi de poulet ! »
Le chien-lieutenant et le poulet-commissaire rural se rendirent…

Christine Beigel, *Du Rififi chez les poules*, coll. « Les P'tits Policiers », © éd. Magnard Jeunesse, 2005.

2. Où l'action se déroule-t-elle ?

3. Quel événement démarre le roman ?

4. Quelle phrase déclenche l'enquête ?

5. Qui sont les deux enquêteurs ?

6. Qui est la victime ?

7. Que s'est-il passé avant la découverte de ce meurtre ?

J'écris

• **Imagine et écris le début de l'enquête menée par le chien-lieutenant et le poulet-commissaire en continuant le texte interrompu.**

Étape 1 : Je réfléchis

1. Quels indices les deux enquêteurs peuvent-ils trouver ?
2. Qui soupçonnent-ils grâce à ces indices ?
3. Qui leur donne des informations ?
4. Dans quel lieu vont-ils se rendre ?
5. Qu'y trouvent-ils ?

Étape 2 : Je me prépare à écrire

1. Présente les deux enquêteurs (description physique, caractère).
• Le chien : sa race – sa couleur – ses qualités…
• Le poulet : son plumage – les affaires qu'il a déjà élucidées…
2. Donne un nom à chaque personnage (le poulet-commissaire, l'informateur, le suspect…).
Aide-toi de leur caractère.
• Le chien-lieutenant : il est grognon ;
il s'appelle Bari**grognon**.

3. Utilise le vocabulaire du roman policier :
un crime – un méfait – une victime –
un enquêteur – un policier –
un détective privé – un indice –
un informateur – une piste – un soupçon –
un suspect – un coupable – un mobile…

Étape 3 : Je me relis

• J'ai écrit mon texte à la 3e personne du pluriel.
• J'ai utilisé le vocabulaire du roman policier.
• J'ai bien décrit les différentes étapes du début de l'enquête (indices, personnes interrogées…).
• Je vérifie que mon texte continue bien l'extrait proposé.

Le roman policier
Thème 4 : Le roman policier à suspense

Conjugaison : Le futur simple, p. 62.
Vocabulaire : Des mots pour exprimer des actions, p. 68.

La Villa d'en face

Depuis que Philippe a attrapé une bronchite et doit rester au lit, son jeu favori est d'observer ses voisins avec sa sœur Claudette. Mais ce jeu peut devenir dangereux quand les voisins cachent un gangster…

avoir le bras en écharpe : avoir le bras soutenu par un morceau de tissu passé autour du cou.

Frankenstein : personnage de roman monstrueux et effrayant.

Toute la matinée, Philippe et Claudette se relaient à la fenêtre. Peu à peu, la villa d'en face s'éveille. Le Hollandais sort dans le jardin, il joue avec son chien. Puis sa femme vient cueillir des roses. Mais leur invité ne se montre toujours pas. Enfin, un peu avant midi, un homme surgit à la fenêtre du salon. Philippe règle
5 un peu mieux les jumelles, et c'est comme s'il recevait un coup au cœur. L'homme a les cheveux en brosse, on voit aussi une grosse cicatrice sur sa figure. Et il est blessé, il a le bras en écharpe !
Claudette accourt et Philippe lui passe les jumelles.
— Je te préviens, Clo, c'est le gangster, le type à la tête de Frankenstein.
10 Claudette reste un long moment immobile, mais ses mains tremblent.
— Ça alors ! Qu'est-ce qu'on va faire, Philou ?
— J'en sais rien.
— On pourrait prévenir les gendarmes.
— Pas question !
15 — Mais c'est un type dangereux. Il a tué un employé de la banque à Vichy !
— Laisse-moi, il faut que je réfléchisse.
La journée s'écoule lentement.
Malgré sa blessure, l'homme n'arrête pas d'aller et venir, comme une bête en cage. Il sort de la maison, il rentre dans la maison, il sort à nouveau dans le

Je comprends

1. À quoi Philippe s'amuse-t-il avec sa sœur ?
2. Qui se trouve dans la maison d'en face ?
3. Quel méfait cette personne a-t-elle commis ?
4. Que fait la sœur de Philippe en voulant aider son frère ?
5. Qu'est-ce que cette action a comme conséquence ?
6. Pourquoi Philippe éprouve-t-il « une terreur glaciale » à la fin du texte ?

Je repère

1. Où se déroule cette histoire ?
2. Relève les mots ou les phrases qui montrent que l'invité de la villa d'en face est inquiétant.
3. Sur combien de temps se déroule cette histoire ? Relève les indicateurs de temps.
4. Relève tous les mots ou expressions qui indiquent qu'il s'agit d'un roman policier.
5. Quel sentiment as-tu à la fin du texte ? Pourquoi ?

20 jardin. C'est donc ça, un ennemi public ! Même de loin, il fait drôlement
peur. Il faut dire qu'il est armé. Il a un fusil à lunette. [...]
Claudette est allée chercher du pain. Quand elle revient un quart d'heure plus
tard, elle est très excitée.
– Je suis passée devant la villa ! Il y avait la voiture des Hollandais...
25 – Ben oui, et alors ?
– Alors, j'ai crevé les pneus avec mes ciseaux ! Comme ça, ils ne pourront pas
s'en aller.
Philippe est consterné :
– Mais tu es folle, complètement folle ! Maintenant, ils vont se méfier, ils vont
30 se douter de quelque chose.
– Je voulais t'aider, c'est tout.
Philippe ne répond pas. Une énorme inquiétude monte en lui.
Quelle catastrophe ! Hier, il jouait, maintenant ça tourne au drame.
Cette nuit-là, il a du mal à dormir. Et quand il se lève, le lendemain,
35 le soleil est déjà haut. Claudette est partie à l'école depuis longtemps.
Elle lui a laissé un petit mot : « J'espère que tu n'es plus fâché, Philou ! »
Non, il n'est plus fâché, bien sûr. Mais il a décidé d'être prudent et
de ne plus regarder la villa avec les jumelles. Enfin, il va juste jeter
un petit coup d'œil, le dernier, c'est juré.
40 Il boit son café à toute vitesse, puis il retourne dans sa chambre.
Il braque ses jumelles sur les fenêtres, et une terreur glaciale l'envahit :
là-bas, l'homme à la cicatrice le regarde et le vise, lui, Philippe, à travers
la lunette de son fusil.

Boileau-Narcejac, *La Villa d'en face*, coll. « J'aime Lire », © Bayard Jeunesse.

un fusil à lunette :
un fusil avec
un viseur.

consterné :
stupéfait, abattu.

Je dis

1. Relis le texte des lignes 24 à 31. Combien
   de répliques prononce chaque personnage ?
2. Quels sentiments éprouvent-ils ?
3. Jouez ce passage à deux en faisant bien
   ressentir les émotions des personnages.

Je débats

Philippe

1. Quelle est son attitude au début de l'extrait ?
   et à la fin ?
2. Et toi, comment te serais-tu comporté(e)
   à sa place ?

L'histoire

3. De quelle façon les auteurs font-ils monter
   le suspense (description des personnages,
   événements, évolution de la situation) ?

J'écris

1. Réécris le dernier paragraphe (lignes 40 à 43)
   au futur de l'indicatif.
2. Décris comment réagit Philippe lorsque
   l'homme le vise avec son fusil. Utilise
   des mots pour exprimer et situer
   les actions. Fais monter le suspense.

Grammaire : Le complément du nom, p. 60.
Vocabulaire : Des mots pour exprimer des actions, p. 68.

Les Doigts rouges

1

Les nuages se chargèrent de pluie et le vent se leva. Sur la plage de Saint-Clair, à la sortie du Lavandou, les derniers vacanciers de septembre plièrent leurs parasols inutiles et leurs serviettes de bain. Les jouets des enfants regagnèrent les coffres des voitures familiales.

5 Ricky Miller, huit ans, frissonnait sous son tee-shirt Snoopy mais il aurait pu supporter la pire des bourrasques. Car il attendait Georges, son frère, qui regagnait la plage en battant l'eau des mains et des pieds avec une belle énergie. Pour Georges, Ricky se serait fait couper en morceaux, il aurait traversé des forêts, escaladé des montagnes. Il admirait sans retenue son frère qui le

10 méritait bien, faut-il le préciser ?

Georges le rejoignit sur le sable, tout dégoulinant d'eau.

– Passe-moi la serviette, Ricky, et range les affaires, nous rentrons à la maison.

– C'est déjà fini les vacances ?

– Encore cinq jours et on remonte sur Paris. Sophie et toi, vous recommencez

15 l'école dans une semaine.

Sophie, la sœur de Georges et Ricky, ne descendait à la plage que le matin car elle se réservait l'après-midi pour travailler. À seize ans, elle se préparait déjà à passer le bac.

Monsieur et madame Miller laissaient leurs enfants seuls à la villa « Les

20 Cyprès » pour la première fois en septembre. Cette année Georges avait dix-huit ans, était majeur et pouvait prendre cette responsabilité. Ce qui réjouissait Ricky.

Ils traversèrent la route alors que les premières gouttes tachaient le goudron. Puis, en trottinant, les deux garçons rejoignirent la villa familiale.

25 Dans la salle à manger, Sophie était en grande conversation avec un gendarme bien connu au Lavandou sous le sobriquet de Pluto. Sophie s'empressa d'expliquer aux nouveaux venus la présence du gendarme :

– Bruno Ségura a disparu !

Les deux garçons restèrent sans réaction, encore essoufflés par leur course.

30 Aussi le gendarme décida de poursuivre la conversation :

– Eh oui, envolé Bruno ! Comme vous le fréquentiez, j'ai pensé que vous pourriez m'apprendre quelque chose.

– On le connaissait pas tellement… commença Georges.

– Assez quand même pour que tu te bagarres avec lui, n'est-ce pas ? répliqua

35 habilement le policier.

Georges devint tout rouge.

– Pourquoi vous êtes-vous battus ? demanda Pluto à Georges.

une bourrasque :
un fort coup de vent.

majeur : qui a
18 ans et plus.

Le Lavandou :
ville balnéaire
du département
du Var.

un sobriquet :
un surnom familier.

– Il embêtait Sophie. Je n'aime pas parler de ça.

Le gendarme soupira et, en se levant, leur recommanda poliment de le
40 prévenir s'ils avaient connaissance de quoi que ce soit concernant Bruno. Puis
il s'éloigna dans sa petite voiture bleue.

2

Un peu plus tard, Sophie et Georges discutaient au premier étage pendant
que Ricky avalait une énorme tartine de confiture dans la cuisine. Son visage,
piqueté de taches de rousseur, était absorbé par une pensée unique : pourquoi
45 Georges refusait-il de parler de Bruno Ségura ?

Après tout, il avait gagné la bagarre. Pourquoi donc avoir honte ? À moins
que Georges ne sache où se cachait Bruno et ne veuille pas le dire… Ricky
oublia bien vite l'incident car l'heure de son feuilleton télévisé était enfin là.
Il s'installa confortablement sur une banquette moelleuse et se concentra sur
50 l'écran coloré, brusquement envahi par des extra-terrestres.

Après le dîner, Georges et Sophie restèrent discuter dans la salle à manger
alors que Ricky montait dans sa chambre pour dévorer les dernières aventures
de Spidey. Sur le coup de onze heures, ne pouvant trouver le sommeil, le
garçonnet s'accouda à sa fenêtre.
55 Dans la pinède qui lui faisait face, les grillons s'étaient tus. On percevait au
loin la rumeur étouffée d'une fête organisée dans un mas voisin.

Puis la porte de la grange des Miller grinça. La lune était haute et sa clarté
enveloppa la silhouette qui sortait du bâtiment : Georges. Celui-ci referma
la porte derrière lui et examina ses mains : un liquide rouge lui poissait les
60 doigts. Il sortit son mouchoir et commença à s'essuyer en gagnant la cuisine.
Les verrous cliquetèrent et le silence prit possession du décor.

Ricky restait pétrifié à sa fenêtre. Une phrase prononcée par Georges à
l'intention de Bruno Ségura lui revenait à l'esprit : « Si tu touches encore une fois
à Sophie, je te tue. » Malgré la chaleur étouffante, le garçonnet frissonna. Il revit
65 les doigts rouges de Georges. Un rouge foncé qui ressemblait fort à du sang.

3

Le lendemain matin, Ricky garda pour lui ce qu'il avait surpris au cours de
la nuit. Georges et Sophie paraissaient en pleine forme et riaient comme des
andouilles pour un oui ou pour un non. Alors que Ricky avalait un plein bol
de cacao, ils le hélèrent gaiement :
70 – Nous partons faire des commissions en ville. Tu nous accompagnes ?
– Non, je ne suis pas bien réveillé.
– N'oublie pas de faire ta toilette, recommanda Sophie en fronçant les sourcils.
Et les jeunes gens se hâtèrent en direction de la voiture de Georges, une vieille
2 CV décapotable. Dès que la guimbarde eut disparu aux yeux de Ricky, le
75 garçonnet se hâta d'enfiler des espadrilles et un short puis il progressa à

piqueté : parsemé.

une banquette :
un canapé.

une pinède :
un bois de pins.

la rumeur
étouffée : le bruit
lointain.

un mas :
une ferme
en Provence.

poisser : rendre
gluant et collant.

pétrifié : être
incapable de bouger
sous l'effet
de la peur.

héler : appeler.

la guimbarde :
une vieille voiture.

191

petits pas vers la porte de la grange. Et stoppa net. Il n'osait plus avancer, effrayé par avance à l'idée de ce qu'il pourrait trouver derrière la porte. Mais, serrant les dents, il fit une dernière enjambée pour presser la poignée. La porte résistait.

– Ma parole, elle est fermée à clé ! s'étonna Ricky.

80 De toute sa vie – et elle était déjà longue, pensez donc ! – personne n'avait jamais fermé cette porte de grange. Ricky colla son œil au trou de serrure mais l'obscurité était complète à l'intérieur du bâtiment. De minute en minute, l'inquiétude fit son chemin dans le cœur de Ricky.

Quand Georges et Sophie revinrent du Lavandou, ils retrouvèrent un garçon
85 maussade et peu bavard. Georges commença à préparer le déjeuner sur la grande table de la salle sans s'apercevoir que Ricky ne le quittait plus des yeux.

– La vie est pleine de menteurs… commença l'enfant.

– Qu'est-ce que tu racontes ? s'étonna sa sœur.

Sans un mot, Ricky quitta la pièce et courut se jeter sur son lit. Maintenant,
90 il avait peur de connaître la vérité.

4

Ricky s'éveilla brutalement. Il ouvrit les yeux, sortant avec peine d'un horrible cauchemar rempli de serpents à têtes de chien. Il consulta sa montre : sa sieste n'avait duré qu'une heure. Puis il entendit le ronflement d'un moteur en contrebas et comprit que le bruit l'avait réveillé. Il se pencha sur le rebord
95 de la fenêtre pour repérer l'engin bruyant. Sophie, qui lisait sur une chaise longue, leva la tête vers lui :

– Déjà réveillé ?

– C'est quoi ce bruit, Sophie ?

La jeune fille mit sa main devant ses yeux pour se protéger du soleil et expliqua :
100 – Georges coupe du bois à la tronçonneuse dans la grange.

– Du bois ?

Couper du bois en septembre était une idée originale. Ricky décida d'en avoir le cœur net. Il enfila son short, passa ses sandales et, mine de rien, descendit rejoindre sa sœur. Mais Sophie s'était envolée, la grange était close et Georges
105 se tenait près de la 2 CV, un grand sourire aux lèvres.

– Prends ton masque, Ricky, on va se baigner sur les rochers de Cavalaire.

– Tu as déjà fini de couper ton bois ?

– Eh oui, je suis un rapide. Allez, dépêche-toi !

Leur crique préférée vibrait sous un beau soleil et l'eau, profonde à cet
110 endroit, en devenait transparente. On apercevait à l'œil nu des massifs de fleurs sous-marines que Ricky adorait contempler. L'enfant, toujours inquiet, parvint quand même à s'amuser et une partie de ballon endiablée mit un terme à cet après-midi de baignade.

Pendant le repas du soir, Georges et Sophie paraissant d'excellente humeur,
115 Ricky se risqua à poser à son frère des questions qui lui démangeaient la langue :

en contrebas :
en-dessous l'endroit où l'on se trouve.
mine de rien :
sans en avoir l'air.
Cavalaire : village voisin du Lavandou.
une crique :
une petite avancée de la mer dans une côte rocheuse.
endiablé :
au rythme vif.

– Alors, comme ça, tu n'as pas revu Bruno ces jours-ci ?

– Nous sommes fâchés, tu le sais bien. Si je l'avais vu, je l'aurais dit à Pluto.

– Pourquoi la grange est-elle fermée à clé ?

Georges parut fort embêté pour répondre mais Sophie vola à son secours :

20 – C'est pour faire parler les curieux !

Ricky n'était qu'un petit de huit ans et on le lui faisait sentir. Il garda ses dernières questions pour lui et se laissa entraîner dans une partie de Monopoly.

5

C'est le grincement cafardeux d'une porte qui, à minuit, le réveilla. Il se dressa sur son lit, le front trempé de sueur. Ricky détermina de suite l'origine

25 de ce bruit très spécial : on tirait à nouveau la porte de la grange. Il avança jusqu'à la fenêtre et entrouvrit les volets. La lanterne située au-dessus du portail d'entrée était allumée et répandait son faisceau sur la courette et une partie du jardin. Ce que vit Ricky le terrifia. Georges et Sophie, arc-boutés à chaque extrémité d'un grand sac en plastique noir, tiraient ce lourd fardeau

30 aux formes indistinctes en direction de la cuisine.

Alors Ricky passa en revue tous les événements des deux derniers jours : la disparition de Bruno Ségura, la gêne de Georges, le sang sur les mains de son frère, la grange bouclée, le sac en plastique.

Puis, subitement, il se souvint aussi de la tronçonneuse. Les images épou-

35 vantables d'un film interdit aux moins de treize ans s'imposèrent à son esprit. *Massacre à la tronçonneuse* mettait en scène un assassin qui découpait les gens en morceaux. Et l'horrible vérité lui donna le vertige : Bruno Ségura gisait en morceaux dans le sac de plastique et c'est Georges qui l'avait tué. Le garçon veilla toute la nuit car il n'était plus question, pour lui, de dormir.

40 Au petit matin, sa décision fut prise : il téléphonerait à son père d'une cabine du Lavandou et lui demanderait conseil. Georges n'était plus le grand frère bienveillant qu'il croyait et c'est surtout cette pensée qui faisait mal à Ricky. Il décida de fermer sa chambre à clé et de n'en sortir que pour descendre téléphoner en ville. Aux alentours de neuf heures du matin, la voix de Sophie

45 traversa la cloison séparant la chambre de Ricky du couloir :

– Ricky, tu viens déjeuner ?

cafardeux : triste et déprimant.

mettre en scène : montrer le spectacle.

bienveillant : gentil et protecteur.

193

N'obtenant pas de réponse, la jeune fille insista :

– Il y a une surprise pour toi si tu descends…

Des surprises comme celle-là, il s'en passait volontiers, Ricky. Les filles disent

150 vraiment n'importe quoi.

– Tu sais quel jour nous sommes ? reprit Sophie.

La voix chevrotante du garçonnet se fit enfin entendre :

– Heu… le… le 7 septembre.

– Et le 7 septembre, c'est ?

155 – Je sais pas… ah si : mon anniversaire.

Alors Georges et Sophie entonnèrent derrière la porte le célèbre *Happy birthday to you*.

Timidement, le gamin déverrouilla sa porte et, l'œil noir, rejoignit son frère et sa sœur. Les deux aînés chantaient toujours en descendant l'escalier.

6

160 Un beau gâteau trônait sur la table de la salle à manger. Neuf bougies étaient plantées dans la délicieuse pâtisserie et, contre une chaise, le grand sac en plastique reposait.

Ricky, les yeux exorbités, ne pouvait détacher son regard de la forme habillée de noir. La voix lui manquait, il ne savait plus quoi dire ni faire.

165 – Eh bien, proposa Georges, tu n'ouvres pas le sac ?

– Il y a peut-être un cadeau dedans, suggéra Sophie.

Mais l'enfant faisait non avec la tête, muet et statufié au pied de l'escalier.

– Bon, alors je l'ouvre pour toi, proposa son grand frère.

Et d'un coup de canif, il déchira l'enveloppe qui s'affaissa en boule par terre.

des yeux exorbités : des yeux grands ouverts comme s'ils allaient sortir de leur orbite.
statufié : paralysé, complètement immobile.

Je comprends

1. Qui sont les trois personnages principaux de ce roman ?
2. Quel personnage, absent physiquement, est pourtant très présent dans ce roman ? Quel est son rôle ?
3. Quelle scène surprend Ricky au milieu de la nuit ?
4. Quel méfait soupçonne-t-il alors ?
5. Qui en serait le coupable ? Pour quelles raisons ?
6. Que s'est-il réellement passé dans la nuit ?
7. Qu'est-il en fait arrivé à Bruno Ségura ?

Je repère

1. Relève le titre de ce roman. À quel passage du texte renvoie-t-il ?
2. Où et quand le récit se déroule-t-il ?
3. Quelle est la situation des personnages au début du roman ?
4. Quel événement du chapitre 1 déclenche l'action ?
5. Quels événements inquiètent Ricky et entretiennent ses doutes sur son frère ?
6. Combien de scènes se déroulent la nuit ? Quelle atmosphère s'en dégage ?
7. Quels événements viennent terminer le roman ?

170 Un vélo d'occasion remis entièrement à neuf brillait de tous ses feux sous les yeux ébahis de Ricky.

ébahi : stupéfait.

– C'est Georges qui l'a entièrement repeint en rouge, précisa Sophie.

– Je le cachais dans la grange, c'est pour ça qu'elle était fermée à clé, gros malin ! Il en aurait pleuré, Ricky. Pas tellement pour ce cadeau mais de savoir que son frère

175 et sa sœur étaient bien toujours les mêmes : des copains formidables, les meilleurs qu'il aurait jamais. Puis il fronça les sourcils car un détail l'embêtait encore.

– Mais la tronçonneuse ? Pourquoi tu coupes du bois en été ? questionna l'enfant en regardant son frère avec sévérité.

– Papa et maman viennent passer une semaine ici en novembre et ils auront

180 besoin de bois d'avance pour se chauffer.

Ricky se précipita au cou de Georges. Ce type-là était génial : il n'assassinerait jamais personne et c'était son frère à lui, Ricky.

7

Alors qu'ils faisaient honneur au gâteau en riant comme des fous, on frappa trois coups à la porte. Sophie se leva pour ouvrir et introduisit Pluto dans la

185 grande pièce.

– Je suis passé vous prévenir au sujet de Bruno Ségura… commença le gendarme.

– Vous l'avez retrouvé ? s'enquit Georges.

– Malheureusement oui. Il avait volé une moto pour rejoindre des amis en Italie. Il s'est tué contre un arbre, la nuit dernière, sur une route de campagne.

190 Tous les Miller baissèrent la tête. Ils avaient maintenant un peu honte de leur joie et, quand le gendarme fut parti, le beau gâteau d'anniversaire leur parut beaucoup plus fade qu'en début de matinée.

Marc Villard, *Les Doigts rouges*, coll « Mini-Souris », © éd. Syros, 2005, 2007.

Je dis

1. Relis le texte des lignes 124 à 139. Quel sentiment ressent Ricky dans ce passage ?
2. Dis ce passage en faisant ressentir la montée de l'angoisse du personnage.

Je débats

Ricky
1. Quels sont ses sentiments envers son grand frère au début du roman ?
2. Comment ces sentiments évoluent-ils au fur et à mesure du roman ? Pourquoi ?
3. Qu'aurais-tu fait à la place de Ricky ?

L'histoire

4. L'auteur a choisi de placer des scènes importantes du récit la nuit. Quelle impression veut-il produire sur le lecteur ?
5. Ces scènes produiraient-elles le même effet si elles se déroulaient en plein jour ? Pourquoi ?

J'écris

1. Recopie le premier paragraphe du roman et souligne les compléments du nom.
2. Imagine que tu es Ricky. Écris un paragraphe où tu racontes à ton frère l'une des choses que tu as imaginées sur lui.

Le suspense dans le roman policier

Je lis

1. Lis ces deux extraits du même roman.

A. La brûlante journée se consuma irrésistiblement et, quand le soleil descendit derrière les maisons, la peur s'approcha avec les premières ombres du soir. C'était comme une prémonition ; jamais Buddy ne s'était senti comme ça. La nuit prochaine allait être mauvaise, l'obscurité serait une ennemie pour lui, et il n'y avait personne à qui il pût se confier pour implorer secours.

B. Pendant plusieurs minutes, ce fut le silence, le calme avant la tempête. Buddy respirait avec la bouche ouverte et, malgré cela, il avait l'impression de n'avoir pas assez d'air, de suffoquer. Puis il y eut un bruit de serrure. De l'autre côté, dans la pièce voisine.

William Irish, *Une incroyable histoire,* © éd. Syros, 2004, 2007.

2. Qu'est-ce qui rend l'atmosphère inquiétante ?

3. Quel sentiment et quelles sensations ressent Buddy ?

4. Relève la phrase qui indique au lecteur qu'un événement va se produire.

5. Lis cet extrait d'un autre roman.

A. Sincèrement, j'aimerais pouvoir vous rassurer. Mais nous ne sommes pas dans un rêve : Jolie est VRAIMENT poursuivie par H.L. qui est un drôle de garçon. Il n'est pas méchant-méchant, mais il est persuadé que Jolie va le dénoncer à la police et il veut la faire taire. COÛTE QUE COÛTE, LA FAIRE TAIRE !
Car il a la police en horreur, et la prison l'épouvante. Plus jamais il ne retournera en prison ! Il se l'est promis. Mais ira-t-il jusqu'à TUER Jolie ? Ça c'est la suite de l'histoire qui le dira.

Hubert Humbert, *La Nuit du voleur*, coll. « Souris-noire », © éd. Syros, 1998.

6. À qui s'adresse le narrateur ? Comment fait-il monter progressivement le suspense ?

J'ai appris

Dans un roman policier, les auteurs utilisent plusieurs procédés pour créer du suspense :
- **L'identification du lecteur au personnage principal** : description de ce que perçoit le personnage et de ce qu'il ressent, en utilisant le champ lexical de la peur et de l'angoisse (*ex. :* la peur de Buddy qui apparaît avec la nuit, son impression de suffoquer, le bruit de serrure…).
- **La création d'une atmosphère inquiétante** : les lieux, les personnages et l'ambiance deviennent étranges, effrayants (*ex. :* l'histoire de Buddy a lieu la nuit).
- **La création d'une tension**, en jouant avec les nerfs du lecteur (*ex. :* « Sincèrement, j'aimerais pouvoir vous rassurer… ») ou en lui annonçant ce qui pourrait arriver (*ex. :* « Mais ira-t-il jusqu'à TUER Jolie ? »).
- C'est le **suspense** qui rend les romans policiers palpitants.

Écrire un récit policier à suspense

Je lis

1. Voici la couverture d'un roman policier et le texte de la quatrième de couverture :

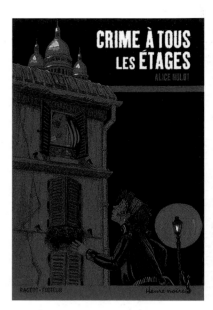

Dans un petit immeuble parisien, au cœur de Montmartre, les habitants se regardent avec méfiance depuis que Mme Pierre a été assassinée. L'enquête piétine. Si les mobiles ne manquent pas, les alibis sont solides. Mais Valentine est curieuse. Très curieuse. Elle fouille, questionne, enquête. Et découvre que tous ses voisins ont quelque chose à se reprocher…

2. Quelles informations te donne cette quatrième de couverture sur les personnages, le lieu de l'action, le méfait… ?

3. Cherche ce que sont **un mobile** et **un alibi** dans ton dictionnaire.

4. Comment cette quatrième de couverture crée-t-elle du suspense ?

5. Observe la couverture. À ton avis, qui est dessiné dessus ? Quel âge a ce personnage ? Quel va être son rôle ?

J'écris

- **À partir de cette quatrième de couverture, écris un récit policier à suspense.**
  Tu peux choisir d'être Valentine ou l'un de ses amis qui mène l'enquête.
  Écris ton texte à la 1re personne du singulier.

Étape 1 : Je réfléchis

1. Quelles sont les circonstances du crime ?
2. Qui est l'enquêteur ? Décris-le.
3. Quels indices va-t-il trouver ?
4. Quels personnages va-t-il suspecter ?
5. Quel est l'alibi de chacun ?
6. Comment va-t-il identifier le coupable ?

Étape 2 : Je me prépare à écrire

1. Décris la situation de départ : le méfait – le lieu – le moment de la journée…
2. Décris l'arrivée de ton enquêteur sur le lieu du crime.
  • *Ex.* : il est arrivé avec la police – il allait chez un ami – il a entendu des bruits étranges…
3. Choisis tes suspects et décris-les. Rends-les étranges pour que le lecteur les soupçonne :
  • Portrait physique : l'homme avec son visage osseux et son nez en bec d'aigle qui a l'air d'un rapace guettant sa proie – cette femme toute ridée qui a l'air d'une véritable sorcière…
  • Portrait moral : il ne dit jamais bonjour – elle crie toujours après les enfants du voisinage…

4. Décris les étapes de l'enquête menée : les indices découverts – les lieux inspectés – les questions posées aux suspects…
5. Crée du suspense :
  • Utilise le vocabulaire de la peur : terrifiant – frayeur – panique – affolement – épouvante…
  • Décris les sensations du personnage principal : frissonner – être paralysé – avoir des sueurs froides – trembler – ne plus respirer…
  • Annonce ce qu'il peut se passer : le criminel pourrait essayer de tendre un piège à l'enquêteur…
6. Explique comment l'enquêteur trouve finalement le coupable et ce qui lui arrive : il est arrêté – il parvient à s'enfuir…

Étape 3 : Je me relis

- J'ai respecté les différentes étapes du roman policier.
- J'ai fait monter peu à peu le suspense.
- J'ai retardé jusqu'à la fin la découverte du coupable.
- Je vérifie que mon histoire est inquiétante et intriguera le lecteur.

Décrire une scène de crime

J'observe et je réfléchis

1. Observe cette bande dessinée qui montre l'arrivée d'un enquêteur sur le lieu d'un crime.

2. Présenter les lieux (l'extérieur) :
- Quel lieu est représenté dans la vignette 1 ?

3. Présenter les lieux (l'intérieur) :
- Quelles pièces découvre-t-on ?
- Quels objets s'y trouvent ?
- Quels indices te donnent-ils sur le déroulement du crime ?
- Où est la scène du crime ?

4. Le point de vue de l'enquêteur :
- Regarde où est l'enquêteur sur la vignette 2. Quel itinéraire va-t-il suivre pour découvrir la maison et arriver à la scène du crime ?
- Recherche des verbes de mouvement qui permettent de décrire ses déplacements.
- Quelles émotions ou sensations ressent-il au fur et à mesure de ses découvertes ?

Je décris un lieu inquiétant

- **Imagine que tu es l'enquêteur de la bande dessinée. Décris à tes collègues ta découverte de cette scène de crime.**

Pour bien décrire un lieu inquiétant

- J'utilise la 1re personne du singulier.
- J'utilise des mots et des expressions pour situer et indiquer les déplacements de l'enquêteur.
- Je crée une atmosphère inquiétante en indiquant ce qu'il ressent en découvrant le manoir.
- J'adopte le ton qui convient à une atmosphère inquiétante.

Bilan

Pour faire le bilan de tes lectures, recopie les phrases qui correspondent le mieux
à chaque histoire que tu viens de lire. Puis explique tes choix en répondant aux questions.

Thème 3 : Le roman policier animalier

1. Vrai ou faux ?
 a. Dans les romans policiers animaliers, les personnages sont des animaux.
 b. Dans les romans policiers animaliers, les animaux mènent une enquête comme les humains.
 c. Les romans policiers animaliers font très peur.
 d. Les romans policiers animaliers sont généralement humoristiques.
2. Quelles différences y a-t-il entre les romans policiers animaliers et les autres romans policiers ?
 Quelles ressemblances ?
3. Quels éléments rendent ces romans humoristiques ?

Thème 4 : Le roman policier à suspense

1. Vrai ou faux ?
 a. Dans un roman policier à suspense, l'atmosphère est inquiétante.
 b. Dans un roman policier à suspense, le dénouement de l'enquête est retardé jusqu'à la fin.
 c. Dans un roman policier à suspense, on ne connaît pas les sentiments des personnages.
 d. Le roman policier à suspense est souvent raconté du point de vue de l'enquêteur
 ou de la victime.
2. De quelle façon les auteurs font-ils monter le suspense dans ce type de roman ?
3. Quelle impression produisent généralement ces romans sur le lecteur ?
 Qu'en pensent tes camarades ?

Lectures en réseaux

• Des romans policiers animaliers

– *Un privé chez les insectes,* Paul Shipton, Le Livre de Poche Jeunesse.
– *Sherlock Heml'os mène l'enquête*, Jim Razzi, Le Livre de Poche Jeunesse.
– *Hermux Tantanoq – Le Temps ne s'arrête pas pour les souris*, Michael Hoeve,
  coll. « Wizz », Albin Michel Jeunesse.
– *Bull Mastick – Le Musée du Chat botté*, François Desmazures,
  coll. « Lampe de Poche », Grasset Jeunesse.

• Des romans policiers à suspense

– *Une incroyable histoire*, William Irish, coll. « Sourisnoire », éd. Syros.
– *Torpédo contre les gangsters*, Jean-Paul Nozière, coll. « Je bouquine »,
  éd. Bayard Poche.
– *La Nuit voleur – Hubert Humbert*, coll. « Sourisnoire », éd. Syros.
– *Qui a tué Minou Bonbon ?*, Joseph Périgot, coll. « Mini-Syros Polar », éd. Syros.

Grammaire : L'adjectif qualificatif, p. 74.
Grammaire : Le complément d'objet direct, p. 78.

Quatre ans de vacances !

THIBAULT et Marion ont 7 et 5 ans lorsque leurs parents décident de partir. Ils veulent visiter un pays. « *Mais quel pays ? On veut tous les faire, alors on les fait tous !* » raconte Corinne, la maman. Ils vendent leur magasin de camping-cars et partent en août 2002 de Besançon (Doubs). Commence
5 alors un voyage de quatre ans, interrompu par de courts retours en France.

Animaux extraordinaires

Dans l'ordre, ils parcourent l'Europe (2002), l'Amérique du Nord (2003-2004), l'Amérique centrale et du Sud (2004), l'Australie, l'Asie du Sud-Est (2005), l'Inde et le Moyen-Orient (2006). Ils croisent des animaux extraordi-
10 naires : kangourous, coatis, perroquets, cacatoès, toucans, pélicans, méduses, tortues, tigres, caribous, éléphants… « *On les voit dans la nature. Mais, parfois, on cherche longtemps avant de les trouver !* » raconte Thibault.

Pays riches et pauvres

Ils traversent des pays riches et des pays pauvres. Ils rencontrent d'autres
15 cultures. Mais pour ne pas oublier la leur, les enfants prennent des cours par correspondance : français et maths. « *On apprend l'histoire-géo en traversant les pays. On fait de l'éducation civique en respectant les peuples que l'on rencontre.* » Ils rentrent en France en juillet 2006, pour la rentrée en sixième de Thibault. Mais la famille compte bien repartir un jour. Peut-être en Afrique : « *On ne*
20 *connaît que le Maroc !* »

un coati :
un petit mammifère carnivore d'Amérique du Sud.

un cacatoès :
un perroquet d'Australie, à la crête jaune et au plumage blanc.

un toucan :
un oiseau d'Amérique du Sud au bec orange et au plumage coloré.

un cours par correspondance :
un cours envoyé par la poste.

Je comprends

1. Quel est le thème de cet article ? À qui s'adresse-t-il ?
2. Comment s'appellent les deux enfants interviewés ?
3. D'où viennent-ils ?
4. Quelles régions du monde ont-ils parcourues ? En combien de temps ?
5. Quels animaux extraordinaires ont-ils vus ?
6. Qu'ont-ils appris au cours de ces années ?
7. Quel est le meilleur et le pire souvenir de chacun d'eux ?

Je repère

1. Quel est le titre de cet article ?
2. Quel est le titre du journal dans lequel il a été publié ? À qui s'adresse ce journal ?
3. De combien de parties cet article se compose-t-il ? À quoi le vois-tu ?
4. Quel est le rôle des passages en italique p. 200 ?
5. Quelles informations te donne le texte des lignes 6 à 20 ?
6. Comment appelle-t-on le texte qui est sur un fond en couleur ? Pourquoi certaines parties de ce texte sont-elles en gras ?
7. Qui pose les questions ? À qui ?

« Nos pays préférés : le Brésil et le Costa Rica »

Thibault , 11 ans et demi, est en sixième. Marion, 9 ans, est en CM1. Ils habitent à Besançon (Doubs).

❓ Quel a été votre pays préféré ?

25 *Thibault.* Le Brésil ! On a vu des belles plages. On est restés deux semaines dans un camping génial avec une piscine. J'ai appris la *capoeira*, un art martial brésilien.

Marion. Le Costa Rica. J'ai vu plein de perroquets qui volaient, des ratons laveurs, un toucan. Des singes hurleurs voulaient même nous piquer notre 30 goûter ! Un volcan se réveillait, avec des jets de lave.

❓ Votre meilleur souvenir ?

Thibault. La plongée sous-marine aux îles Pérentianes (Malaisie). J'ai essayé de m'agripper à une tortue !

Marion. Quand j'ai nagé avec un dauphin en Thaïlande.

35 **❓ Votre pire souvenir ?**

Marion. La Bolivie, quand il faisait – 20 °C la nuit et 0 °C dans le camping-car.

Thibault. À la frontière entre l'Argentine, la Bolivie et le Chili, on est tombés en panne d'essence à 5 200 m d'altitude, plus haut que le mont-Blanc ! On est restés coincés dans la neige.

40 **❓ Comment faisiez-vous pour parler avec les gens ?**

Thibault. On se débrouillait avec un peu d'espagnol et d'anglais. On faisait des gestes. [...]

Le Journal des enfants, n° 1095, jeudi 5 octobre 2006.

Je dis

1. Relis l'introduction de l'article. Quelles sont les principales informations qu'elle donne ?
2. Lis cette introduction à voix haute en insistant sur les informations les plus importantes.

Je débats

Thibault et Marion

1. Pendant leur voyage, Thibault et Marion ne sont pas allés à l'école. Comment ont-ils continué à apprendre des choses ?
2. À ton avis, quels sont les avantages et les difficultés de ce genre de voyage ?

L'article

3. As-tu besoin de lire l'intégralité de cet article pour en connaître les informations principales ? Pourquoi ?
4. Comment le journaliste s'y prend-il pour donner envie au lecteur de lire son article ?

J'écris

1. Recopie la première réponse de Marion (lignes 28 à 30). Complète chaque groupe nominal avec un adjectif qualificatif et souligne les C.O.D.
2. Imagine que tu es un(e) journaliste. Réécris le paragraphe 2 (lignes 6 à 12), sous forme d'interview.

La presse et le documentaire
Thème 5 : Vivre et voyager dans d'autres pays

Grammaire : L'adjectif qualificatif, p. 74.
Conjugaison : L'imparfait, p. 76.

REPORTAGE : Raconte-moi la Terre

sillonner : parcourir.

Pendant un an, deux étudiants, Diego et Jean-Christophe, ont sillonné l'Afrique en tandem. Leur projet : guider des non-voyants dans les pays traversés et leur raconter le monde. 13 000 kilomètres d'aventure épicée et de sens partagés.

enfourcher : monter sur.

5 6 juillet 2002, à Lyon. Diego et Jean-Christophe, 23 ans, ont enfourché leur tandem sous le regard ému de leurs familles et amis. L'aventure « *Raconte-moi la Terre* » commençait. En route pour une année à travers le Maroc, le Sénégal, la Tanzanie, la Tunisie… à la rencontre des populations et de leurs cultures. Dans chaque pays, les deux garçons avaient rendez-vous avec deux non-

un local : un habitant du lieu où l'on se trouve.
une contrée : une région.

10 voyants locaux, pour découvrir leur contrée. Azzedine, Khalid, Ousmane, Abdoul… se sont succédé sur Cyrano et Noisette, les fidèles tandems.

15 27 coéquipiers. 13 000 kilomètres parcourus. 4 ascensions de monts de plus de 4 000 mètres. Et chaque fois, les pilotes décrivaient le
20 paysage tandis que les locaux racontaient l'histoire de leur pays.

Jean-Christophe Perrot (23 ans) et l'un des jeunes Africains non-voyants sur leur tandem.

Je comprends

1. Quel est le thème de cet article ?
2. Qui sont les deux hommes interviewés ? D'où viennent-ils ?
3. Quels pays ont-ils traversés ?
4. Combien de kilomètres ont-ils parcourus ? Avec quel véhicule ?
5. Avec qui avaient-ils rendez-vous dans chaque pays ?
6. Que faisaient-ils pendant les trajets de leur voyage ?
7. Que leur ont apporté les personnes rencontrées ?
8. Qu'ont décidé de faire les deux amis à leur retour ?

Je repère

1. Quel est le titre de ce texte ? Quel autre titre pourrais-tu lui donner ?
2. Ce texte raconte-t-il une histoire imaginaire ou rapporte-t-il des informations réelles ?
3. Combien a-t-il de parties ?
4. Sur quel sujet chacune d'elles donne-t-elle des informations ?
5. De quel type de texte s'agit-il ? Explique ta réponse.
6. Les verbes des lignes 5 à 22 sont-ils au passé, au présent ou au futur ? et ceux des lignes 36 à 40 ? Pourquoi cette différence ?

Voyage partagé

« *Le but de cette épopée,* explique Jean-Christophe, *était de casser les préjugés.*
25 *Tout le monde a l'image des Occidentaux, qui amènent argent et savoir. Nous*
voulions que l'échange se fasse dans les deux sens. » Diego et Jean-Christophe
ont en effet beaucoup apporté à leurs coéquipiers, mais ils ont aussi beaucoup
reçu. Ils ont énormément appris sur l'histoire, les coutumes, les religions
de ce continent aux mille facettes. Et grâce aux locaux, ils ont été accueillis
30 chaleureusement dans tous les villages. « *Les gens étaient curieux de nous voir*
arriver sur ces étranges vélos, se souvient Jean-Christophe. *Et puis il y avait*
le violon de Diego, qui attirait les foules et brisait tout de suite la glace. »
« *Voyager,* résume Diego Audemard, *c'est s'ouvrir aux autres, c'est aussi mieux*
se connaître soi-même. »

35 ### Transmettre et repartir…

Aujourd'hui, Diego est responsable commercial à Barcelone. « *Grâce à ce*
métier, dit-il, *je voyage beaucoup et je continue à mettre en pratique les techniques*
de négociations acquises sur les marchés africains ! » Quant à Jean-Christophe, il
vient de repartir ! Avec Clémence, sa petite amie, ils vont effectuer la traversée
40 de l'Atlantique en cargo, suivie d'un périple en moto side-car sur le continent
sud-américain. Les deux amis ont décidé de transmettre leur savoir et leur
goût de l'aventure. De leur périple en Afrique, Diego et Jean-Christophe
ont écrit un livre, enregistré un carnet de voyage sonore et organisé plusieurs
conférences. « *Je crois que c'était important pour nos familles et amis,* explique
45 Jean-Christophe, *mais aussi pour nous. Nous avions besoin de mettre au propre*
la belle aventure que nous avons vécue. »

Mathilde Bréchet, d'après une interview réalisée par Antoine Kodio
(14 ans, stagiaire), *Sept autour du monde,* © éd. Cabrera, février 2008.

---

une épopée :
un long voyage.
un préjugé :
une idée toute faite.
un Occidental :
une personne
qui vit en Europe
ou en Amérique
du Nord.
**aux mille
facettes :**
très varié.

**un responsable
commercial :**
une personne qui
s'occupe de vendre
les marchandises
d'une entreprise.
une négociation :
une discussion pour
trouver un accord.
un cargo :
un gros bateau
qui transporte
des marchandises.
un périple :
un voyage.

Je dis

1. Repère les paroles prononcées
   par Jean-Christophe et Diego entre
   les lignes 24 et 34. Comment les reconnais-tu ?
2. Lis ce paragraphe en distinguant bien le récit
   du journaliste et les paroles des deux hommes.

Je débats

Voyager

1. Diego et Jean-Christophe ont passé plusieurs
   mois à voyager en tandem. Aimerais-tu vivre
   ce type d'expériences ? Pourquoi ?
2. Quel type de voyages aimerais-tu faire ?

L'article

3. Diego pense que « voyager, c'est s'ouvrir
   aux autres, c'est aussi mieux se connaître ».
   Qu'en penses-tu ?

J'écris

1. Écris les questions qui correspondent
   aux réponses données par Diego et
   Jean-Christophe entre les lignes 24 et 34.
   Utilise des verbes conjugués à l'imparfait.
2. Imagine que tu es l'un des deux étudiants.
   Décris le paysage que tu traverses.
   Utilise des adjectifs qualificatifs pour que
   ta description soit précise.

L'interview

Je lis

1. Lis ces extraits d'un article.

A. *Antoine de Maximy a réalisé des documentaires dans le monde entier. Puis il a décidé de réaliser sa propre émission : « J'irai dormir chez vous ».*

B. **Comment est née l'idée de l'émission ? Vous avez toujours voulu voyager ? Quel est le plus beau voyage que vous ayez fait ? Les enfants sont-ils tous les mêmes d'un pays à l'autre ?**

C. **Il vient dormir chez vous**

D. « Non, je n'ai commencé à voyager qu'à 20 ans. Mes parents ne voyageaient pas. » « Non, dans les pays pauvres, les enfants sont plus durs. Leur vie est difficile ; on dirait qu'ils grandissent plus vite. » « J'avais envie de montrer ce qu'on ne voit jamais : des rencontres avec des gens normaux, en toute simplicité. » « J'en ai fait tellement que je ne peux pas choisir. J'ai plongé à 5 000 mètres dans le Pacifique ; je suis descendu dans des gouffres de glace en Arctique ; j'ai fait des expéditions sur les cimes des arbres avec le Radeau des cimes… »

Propos recueillis par Caroline Gaertner, Le Journal des enfants, jeudi 12 avril 2007.

2. Qu'as-tu compris de l'article ? Les affirmations suivantes sont-elles vraies ou fausses ?
– Le thème de l'article est le sport.
– Dans l'interview, Antoine raconte comment lui est venue l'idée de cette émission.
– Les enfants sont pareils dans tous les pays.
– Antoine n'a commencé à voyager qu'à 20 ans.

3. Associe les paragraphes aux différents éléments qui composent une interview :
– le titre ;
– l'introduction ;
– les questions ;
– les réponses aux questions.
Comment as-tu fait ?

4. Remets les questions dans l'ordre logique et associe-les aux réponses qui correspondent.

J'ai appris

• Dans une interview, on trouve :
– **un titre**, qui annonce le thème de l'article. Il est court et écrit plus gros que le reste du texte (ex. : **Il vient dormir chez vous**) ;
– **une introduction**, appelée un « chapeau », qui situe le sujet : qui, quoi, quand, où. Elle est composée de deux ou trois phrases, souvent écrites en italique, en gras ou en couleur (ex. : *Antoine de Maximy a réalisé des documentaires dans le monde entier. Puis il a décidé de réaliser sa propre émission : « J'irai dormir chez vous ».*) ;
– **les questions** du journaliste, qui oriente l'information sur un sujet précis, et **les réponses** de l'interviewé (ex. : **Comment est née l'idée de l'émission ?** « J'avais envie de montrer ce qu'on ne voit jamais… »). Questions et réponses sont souvent écrites dans des caractères ou des couleurs différents pour permettre de bien les distinguer.

Écrire une interview

Je lis

Fleur de Lampaul.

1. Voici des informations recueillies par un journaliste sur le voyage de jeunes marins reporters.

• *Fleur de Lampaul* : caboteur à voiles utilisé entre 1987 et 2001 comme voilier océanographique par l'association L'Archipel. Objectif : faire découvrir le milieu marin à des « Jeunes marins reporters ».

• **Les enfants reporters** : en 1995-1996, embarquement de Pierre, Émilie, Nicolas et Hélène pour découvrir le milieu marin. Durée du voyage : 9 mois en Guyane et dans les Caraïbes. Objectif : étude de la faune et de la flore amazoniennes, découverte des Indiens Wayanas. Au programme aussi : participation à la vie à bord et travail scolaire.

• **Paroles de reporters** : Nicolas : « Pêcher avec un arc comme les Indiens Wayanas, ce n'est pas évident. » **Hélène** : « Entre le roulis et les dauphins qui viennent vous chercher, pas facile de se concentrer pour faire ses devoirs. » **Émilie** : « *Fleur*, c'est la plus belle des écoles : l'école de la vie dans toute sa splendeur. »

D'après un article de Claire Laurens, *L'Hebdo des Juniors*, n° 190 et le site www.planete-eau.org.

2. Qu'est-ce que *Fleur de Lampaul* ?

3. Comment l'association L'Archipel appelle-t-elle les enfants qui s'embarquent sur ce bateau ?

4. Quels sont les objectifs de ce voyage ?

5. Combien de temps et où les enfants ont-ils voyagé ?

J'écris

• **Imagine que tu es journaliste. À partir des informations que tu viens de recueillir (*cf. Je lis*), écris une interview pour ton journal.**

Étape 1 : Je réfléchis

1. Quelles informations est-il important de donner en introduction ?

2. Pour donner d'autres informations sur le bateau ou l'association, où peux-tu les chercher ?

3. Que sais-tu du voyage des enfants reporters ?

4. Qu'ont-ils appris pendant leur voyage ?

Étape 2 : Je me prépare à écrire

1. Recherche un titre pour ton interview.
• *Ex. : Fleur de Lampaul* ou l'école de la vie !

2. Pour introduire ton article, écris un paragraphe qui réponde aux questions : Qui ? Quoi ? Quand ? Où ? Recherche éventuellement d'autres informations sur Internet.

3. À partir des réponses des enfants reporters, écris les questions auxquelles ils ont répondu. Tu peux aussi inventer d'autres réponses que celles qui sont proposées.

Étape 3 : Je me relis

• J'ai structuré mon interview à l'aide d'un titre, d'une introduction, de questions et de réponses.

• J'ai présenté chacun des différents éléments dans des caractères et des tailles différents de manière à ce que l'information soit claire.

• J'ai présenté le sujet de mon article dans l'introduction.

• Je vérifie que j'ai bien restitué toutes les informations données.

Conjugaison : Le passé composé des verbes
des 1er et 2e groupes, p. 92.
Conjugaison : Le passé composé des verbes
irréguliers, p. 94.

Le « DIVIN »
Michel-Ange

À la Renaissance, la plupart des nobles et des riches bourgeois
considèrent comme indigne de leur rang qu'un de leurs enfants
se livre à une activité artisanale et devienne peintre ou sculpteur.
Un père qui a pu acquérir une culture de haut niveau, dispensée en latin
5 et à l'Université, ne peut en effet concevoir que son fils fréquente les
ateliers et vive un jour du travail de ses mains.

Tel est le cas de Michelangelo Buonarroti. Son père, descendant d'une
vieille famille florentine, exerce les fonctions de premier magistrat de
deux cités toscanes.

10 Comme il l'a fait pour ses fils aînés, il envoie donc le jeune Michelangelo
se former aux disciplines intellectuelles auprès d'un humaniste.
Mais, à Florence, l'enfant se lie d'amitié avec le peintre Francesco Granacci
qui l'encourage à dessiner. Fermement décidé à donner libre cours à ses
dispositions artistiques, Michel-Ange réussit à vaincre l'hostilité familiale.
15 Toutefois, on raconte que seule l'intervention personnelle de Laurent le
Magnifique permit de vaincre les résistances du vieux Buonarroti.

Michel-Ange a treize ans quand, le 1er avril 1488, il entre en apprentissage
chez les frères Ghirlandaio, dans l'atelier de peinture le plus actif et le plus
renommé de Florence à l'époque. Un contrat de trois ans est signé,
20 précisant le salaire qui sera versé à l'apprenti. Mais, au bout d'un an,
Michel-Ange quitte l'atelier pour poursuivre seul sa formation, en
autodidacte. Il dessine, modèle l'argile, copie sculptures et peintures
des grands maîtres du passé.

---

la Renaissance :
mouvement artistique
et scientifique qui
succède au Moyen
Âge (xve siècle).
**se livrer
à une activité :**
prendre pour métier.
dispenser : donner.
concevoir : imaginer.

une discipline :
une matière.
un humaniste :
à la Renaissance,
une personne cultivée.
**fermement décidé
à donner libre
cours à ses dispo-
sitions artistiques :**
voulant devenir
un artiste.
**entrer
en apprentissage :**
commencer
à apprendre un métier
chez un artisan.
en autodidacte :
seul, sans l'aide
d'un maître.
modeler : façonner
avec ses mains.
les grands maîtres :
les grands artistes.

Michel-Ange n'aimait pas les portraits. Mais ses contemporains, qui l'admiraient, ont tenté d'immortaliser ses traits (portrait de Michel-Ange par Bugiadini, 1522).

207

un **érudit** : une personne très savante.
parfaire : achever.
un **bas-relief** :
une sculpture avec peu de relief.
un **Centaure** :
une créature
à torse d'homme
et à corps de cheval.
une **mêlée** :
une lutte.
ample : large.
assimiler : apprendre.
toscan : de la Toscane, région de l'Italie.
traduire : exprimer.
fresquiste : artisan qui fait des fresques (peintures réalisées sur les murs).
incarner :
personnifier.
libéral : tolérant, ouvert aux autres.

25 Laurent le Magnifique, qui possède une riche collection de sculptures antiques dans des jardins près du couvent de San Marco, lui en ouvre les portes. Il l'accueille également dans son palais. Là, Michel-Ange peut rencontrer un cercle d'érudits, de poètes et de philosophes, au contact desquels il parfait son éducation.

30 En 1492, il suscite l'admiration de ses contemporains en sculptant deux bas-reliefs, *La Bataille des Centaures et des Lapithes* et *La Madone à l'échelle*. Dans la première œuvre, il fait surgir du marbre la mêlée mouvementée des animaux et des corps nus masculins, dans la seconde, les formes amples et imposantes d'une beauté féminine. À dix-sept ans, il a non seulement assimilé, en dessinant et en copiant, la leçon des
35 grands sculpteurs toscans du XVᵉ siècle et celle des œuvres antiques, mais il prouve également qu'il est capable, en s'inspirant d'œuvres littéraires et poétiques, de traduire dans le marbre la culture des lettrés et des philosophes de son temps. Celui qui deviendra le « divin » Michel-Ange, architecte, peintre, fresquiste, sculpteur et poète, celui qui
40 incarnera l'idéal de l'artiste « libéral » du XVIᵉ siècle, symbolise donc dès sa jeunesse les changements profonds qui marquent la vie artistique de la

Je comprends

1. Qui est Michel-Ange ?
2. Quel est son véritable nom ?
3. À quelle époque et dans quelle ville vivait-il ?
4. Que souhaitait-il faire lorsqu'il était enfant ? Qu'en pensait son père ?
5. Qui parvient à convaincre son père ?
6. Où et avec qui Michel-Ange commence-t-il à apprendre son métier de peintre ?
7. Que décide-t-il de faire au bout d'un an ? Comment poursuit-il sa formation ?
8. Quelles œuvres le rendent célèbre dès son plus jeune âge ?

Je repère

1. Quel est le titre de ce texte ? Quelle explication en est donnée dans le texte ?
2. Ce texte raconte-t-il une histoire imaginaire ou rapporte-t-il des informations ? À quoi le vois-tu ?
3. Y a-t-il des dialogues ou une interview comme dans un roman ou un article de presse ?
4. Quelles œuvres illustrent le texte ? Quel est leur rôle ?
5. Quelles informations supplémentaires te donnent les légendes des œuvres reproduites ?
6. De quel type de texte s'agit-il ? Explique ta réponse.

Le contraste entre des parties très détaillées et d'autres plus sommaires, les variations dans le volume des reliefs (de très plat à très saillant) donnent l'impression que les corps des Centaures sortent du marbre (*La Bataille des Centaures et des Lapithes*, 1492).

Renaissance. La brièveté de son apprentissage, son affranchissement des contraintes

45 de la corporation, sa transgression des règles traditionnelles, son haut niveau de culture, l'affirmation de sa sensibilité sont les signes

50 indiscutables de l'avènement d'une nouvelle figure de l'artiste qui n'a plus rien de commun avec celle de l'artisan.

Martine Lacas,
Artistes de la Renaissance,
coll. « La Vie des enfants »,
© éd. de La Martinière Jeunesse.

l'affranchissement des contraintes de la corporation : l'indépendance vis-à-vis des règles des artisans « classiques ».
la transgression : le non-respect.
l'avènement : la naissance.

le contraste : l'opposition marquée.
sommaire : très simple, peu détaillé.
saillant : qui apparaît en relief.

Je dis

1. Relis le texte des lignes 38 à 42 et relève les substituts qui désignent Michel-Ange.
2. Dis cette phrase longue en insistant sur ces substituts et en marquant bien les pauses aux virgules.

Je débats

Michel-Ange et le métier de peintre
1. Quelle est la réaction de la famille de Michel-Ange lorsque ce dernier veut devenir peintre ?
2. À ton avis, sa famille réagirait-elle de la même façon aujourd'hui ?

Un artiste pas comme les autres
3. Qu'est-ce qui rend Michel-Ange différent des autres peintres de son époque ?
4. À ton avis, quelle différence y a-t-il entre un artiste et un artisan ?

J'écris

1. Réécris la phrase qui commence ligne 38 en conjuguant les verbes au passé composé. Souligne les auxiliaires.
2. À l'aide du tableau reproduit p. 207, écris un portrait physique de Michel-Ange. Décris bien son visage, ses vêtements, son expression.

Vocabulaire : Des mots pour exprimer des sensations, p. 98.

La couleur

Vers la fin du XIXᵉ siècle, certains artistes ont utilisé la couleur de façon radicalement différente. Ils ne peignaient plus ce qu'ils voyaient, mais faisaient appel à la science pour fragmenter les tons et même véhiculer les sentiments.

radicalement :
totalement.
**fragmenter
les tons :** diviser
les nuances
des couleurs.
véhiculer :
transmettre.

**une technique
picturale :**
une façon de peindre.

5 Le pointillisme

L'un des premiers artistes à expérimenter la couleur a été Georges Seurat. Dans les années 1880, il a inventé une technique picturale appelée « pointillisme » (ou « divisionnisme »). Il se servait de centaines de petits points de couleur pure qu'il posait les uns à côté des autres et qui se mélangeaient dans l'œil
10 du spectateur les regardant de loin. Les couleurs semblaient se fondre l'une dans l'autre. Pour Seurat, elles étaient alors plus intenses et plus riches. Paul Signac, un autre pointilliste, avait l'impression de peindre « avec des bijoux ».

Le Bec du Hoc (1888), Georges Seurat. De près, l'herbe est composée de points bleus, orange, roses et verts (voir, ci-contre, le détail agrandi). De loin, ils se mélangent dans l'œil du spectateur en créant la couleur verte.

La couleur expressive

Chez d'autres artistes, les couleurs expriment des valeurs émotionnelles.
15 Le peintre Vincent Van Gogh a écrit : « Plutôt que de chercher à reproduire avec exactitude ce que j'ai devant les yeux, j'utilise les couleurs au hasard pour m'exprimer avec plus de vigueur. »

Van Gogh aimait travailler avec des couleurs vives
20 qu'il appliquait en couches épaisses, souvent directement du tube. Pour lui, les couleurs avaient une signification symbolique.
25 Par exemple, dans les *Tournesols*, une toile qu'il a peinte pour l'artiste Paul Gauguin, il s'est servi de tons orange et jaunes (voir
30 ci-contre) afin de traduire l'amitié et la relation artistique qui les liaient.

Tournesols (1888),
Vincent Van Gogh.

La théorie de la couleur

On peut se servir d'une roue composée de couleurs, le cercle chromatique, pour rechercher les couleurs complémentaires (qui contrastent) et les couleurs analogues (qui sont similaires). Sur le cercle, les premières sont placées face à face et les secondes côte à côte.

Le cercle chromatique est composé des couleurs primaires (rouge, jaune et bleu) et secondaires (vert, orange et violet). Ces dernières sont obtenues en mélangeant à part égale deux couleurs primaires.

Formes planes

intense : très vif.

35 Van Gogh et Gauguin travaillaient avec des couleurs intenses et brillantes choisies en fonction de leurs goûts et non de la réalité. Dans la pratique toutefois, les deux artistes peignaient de manière différente.

Van Gogh utilisait la couleur en couches épaisses, dite *impasto* ou « empâtement ». La trace du pinceau est visible et donne un aspect irrégulier à la surface peinte. Les toiles de Gauguin, elles, ont un aspect lisse. Les formes 40 sont simplifiées, les couleurs appliquées de façon plane et uniforme, en aplat (voir ci-dessous).

Moisson au Pouldu (1890), Paul Gauguin. Remarque comme le chien rouge se détache sur l'herbe verte.

Je comprends

1. À partir de quelle époque la couleur a-t-elle été utilisée différemment par les artistes ?
2. Quel a été l'un des premiers artistes à « expérimenter la couleur » ?
3. À quel mouvement appartenait-il ?
4. Voyait-on la même chose sur ses tableaux de près et de loin ? Pourquoi ?
5. De quelle façon Van Gogh et Gauguin utilisaient-ils les couleurs ?
6. À quoi sert un cercle chromatique ?
7. Pour Paul Sérusier et ses amis, quelle place a la couleur dans un tableau ?

Je repère

1. De quel type de texte s'agit-il ? Explique.
2. Quel est le thème de ce texte ?
3. À quelles dates ont été peintes les quatre œuvres reproduites ? Que remarques-tu ?
4. Pour quelles raisons ces œuvres ont-elles été choisies pour accompagner le texte ?
5. Quel est le titre de l'encadré p. 211 ?
6. Qu'apporte cet encadré au documentaire ?
7. Quel est le titre de l'ouvrage dans lequel a été publié ce documentaire ? Pourrais-tu trouver dans cet ouvrage un texte sur le sport ? Explique ta réponse.

Le bleu le plus bleu

Beaucoup de jeunes artistes, dont Paul Sérusier, Maurice Denis, Pierre Bonnard et Édouard Vuillard, ont été fortement influencés par Paul Gauguin.

Le Talisman (1888), Paul Sérusier. Cette peinture a été inspirée par un paysage boisé. Les couleurs et les formes, simplifiées à l'extrême, sont difficiles à reconnaître, mais, pour Sérusier, cela n'était pas important.

45 Comme lui, ils pensaient que la couleur était ce qui primait dans une peinture. Sérusier a peint *Le Talisman* en suivant les conseils de Gauguin, qui lui disait d'utiliser 50 « le plus beau vert » et « le bleu le plus bleu possible ».

Avec d'autres, Sérusier a fondé le groupe des Nabis (« prophètes » en hébreu). Dans les années 1890, ils 55 ont participé à de nombreuses expositions. Pour eux, la couleur devait être le principal souci de tout artiste. Elle passait avant la ressemblance. Selon Maurice Denis : « Un tableau, 60 avant d'être un cheval de bataille, une femme nue ou une quelconque anecdote, est essentiellement une surface plane recouverte de couleurs en un certain ordre assemblées. »

Rosie Dickins, Mari Griffith et Nathalie Chaput, *Le Grand Livre de l'art*, © 2004 Usborne Publishing Ltd.

primer : être le plus important.

une anecdote : une petite histoire curieuse ou amusante.

Je dis

1. Relis la phrase de Vincent Van Gogh lignes 15 à 17. Comment utilise-t-il les couleurs ?
2. Apprends cette phrase par cœur et dis-la avec conviction, avec colère...

Je débats

La couleur

1. Préfères-tu les peintures qui reproduisent fidèlement la réalité ou celles qui donnent davantage d'importance aux couleurs et aux formes ? Explique ta réponse.

Les tableaux représentés

2. Lequel des tableaux représentés préfères-tu ? Explique pourquoi.

J'écris

1. Observe attentivement le tableau de Paul Sérusier, *Le Talisman*, et décris les sensations que tu ressens en le regardant.
2. Fais des recherches sur le tableau *Tournesols* de Vincent Van Gogh. Écris une légende expliquant à quelle série de tableaux il appartient et où il est conservé aujourd'hui. Attention ! une légende doit être courte.

Le documentaire sur l'art

Je lis

1. Lis ces deux extraits du même documentaire.

A. Nicolas Poussin (1594-1665) est né en Normandie. Malgré l'opposition de ses parents, il part pour Paris, devient l'ami du peintre Philippe de Champaigne. Il se rend à Rome en 1624. Sa célébrité grandit. Louis XIII le nomme premier peintre ordinaire du roi en 1638.

B. Nicolas Poussin est un montreur. Non pas un montreur d'ours mais un montreur d'art. Enfant, il a lu dans les livres les histoires des dieux qui se glissent dans les maisons, dans les arbres et les champs [...]. Toute sa vie, ensuite, il a cherché comment la peinture pouvait raconter la joie, la paix, la douleur, l'orage des cœurs et des esprits. C'est cela qui l'intéressait.

Revue Dada, n° 16, © éd. Mango, 2008.

2. De quel peintre est-il question dans ces deux extraits ?

3. Quel type d'informations donne chacun des extraits sur ce peintre ?

4. Lis cet extrait d'un autre documentaire sur l'art.

C. Monet, *Rue Montorgueil* (81 × 50,5 cm)

Une claire journée d'été, une rue pavoisée de drapeaux et la foule d'un quartier populaire en fête : nous voici rue Montorgueil, c'est gai, bruyant. [...] Rien, pourtant, n'est réellement « décrit » : les touches de couleur sont trop grosses pour offrir une image minutieusement détaillée. Quels repères pouvons-nous trouver ? Les couleurs, c'est vrai : bleu – blanc – rouge, c'est le drapeau français. Quoi d'autre ? Cette zone bleue, en haut de la toile, pourrait bien être le ciel. Et puis il y a aussi la composition : les côtés du tableau sont comme deux triangles qui se rejoignent au centre – ce qui nous donne une impression de profondeur.

Vanina Costa, *Musée d'Orsay*, coll. « Tableaux choisis », © éd. Scala, 1989.

5. Compare cet extrait avec les deux premiers que tu as lus. Donne-t-il le même type d'informations sur le peintre ?

J'ai appris

- Un documentaire artistique peut donner **des informations sur un artiste** (*ex.* : la vie et l'œuvre de Nicolas Poussin), **une œuvre** (*ex.* : la *Rue Montorgueil* de Monet), **un courant artistique** (*ex.* : l'impressionnisme), **des aspects techniques** (*ex.* : l'utilisation de la couleur).
- Ces informations peuvent être de différents types :
  – sur les artistes : leur vie, les techniques qu'ils utilisaient pour peindre, leurs œuvres principales...
  – sur un courant ou une technique : les apports et les différences par rapport aux autres courants et techniques, les principaux artistes de ce courant ou utilisant cette technique...
  – sur une œuvre : quand et pourquoi elle a été réalisée, la technique utilisée, les émotions transmises...

Écrire la biographie d'un artiste

Je lis

1. Lis les informations suivantes.

1482 : Léonard devient « organisateur de fêtes » pour le duc de Sforza à Milan. – 1503-1506 : il peint *La Joconde* qui deviendra le plus célèbre tableau du monde. – 1500 : retour à Florence. – 1519 : mort de Léonard à Amboise. – 1469 : Léonard entre en apprentissage à Florence dans l'atelier de Verrochio. – 1472 : son maître le laisse peindre une partie du baptême du Christ. – 1452 : naissance de Léonard à Vinci dans le Nord de l'Italie. – 1516 : invité par François Ier, il part pour la France et devient premier peintre, architecte et mécanicien du roi.

2. De qui est-il question ?

3. À quel siècle cet homme a-t-il vécu ?

4. Quel était son métier ?

5. À quel âge est-il mort ?

6. Qu'est-ce que *La Joconde* ?

7. Observe le tableau. Qui représente-t-il ?

8. Qui l'a peint ?

Autoportrait de Léonard de Vinci (1515).

J'écris

• **Écris une courte biographie de Léonard de Vinci, ainsi qu'une légende plus détaillée pour le tableau.**

Étape 1 : Je réfléchis

1. Quelles informations vas-tu donner au début et à la fin de ta biographie ?

2. Quels indicateurs vont te permettre d'organiser ton texte chronologiquement ?

3. Quel type d'informations peux-tu donner dans la légende du tableau ?

4. Aimerais-tu donner d'autres informations sur Léonard de Vinci ou sur son œuvre ? Où pourrais-tu les trouver ?

Étape 2 : Je me prépare à écrire

1. Recherche un titre pour ta biographie.
  • *Ex.* : Un génie de la Renaissance.

2. Remets en ordre les différents événements de la vie de Léonard de Vinci.

3. Transforme les dates en âge ou en durée.
  • *Ex.* : À 17 ans Léonard entre en apprentissage. – Pendant trois ans, il peint *La Joconde*.

4. Recherche des connecteurs logiques qui vont te permettre d'enchaîner les idées et les événements.
  • *Ex.* : Léonard est un brillant élève, **c'est pourquoi** son maître le laisse peindre…

5. Choisis le thème de ta légende et rédige-la en une ou deux phrases courtes : la description physique – la description de la technique utilisée…

Étape 3 : Je me relis

• J'ai utilisé les informations qui me sont données pour écrire la biographie.

• J'ai organisé mon texte sans recopier mot à mot les informations données.

• J'ai détaillé la légende du tableau.

• J'ai utilisé des connecteurs chronologiques et logiques.

• J'ai donné un avis personnel.

Donner son avis en argumentant

J'observe et je réfléchis

1. Observe ce tableau de Joan Miró.

Le Carnaval d'Arlequin (1924).

2. Identifier les éléments du tableau :
• La scène se déroule-t-elle à l'intérieur ou à l'extérieur ? Explique ta réponse.
• Quel lieu est représenté, selon toi ? Reconnais-tu des animaux et des objets ? Si oui, lesquels ?

3. Mettre en relation le titre et le tableau :
• Qu'est-ce qu'un carnaval ?
Qui est Arlequin ? Fais une recherche.
• L'aperçois-tu dans le tableau ? Montre-le.

4. Repérer les couleurs, les formes et les lignes :
• Comment les animaux et les objets sont-ils représentés ?

• Quelles sont les couleurs dominantes du fond ? des personnages et des objets ?
• Y a-t-il des formes que tu retrouves à plusieurs endroits ? Lesquelles ?
• Recherche des lignes droites et des lignes courbes qui traversent le tableau. Quel effet cela produit-il ?

5. Construire du sens et donner ses impressions :
• À quels thèmes peut être associé ce tableau : la musique, la danse, la fête, la tristesse… ? Explique ta réponse.
• Que ressens-tu lorsque tu le regardes ?

Je donne mon avis en argumentant

• **Présente le tableau de Miró : décris-le puis dis s'il te plaît ou non.**

Pour bien donner mon avis

• J'indique brièvement ce que j'ai vu dans le tableau.
• Je présente mes arguments à l'aide de verbes d'opinion (croire, penser, aimer…).
• J'utilise des connecteurs logiques (car, parce que, c'est pourquoi, cependant, mais…).
• Je nuance mon avis : ce que j'aime / ce que j'aime moins.

Bilan

Pour faire le bilan de tes lectures, recopie les phrases qui correspondent le mieux aux articles de presse et aux textes documentaires que tu viens de lire. Puis explique tes choix en répondant aux questions.

Thème 5 : Vivre et voyager dans d'autres pays

1. Vrai ou faux ?

a. On a besoin de lire l'intégralité d'un article pour en connaître les informations principales.

b. Dans un article, l'information est organisée par des titres, des paragraphes et l'utilisation de différents types de caractères.

c. En général, chaque paragraphe correspond à une idée.

d. Dans une interview, le choix des questions oriente l'information sur un point précis.

2. Dans une interview, comment les journalistes accrochent-ils l'attention du lecteur ? Donnes-en des exemples.

3. Le sujet d'une interview se limite-t-il à la présentation d'une personne et de son expérience ? Que peut aussi apporter la lecture de ce type d'articles ?

Thème 6 : Le documentaire sur l'art

1. Vrai ou faux ?

a. Dans un documentaire sur l'art, on trouve le portrait de l'artiste et on explique ce qu'il voulait exprimer dans son œuvre.

b. Dans un documentaire sur l'art, les artistes, les œuvres et les courants artistiques sont situés dans le temps.

c. Dans un documentaire sur l'art, on trouve rarement des reproductions d'œuvres.

d. Le documentaire sur l'art permet de mieux comprendre le sens de l'œuvre d'un artiste et les émotions qu'elle suscite.

2. Quel type d'information t'intéresse le plus dans un documentaire sur l'art : la vie de l'artiste, les reproductions d'œuvres, les techniques, la lecture d'œuvres… ?

3. Choisis une œuvre qui te plaît beaucoup (tableau, sculpture, morceau de musique…) et essaie d'expliquer pourquoi.

Lectures en réseaux

• **La presse**

• **Des journaux quotidiens :**
– *Le Journal des enfants.*
– *Mon Quotidien*, éd. Play Bac.

• **Des revues hebdomadaires ou mensuelles :**
– *Les Clés de l'actualité Junior*, Milan Presse.
– *Images Doc*, Bayard Presse.
– *L'Hebdo des juniors*, Fleurus Presse.
– *Okapi*, Bayard Presse.

• **Le documentaire sur l'art**

• **Des revues documentaires sur l'art :**
– *Le Petit Léonard*, éd. Faton.
– *Revue Dada*, éd. Mango.

• **Des livres et albums documentaires :**
– *Le Musée de l'Art pour les enfants*, Amanda Renshaw, éd. Phaidon.
– *Le Chat de Gustav Klimt*, Bérénice Capatti et Octavio Monaco, éd. Grasset Jeunesse.

Le Bourgeois gentilhomme

Monsieur Jourdain, un bourgeois ignorant, cherche à s'instruire rapidement pour se faire passer pour un gentilhomme, c'est-à-dire un noble. L'action se déroule sous le règne du roi Louis XIV.

philosophie :
science qui étudie
la place de l'homme
dans le monde.

Maître de philosophie : Que voulez-vous que je vous apprenne ?

Monsieur Jourdain : Apprenez-moi l'orthographe.

Maître de philosophie : Très volontiers.

almanach : petit
livre comprenant
un calendrier,
les phases de la Lune,
les fêtes et divers
conseils pratiques.

Monsieur Jourdain : Après, vous m'apprendrez l'almanach, pour savoir
5   quand il y a de la lune et quand il n'y en a point.

Maître de philosophie : Soit. Pour bien suivre votre pensée et traiter cette matière en philosophe, il faut commencer, selon l'ordre des choses, par une exacte connaissance de la nature des lettres et de la différente manière de les prononcer toutes. Et là-dessus, j'ai à vous dire que les lettres sont divisées en

ainsi dites :
appelées comme cela.

10   voyelles, ainsi dites voyelles parce qu'elles expriment les voix ; et en consonnes, ainsi appelées consonnes parce qu'elles sonnent avec les voyelles, et ne font que marquer les diverses articulations des voix. Il y a cinq voyelles ou voix : A, E, I, O, U.

entendre :
comprendre
au XVIIe siècle.

Monsieur Jourdain : J'entends tout cela.

15 **Maître de philosophie :** La voix A se forme en ouvrant fort la bouche : A.

Monsieur Jourdain : A, A, oui.

Maître de philosophie : La voix E se forme en rapprochant la mâchoire d'en bas de celle d'en haut : A, E.

Je comprends

1. À quelle époque se déroule ce texte ?
2. Qui est monsieur Jourdain ?
3. Que souhaite-t-il apprendre ? Pourquoi ?
4. Qu'est-ce qui montre qu'il est vraiment ignorant ?
5. Par quel sujet le maître de philosophie commence-t-il sa leçon ?
6. Que montre-t-il à monsieur Jourdain en s'accompagnant de gestes ?
7. Quels sentiments éprouve monsieur Jourdain pendant cette leçon ?

Je repère

1. Observe la disposition du texte : comment sais-tu qui parle ? Y a-t-il des signes de ponctuation qui marquent le dialogue ?
2. Quel est le temps le plus utilisé dans ce texte ?
3. Comment le maître de philosophie s'exprime-t-il : en langage familier, courant ou soutenu ?
4. À ton avis, pourquoi parle-t-il comme cela ?
5. Quel signe de ponctuation retrouve-t-on fréquemment dans les répliques de monsieur Jourdain p. 219 ? Pourquoi ?
6. De quel type de texte s'agit-il ? Explique ta réponse.

Monsieur Jourdain : A, E ; A, E. Ma foi, oui. Ah ! Que cela est beau !

20 **Maître de philosophie :** Et la voix I, en rapprochant encore davantage les mâchoires l'une de l'autre, en écartant les deux coins de la bouche vers les oreilles : A, E, I.

Monsieur Jourdain : A, E, I, I, I, I, I. Cela est vrai. Vive la science !

Maître de philosophie : La voix O se forme en rouvrant les mâchoires et
25 rapprochant les lèvres par les deux coins, le haut et le bas : O.

Monsieur Jourdain : O, O. Il n'y a rien de plus juste. A, E, I, O, I, O. Cela est admirable ! I, O, I, O.

Maître de philosophie : L'ouverture de la bouche fait justement comme un petit rond qui représente un O.

30 **Monsieur Jourdain :** O, O, O. Vous avez raison. O.
Ah ! La belle chose que de savoir quelque chose !

Maître de philosophie : La voix U se forme en rapprochant les dents sans les joindre entièrement, et allongeant les deux lèvres en dehors, les approchant aussi l'une de l'autre
35 sans les joindre tout à fait : U.

Monsieur Jourdain : U, U. Il n'y a rien de plus véritable. U.

Maître de philosophie : Vos deux lèvres s'allongent comme si vous faisiez la moue ; d'où vient que, si vous la voulez faire à quelqu'un et vous moquer de lui, vous ne sauriez lui dire que U.

40 **Monsieur Jourdain :** U, U. Cela est vrai. Ah ! Que n'ai-je étudié plus tôt pour savoir tout cela !

Molière, *Le Bourgeois gentilhomme.*

faire la moue :
faire une grimace en avançant et en resserrant les lèvres.

d'où vient que :
ce qui explique que.

Je dis

1. Relis le texte des lignes 15 à 41. Combien de lettres présente le maître de philosophie ?
2. Entraîne-toi à dire les lettres en les surarticulant pour bien montrer la position de la bouche et des lèvres. Jouez ensuite la scène à deux.

Je débats

Monsieur Jourdain et son maître de philosophie

1. À ton avis, monsieur Jourdain avait-il besoin d'une leçon pour apprendre à prononcer les voyelles ? Pourquoi ?
2. Que penses-tu de lui ?

Le comique de la scène

3. Quels sont les éléments qui rendent cette scène comique (situation, dialogues…) ?

J'écris

1. Recopie le texte des lignes 30 à 40 et souligne les mots qui contiennent un préfixe.
2. Imagine que le maître de philosophie apprend à monsieur Jourdain à articuler des consonnes. Écris quelques répliques pour continuer la pièce. Mets bien le nom du personnage qui parle devant chaque réplique.

Grammaire : L'attribut du sujet, p. 104.

Il suffit de s'en souvenir...

Sujet : John, un touriste étranger, arrive à l'hôtel Georges-V. Il parle français mais ne parvient pas à distinguer le masculin du féminin. Agathe, la réception-niste, s'efforce de lui faire comprendre les subtilités de notre langue. [...]

John arrive, portant une valise, devant le comptoir de la réception.

5 **AGATHE.** Bonjour, monsieur.

JOHN, *qui pose sa valise sur le sol devant le comptoir.* Bonjour, mademoiselle. Je voudrais UN chambre, s'il vous plaît.

AGATHE. UN chambre ? Vous voulez dire UNE chambre, sans doute ?

JOHN. Oui, UNE chambre. Excusez-moi.

10 **AGATHE.** Pour combien de personnes ?

JOHN. C'est pour UN personne.

AGATHE. UN personne ? Vous voulez dire UNE personne, sans doute ?

JOHN. C'est cela, UNE personne. Excusez-moi, je suis étranger. Je ne parle pas très bien le français.

15 **AGATHE.** Ne vous excusez pas, monsieur. Vous vous débrouillez très bien. Moi-même, vous savez, les langues étrangères… à part sandwich, pizza, spaghetti et hamburger… Donc UNE chambre pour UNE personne.

JOHN. C'est cela. Avec UN douche, s'il vous plaît.

AGATHE, *amusée.* UN douche ? Vous voulez dire…

20 **JOHN,** *la coupant avec un petit rire gêné.* Oui, je veux dire UNE douche, excusez-moi. Ou alors UNE bain.

la réceptionniste : la personne qui s'occupe d'accueillir les clients de l'hôtel.

une subtilité : quelque chose de difficile à comprendre.

couper : interrompre.

Je comprends

1. Où se déroule cette scène de théâtre ?
2. Qui sont les deux personnages ?
3. Que demande John à Agathe ?
4. Que corrige Agathe dans les phrases que prononce John ?
5. Combien John commet-il d'erreurs dans ses répliques tout au long de la scène ?
6. Quelle solution propose Agathe à John pour ne plus faire d'erreurs ?
7. Est-ce efficace ? Relève les passages qui le montrent.

Je repère

1. Quel est le titre de ce texte ? Où le retrouves-tu dans le texte ?
2. À quelle classe grammaticale appartiennent les mots écrits en majuscules ?
3. Comment Agathe réagit-elle aux erreurs de John ? Quels mots le montrent ?
4. Observe les groupes de mots en italique. Qu'indiquent-ils ? Ce sont des **didascalies**.
5. S'agit-il d'une pièce comique ou dramatique ? Explique ta réponse.

AGATHE, *gentiment*. Ah non ! on dit UNE douche mais pas UNE bain. On dit UN bain.

JOHN. *Il secoue la tête en riant.* Oh ! là ! là ! Que c'est compliqué !

25 **AGATHE**. Mais non, ce n'est pas compliqué. C'est très simple au contraire. On dit UNE douche ou LA douche parce que douche c'est féminin et UN bain ou LE bain parce que bain c'est masculin. Vous comprenez ?

JOHN, *incrédule*. Douche, c'est féminin et bain, c'est masculin ?

AGATHE. Évidemment.

30 **JOHN**. Mais qui a décidé cela ?

AGATHE. Personne. C'est comme cela pour tout… depuis toujours.

JOHN. *Il retire sa casquette et se gratte la tête.* Féminin… masculin… je vois. *Il montre sa casquette à Agathe.*

Et ça ? C'est féminin ou c'est masculin ?

35 **AGATHE**, *riant.* C'est féminin. Elle est très jolie d'ailleurs.

JOHN, *ravi, appuyant bien sur l'article pour montrer qu'il a compris.* Alors, c'est UNE jolie chapeau.

AGATHE. Non ! Non ! Ce n'est pas UN chapeau ! C'est UNE casquette. Chapeau, c'est masculin, casquette, c'est féminin. On dit UN joli chapeau et

40 UNE jolie casquette.

JOHN, *interdit.* Oh ! C'est compliqué.

AGATHE. Mais non, c'est très simple. Il suffit de s'en souvenir, c'est tout.

François Fontaine, *La Grammaire en scènes*, © éd. Retz, 1999.

interdit : étonné.

Je dis

1. Relis le texte des lignes 5 à 23. Pourquoi certains mots sont-ils écrits en majuscules ?
2. John et Agathe vont-ils les prononcer exactement de la même façon ? Pourquoi ?
3. Jouez la scène à deux en insistant sur ces mots.

Je débats

Une langue étrangère

1. À ton avis, pourquoi John fait-il des erreurs en parlant ?
2. Et toi, apprends-tu une langue étrangère ? Laquelle ? Est-ce facile ? Pourquoi ?

Le comique

3. Quels sont les éléments qui rendent cette scène comique (situation, personnages, dialogues…) ? Compare avec le texte pp. 218-219.

J'écris

1. Recopie le début du dialogue entre Agathe et John (lignes 5 à 14). Souligne l'attribut du sujet qui s'y trouve.
2. John demande son chemin à un passant. Écris la scène : John fait des erreurs et le passant le corrige gentiment. Indique les mouvements et le ton par des didascalies.

Une pièce de théâtre

Je lis

I. Lis cet extrait de pièce.

A. – Personnages et costumes –

*M. Otis : il a un très fort accent américain. Il est très matérialiste, bonhomme
et sympathique. Il est vêtu d'un costume blanc, ouvert sur une chemise.
Lord Canterville : il est très* british. *Tous ses gestes, ses attitudes sont raffinés.
Il est parfois incommodé par la fumée du cigare de M. Otis. Il porte un kilt,
une veste de tweed et de grandes chaussettes.*

– Décors –

*Toutes les scènes, excepté la 4 et la 7, se déroulent dans le salon. Au fond, on placera
trois ou quatre portraits. Le mobilier de la pièce est composé d'une table basse,
d'un canapé, de deux ou trois fauteuils.*

2. Qui sont les personnages ? Où se déroule la pièce ?

3. À ton avis, où cet extrait se situe-t-il dans la pièce ? Explique ta réponse.

4. Lis ce second extrait de la même pièce.

B. *Entrent sur la scène Lord Canterville et M. Otis en grande discussion. M. Otis
fume un gros cigare.*

M. Otis, *avec un fort accent américain* : Le parc est vraiment très joli ; tout est
O.K., Lord Canterville. J'achète.

Lord Canterville : M. Otis, je considère de mon honneur de vous avertir que
le manoir que vous m'achetez est hanté par un fantôme.

Adaptation de Nedjma Vivet d'après Oscar Wilde, « Le Fantôme de Canterville »,
Don Quichotte et Autres Personnages de théâtre, © éd. Retz, 2000.

5. Compare la façon dont sont écrits les extraits A et B. Quelles différences remarques-tu ?

6. Quelles indications l'auteur donne-t-il pour jouer la scène ? Comment sont-elles écrites ?

J'ai appris

- Une pièce de théâtre est un texte écrit pour **être joué** :
    - Seules les paroles des personnages sont dites. Ce sont **des répliques**.
    - Devant chaque réplique, on trouve **le nom du personnage qui parle** en majuscules
      ou dans un caractère différent pour qu'on le repère bien (ex. : **Maître de philosophie** – M. Otis).
- L'auteur fournit également **des indications pour jouer la pièce** :
    - Au début de la pièce, il donne les noms des personnages, les lieux, les accessoires…
    - Il précise parfois **l'état dans lequel est le personnage en disant sa réplique** (ex. : M. Otis,
      incrédule et souriant) ou **les mouvements et déplacements qu'il doit faire** (ex. : Lord
      Canterville, *désignant un portrait accroché au fond de la scène*).
    - Ces indications, appelées **didascalies**, sont le plus souvent écrites **en italique**.

Écrire une scène de théâtre

Je lis

1. Voici le début d'une scène de théâtre.

Souvenir 7

SALVADOR *(récit)* – Sur la pointe des pieds, je sortis par la porte qui ne grince pas et décidai d'aller à l'école chercher une réponse plus satisfaisante. Comme j'étais trop petit pour entrer, je m'assis sur le seuil de la porte.

ENRIQUE – Eh ! Petit ! Qu'est-ce que tu fais là ?

SALVADOR *(action)* – Je cherche une réponse.

ENRIQUE – Et tu penses la trouver ici ?

SALVADOR *(action)* – C'est l'école, et ma sœur Maria dit que son maître Enrique vient de très loin et qu'il sait tout.

ENRIQUE – Enrique, c'est moi. Alors toi, c'est Salvadorcito, le petit frère ! Maria a raison en partie seulement. C'est vrai que je viens de loin, mais je ne sais pas tout. Pose ta question et je verrai si je peux y répondre.

> Suzanne Lebeau, *Salvador, la Montagne, l'Enfant et la Mangue*,
> coll. « Théâtrales Jeunesse », © éd. Théâtrales, 2002.

2. Où se déroule la scène ?

3. Comment s'appellent les personnages ? Qui sont-ils ?

4. Que raconte cette scène ? Aide-toi de son titre pour répondre.

5. Observe la première réplique et compare-la aux suivantes. Quelles différences remarques-tu ?

J'écris

• **Imagine la suite de cette scène entre Salvador et Enrique. Fais en sorte de rendre leur dialogue comique.**

Étape 1 : Je réfléchis

1. Quels vont être les personnages de la scène ?
2. Où va-t-elle se dérouler ?
3. Quelle va être la question posée par Salvador ?
4. Quels éléments vont rendre cette scène comique (la question de Salvador, l'arrivée d'un nouveau personnage…) ?

Étape 2 : Je me prépare à écrire

1. Présente le contexte de ta scène.
  • Les lieux, les décors, les objets : une classe – une maison – la rue – les meubles – des affiches…
  • Les personnages : caractère, costume…
2. Indique les mouvements, les gestes, les façons de parler ou les sentiments des personnages.
  • Verbes de mouvement : se diriger – tendre…
  • Mots pour indiquer la façon de parler ou les sentiments : étonné – gentiment – avec douceur…

3. Rends ta scène comique à travers :
  • La situation (*ex.* : la question de Salvador est très compliquée ou absurde).
  • Les personnages (*ex.* : Salvador ne comprend rien et ses interventions sont hors sujet).
  • Les dialogues (*ex.* : Enrique utilise des mots compliqués pour embrouiller Salvador).

Étape 3 : Je me relis

• J'ai écrit une première didascalie pour présenter la scène.
• J'ai nommé les personnages et ai écrit leur nom en lettres capitales devant chaque réplique.
• Les répliques de la scène sont écrites au présent.
• J'ai donné des indications pour jouer la pièce.
• J'ai utilisé différents moyens pour enchaîner les répliques.

La Cigale et la Fourmi

**se trouver
dépourvu :**
ne plus rien avoir.

la bise : un vent
froid et glacial.

un vermisseau :
un petit ver de terre.

crier famine :
se plaindre de ne pas
avoir de quoi manger.

prier : demander.

subsister : survivre.

la saison nouvelle :
l'été.

l'oût : le mois
d'août.

**intérêt
et principal :** le prix
de l'argent prêté
plus la somme
empruntée.

moindre : le plus
petit.

à tout venant :
en toute occasion.

ne vous déplaise :
quoi que vous
pensiez.

fort aise : très
content.

La Cigale, ayant chanté
Tout l'été,
Se trouva fort dépourvue
Quand la bise fut venue.
5 Pas un seul petit morceau
De mouche ou de vermisseau.
Elle alla crier famine
Chez la Fourmi sa voisine,
La priant de lui prêter
10 Quelque grain pour subsister
Jusqu'à la saison nouvelle.
« Je vous paierai, lui dit-elle,
Avant l'oût, foi d'animal,
Intérêt et principal. »
15 La Fourmi n'est pas prêteuse ;
C'est là son moindre défaut.
« Que faisiez-vous au temps chaud ?
Dit-elle à cette emprunteuse.
– Nuit et jour à tout venant
20 Je chantais, ne vous déplaise.
– Vous chantiez ? J'en suis fort aise.
Eh bien : dansez maintenant. »

Jean de La Fontaine, « La Cigale et la Fourmi », *Fables*.

Je comprends

1. Lis la fable de Jean de La Fontaine. En quelle
saison la Cigale se rend-elle chez la Fourmi ?
2. Que lui demande-t-elle ?
3. Quel est le défaut de la Fourmi ?
4. Que reproche-t-elle à la Cigale ?
5. Comment se termine la fable ?
6. Raconte l'ensemble de la fable
avec tes propres mots.
7. Lis maintenant la fable d'Ésope et compare
l'histoire avec la fable de Jean de La Fontaine.

Je repère

1. Observe la disposition des deux fables.
Quelles différences constates-tu ?
Explique-les.
2. Quelle leçon donnent les fourmis dans
les deux fables ? C'est **la morale** de la fable.
3. Dans quelle fable cette leçon est-elle
reformulée par l'auteur ?
4. Dans quel type de caractère est-elle écrite ?
5. Par quoi débute chaque vers de la fable
de Jean de La Fontaine ?
6. Observe la fin des vers deux à deux.
Que remarques-tu ?

La Cigale et les Fourmis

C'était l'hiver, les grains étaient mouillés, les fourmis les faisaient sécher. Une cigale, qui avait faim, leur demanda de quoi manger. Celles-ci lui dirent :
« Pourquoi, pendant l'été, n'amassais-tu pas, toi aussi, des provisions ?
– Je n'en avais pas le temps, répondit la cigale, je chantais mélodieusement. »
5 Les fourmis lui rirent au nez : « Eh bien, si tu chantais en été, danse en hiver. »
Ne soyons jamais négligents
Si nous voulons éviter soucis et danger.

Anno Mitsumasa, *Les Fables d'Ésope*, traduit du japonais
par Colette Diény, © éd. Circonflexe, 1990.

amasser :
accumuler,
réunir en tas.

mélodieusement :
d'une façon agréable,
harmonieusement.

Je dis

1. Relis la fable de La Fontaine du vers 12 à la fin. Combien de fois chacun des personnages prend-il la parole ?
2. Sur quel ton parle la Fourmi ? et la Cigale ?
3. Récitez cette partie de la fable à trois (un narrateur, une Cigale et une Fourmi) en adoptant le ton qui convient.

Je débats

Ésope et Jean de La Fontaine
1. Laquelle des deux fables préfères-tu ? Pourquoi ?

Le caractère des personnages
2. Selon toi, quels défauts humains Ésope et Jean de La Fontaine ont-ils voulu montrer à travers les personnages de la Cigale et de la Fourmi ?
3. Quels autres animaux pourraient avoir les mêmes défauts ? Pourquoi ?

J'écris

1. Recopie la fable d'Ésope et souligne les verbes du 3e groupe conjugués au passé simple.
2. Continue la fable de Jean de La Fontaine : ajoute une réplique de la Cigale, dans laquelle elle présente un nouvel argument pour obtenir du grain de la Fourmi.

Le Renard et le Bouc

Capitaine Renard allait de compagnie

avec son ami Bouc des plus haut encorné :

Celui-ci ne voyait pas plus loin que son nez ;

l'autre était passé maître en tromperie.

encorné : muni de cornes.

ne pas voir plus loin que son nez : être naïf.

maître en tromperie : rusé et qui aime tromper les autres.

La soif les obligea à descendre en un puits :

Là, chacun se désaltère.

Après qu'abondamment tous deux en eurent pris,

Le Renard dit au Bouc :

QUE FERONS-NOUS, COMPÈRE ?

CE N'EST PAS TOUT DE BOIRE, IL FAUT SORTIR D'ICI.

se désaltérer : boire (langage soutenu).

un compère : un camarade, un ami.

l'échine : le dos.

à l'aide de cette machine :
de cette façon,
par ce procédé.

ET JE LOUE LES GENS BIEN SENSÉS COMME TOI.

JE N'AURAIS JAMAIS, QUANT À MOI, TROUVÉ CE SECRET, JE L'AVOUE.

Le renard sort du puits,

laisse son compagnon,

Et vous lui fait un beau sermon pour l'exhorter à la patience.

SI LE CIEL T'EÛT,   dit-il,

DONNÉ PAR EXCELLENCE, AUTANT DE JUGEMENT QUE DE BARBE AU MENTON,

louer : vanter les mérites de quelqu'un.
sensé : intelligent.

un sermon : un long discours, une remontrance.
exhorter : encourager.

j'en suis hors : j'en suis sorti.

Je comprends

1. Qui sont les personnages de cette fable ?
2. Quel lien semble les unir au début ?
3. Où descendent-ils ?
4. Pourquoi ?
5. Quel plan imagine Renard pour en sortir ?
6. Qu'en pense Bouc ?
7. Que fait Renard une fois sorti d'affaire ?
8. Quelle est la morale de cette fable ? Où se trouve-t-elle ?

Je repère

1. Sous quelle forme cette fable est-elle racontée ?
2. Lis le texte des vignettes 1 à 4 à voix haute (p. 226). Que remarques-tu ?
3. Au début de la fable, quels vers laissent penser que Bouc risque d'être trompé par Renard ?
4. Quelles vignettes montrent qu'il n'est pas très malin ? Explique ta réponse.
5. Observe la vignette 4. Reconnais-tu des personnages d'autres fables ? Si oui, lesquels ?
6. Compare la première et la troisième page de la bande dessinée. À l'intérieur de quoi sont écrits les textes ? Pourquoi ?

la fin : le résultat désiré, le but.

Jean de La Fontaine (fable) et Mazan (bande dessinée), *La Fontaine aux fables*, tome I,
© 2006 – Guy Delcourt Productions – Mazan.

Je dis

1. Relis la fable et repère les différentes étapes de l'action.
2. Résume l'histoire racontée par cette fable à voix haute. N'oublie pas d'utiliser des connecteurs logiques (car, mais, or…) pour enchaîner les événements.

Je débats

Renard et Bouc

1. Reformule la morale de cette fable avec tes mots.
2. Penses-tu que Renard a raison ou bien plains-tu Bouc ?

La complémentarité texte et image

3. Cette fable est-elle présentée de la même manière que celle de la p. 224 ? Qu'est-ce que cette présentation apporte de plus ?
4. Laquelle des deux présentations préfères-tu ? Pourquoi ?

J'écris

1. Recopie les textes de la troisième page et souligne les adverbes.
2. Dans les vignettes 5 à 9, une seule comporte du texte. Complète les illustrations en décrivant le déroulement des actions vignette par vignette.

Une fable en bande dessinée

Je lis

1. Lis le début de la fable *La Chauve-Souris et les Deux Belettes* de Jean de La Fontaine.

Une Chauve-Souris donna tête baissée

Dans un nid de Belette ; et sitôt qu'elle y fut,

L'autre, envers les souris de longtemps courroucée,

Pour la dévorer accourut.

« Quoi ? Vous osez, dit-elle, à mes yeux vous produire,

Après que votre race a tâché de me nuire ! »

2. Qui sont les deux personnages de cette fable ? Que veut faire la Belette ? Pourquoi ?

3. Comment sais-tu qu'un personnage parle ?

4. Lis le début de cette même fable racontée en bande dessinée.

Jean de La Fontaine et Laurent Cagniat, *La Fontaine aux fables*, tome I,
© 2006 – Guy Delcourt Production – Cagniat.

5. Comment distingues-tu le récit, les paroles de la Belette et les bruits ?

6. Quelles informations te donne la vignette 1 ? Les retrouves-tu dans le texte d'origine ?

J'ai appris

- Dans une bande dessinée, le texte est disposé de différentes façons :
  - **le texte du narrateur** est dans de petits encadrés en haut ou en bas de la vignette (ce sont **des cartouches**) ; **les paroles** prononcées par les personnages sont écrites dans **des bulles** ;
  - **les bruits** (onomatopées) sont écrits directement dans l'image, souvent en majuscules.
    Les bulles et les caractères peuvent prendre différentes formes pour indiquer le ton des personnages.
- Dans une bande dessinée, **le texte et l'image se complètent** :
  - chaque vignette raconte **une étape de l'action** ;
  - les illustrations permettent au lecteur de se représenter le décor, les personnages, leurs mouvements...

Écrire une fable en bande dessinée

Je lis

1. Lis cette fable.

Maître Corbeau, sur un arbre perché,
Tenait en son bec un fromage.
Maître Renard, par l'odeur alléché,
Lui tint à peu près ce langage :
« Hé ! bonjour, Monsieur du Corbeau.
Que vous êtes joli ! que vous me semblez beau !
Sans mentir, si votre ramage
Se rapporte à votre plumage,
Vous êtes le Phénix des hôtes de ces bois. »
À ces mots le Corbeau ne se sent pas de joie ;

Et pour montrer sa belle voix,
Il ouvre un large bec, laisse tomber sa proie.
Le Renard s'en saisit, et dit : « Mon bon Monsieur,
Apprenez que tout flatteur
Vit aux dépens de celui qui l'écoute :
Cette leçon vaut bien un fromage, sans doute. »
Le Corbeau, honteux et confus,
Jura, mais un peu tard, qu'on ne l'y prendrait plus.

Jean de La Fontaine, *Le Corbeau et le Renard.*

2. Qui sont les deux personnages de cette fable ?

3. Que peux-tu dire de leurs caractères ?

4. Que possède le Corbeau ?

5. Quelle ruse utilise le Renard pour l'obtenir ?

6. À quel(s) vers se trouve la morale de cette fable ? Reformule-la avec tes mots.

J'écris

• **Réécris cette fable sous la forme d'une bande dessinée.**

Étape 1 : Je réfléchis

1. Repère les paroles prononcées par le Renard.
2. Repère les phrases du récit.
Combien en comptes-tu ?
3. En combien de vignettes pourrais-tu découper ta bande dessinée ?
4. Comment peux-tu mettre en valeur la morale de la fable ?

Étape 2 : Je me prépare à écrire

1. Imagine le décor de ta bande dessinée et tes personnages, ainsi que les couleurs que tu vas utiliser.
• Le paysage : l'endroit d'où vient le Renard – une forêt – l'arbre sur lequel est le Corbeau...
• Les personnages : leur aspect général – leurs mimiques – leurs mouvements...

2. Prévois le nombre de vignettes dont tu auras besoin en découpant le texte en différentes scènes.
• *Ex.* : le Corbeau sur son arbre – le Renard sentant l'odeur du fromage...
3. Fais en sorte que le texte et l'image se complètent bien.
• *Ex.* : montre dans les images ce que ne dit pas le texte (le moment de la journée, les lieux, ce que fait le Renard en parlant...).
4. Écris le texte du récit dans des cartouches et le texte du Renard dans des bulles.
Attention à ne pas faire de bulles trop longues !

Étape 3 : Je me relis

• J'ai créé plusieurs vignettes.
• J'ai écrit le récit dans des cartouches.
• J'ai écrit les paroles de Renard dans des bulles.
• J'ai découpé le texte en fonction des vignettes.

Mettre en scène
et jouer une réplique de théâtre

J'observe et je réfléchis

I. Lis cet extrait d'une scène de théâtre.

Accéléré et nerveux	klek klek dolokleks
	kleksido naoé kleksido naoé
Jeté et coléreux	ribérol ribérol ribérol !
Plus vite et plus fort	rokséon rokséon
	rokséana a a a rokséana a a a
Hurlé et tragique	ROKSANA ROKSANA
De nouveau calme	leksoana anaksoil
en séparant les syllabes	anaksoil aksoillllllll
Mourant	golanélidollllllllll

Maurice Lemaître, « Roxana », *Maurice Lemaître présente le lettrisme*, © Maurice Lemaître, 1958.

2. Lire et comprendre le texte.
• Que trouve-t-on dans la colonne de gauche ? dans la colonne de droite ?
• Comprends-tu ce qui est dit ? Pourquoi ?
• Qui peut être Roksana pour le personnage qui hurle son nom ? Quel sentiment se dégage globalement de cette scène ?
• À ton avis, y a-t-il un seul personnage ou est-ce une conversation à plusieurs ?

3. Dire le texte.
• Fais la liste des adjectifs qualificatifs qui indiquent les changements de ton dans la colonne de gauche.
• Repère les répétitions de mots ou de syllabes dans le texte de la colonne de droite.

• Recopie les répliques et souligne ces répétitions.

4. Mettre en scène le texte.
• Imagine quelques éléments de décor qui rendent l'atmosphère générale du texte.
• Comment le ou les personnages peuvent-ils être habillés ?

5. Jouer la scène.
• Par quels gestes peut-on accompagner chaque réplique ? Aide-toi des didascalies pour répondre.
• Indique les déplacements associés à chaque réplique : le personnage s'adresse-t-il à un autre personnage ? au public ?

Je joue et je mets en scène une réplique de théâtre

• **Aide-toi de cette préparation pour dire cette réplique ou la mettre en scène avec des camarades.**

Pour jouer cette réplique

• J'utilise différents tons selon les indications du texte.
• Je tiens compte des sonorités pour rythmer le texte.
• J'ai prévu des gestes pour accompagner mes paroles et des déplacements face au public.

Bilan

Pour faire le bilan de tes lectures, recopie les phrases qui correspondent le mieux aux extraits de pièces de théâtre et aux fables que tu viens de lire. Puis explique tes choix en répondant aux questions.

Thème 7 : Le comique

1. Vrai ou faux ?
   a. Dans une pièce de théâtre, tout ce qui est écrit est dit.
   b. Dans une pièce de théâtre, le nom des personnages se trouve devant chaque réplique.
   c. L'auteur de théâtre donne des indications de tons, de mouvements, de sentiments pour jouer la pièce.
   d. Ces indications s'appellent des didascalies.
2. La lecture d'une scène de théâtre à voix haute est-elle différente de la lecture d'un extrait de roman ? Pourquoi ?
3. Peux-tu facilement te représenter la scène jouée lorsque tu lis le texte d'une pièce ? Qu'est-ce qui peut t'aider à le faire ?

Thème 8 : La fable animalière

1. Vrai ou faux ?
   a. Jean de La Fontaine est le seul auteur à avoir écrit des fables.
   b. Les fables de Jean de La Fontaine sont écrites en vers.
   c. Les fables de Jean de La Fontaine ne mettent que rarement des animaux en scène.
   d. Une fable comporte un récit et une morale.
2. Quel est, selon toi, le rôle des fables ? Qu'est-ce qui les rend agréables à lire ?
3. Tes camarades ont-ils le même avis que toi sur le caractère des personnages et les morales des fables ? Pourquoi ?

Lectures en réseaux

• Le théâtre
— *Knock*, Jules Romain, éd. Gallimard.
— *Coups de théâtre*, Myriam Viallefont-Haas, éd. Mango Jeunesse.
— *Jojo au bord du monde*, Stéphane Jaubertie, coll. « Théâtrales Jeunesse », éd. Théâtrales.
— *Pauvre Docteur*, Béatrice Rouer, éd. Retz.
— *Don Quichotte et Autres Personnages*, Anne-Catherine Vivet-Rémy, éd. Retz.

• La fable
— *La Fontaine aux fables*, tomes I et II, éd. Delcourt.
— *Les Fables de La Fontaine*, illustrées par François Pillot, éd. Milan.
— *Les Fables d'Ésope*, traduction Richard Bernal, éd. Mango.
— *Les Philofables*, Michel Piquemal et Philippe Lagautrière, éd. Albin Michel Jeunesse.
— *Fables d'Afrique*, Jan Knappert, éd. Flammarion / Père Castor.
— *Dix-Neuf Fables de Renard*, Jean Muzi, éd. Flammarion / Père Castor.

Fahrenheit 451

L'histoire se passe dans une société futuriste où la lecture est interdite. Un corps spécial de pompiers est chargé de traquer les livres et leurs détenteurs. En attendant une nouvelle intervention, Montag discute avec son collègue Beatty...

Montag regarda les cartes qu'il tenait dans les mains.
« Je... Je me demandais, dit-il, à propos du feu de la semaine dernière...
Ce type dont on a liquidé la bibliothèque. Qu'est-il devenu ?
– On l'a embarqué pour l'asile. Il braillait comme un putois.
5   – Il n'était pas fou. »
Beatty arrangeait calmement ses cartes.
« Tout homme qui croit pouvoir duper
le gouvernement et nous est un fou.
– J'essayais de m'imaginer, dit Montag,
10   l'effet que ça nous ferait...
de voir des pompiers brûler
nos maisons et nos livres.
– Nous n'avons pas de livres.
– Mais suppose qu'on en ait.
15   – Tu en as, toi ? »
Beatty le dévisageait.
« Non. »

liquider : détruire.
embarquer : emmener (familier).
brailler comme un putois : crier très fort (familier).
duper : tromper.

Je comprends

1. Qui est le personnage principal de ce texte ? À qui parle-t-il ?
2. Quel est leur métier ? Qu'y a-t-il d'inhabituel dans leur manière de l'exercer ?
3. Qu'ont-ils fait la semaine précédant cette conversation ?
4. Montag est-il fier de ce qu'il a fait ?
5. Qu'est-ce qui est interdit dans cette société du futur ? Relève une phrase qui le montre.
6. Qu'a fait Montag lors du dernier feu ? Avait-il le droit de le faire ?
7. Qu'est-ce que Montag aimerait bien savoir ?

Je repère

1. Quel détail concernant les maisons montre que cette scène se déroule dans le futur ?
2. Quelles questions de Montag renvoient à un temps passé ?
3. Quelle phrase indique qu'il a déjà ouvert un livre ?
4. Pourquoi la façon dont parle Montag paraît-elle étrange à Beatty ?
5. D'où vient l'expression employée par Montag pour parler du temps passé ?
6. De quel genre de roman est extrait ce texte ? Quels éléments te permettent de répondre ?

Montag laissa errer son regard vers le mur du fond où étaient affichées les listes d'un million de livres interdits. Leurs titres bondissaient dans les flammes, tout un passé se consumait sous sa hache et sa lance qui ne crachait pas de l'eau mais du pétrole.

20

« Non. »

Mais dans son esprit, un vent frais se leva et se mit à souffler par la grille du ventilateur, chez lui, doucement, très doucement, caressant son visage. Et de nouveau, il se vit dans un parc verdoyant, parlant à un vieil homme, un très vieil homme, et le vent qui soufflait dans le parc était froid, lui aussi.

25

Montag hésita.

« Est-ce que… Est-ce que les choses ont toujours été pareilles ? La caserne, notre métier ? Je veux dire… Enfin, est-ce qu'il était une fois…

– Il était une fois ! dit Beatty. En voilà une façon de parler ! »

30

« Imbécile, pensa Montag, tu finiras par te trahir. »

Au dernier feu… un livre de contes de fées, il avait jeté un coup d'œil sur une ligne, une seule.

– Je veux dire, il y a longtemps, reprit-il, avant que les maisons soient complètement ignifugées…

35

Soudain, il lui sembla qu'une voix beaucoup plus jeune parlait à sa place. Il ouvrit la bouche et ce fut Clarisse McClellan qui demanda : « Est-ce que les pompiers n'éteignaient pas le feu au lieu de le déclencher et de l'activer ? »

Ray Bradbury, *Fahrenheit 451*, © Ray Bradbury, 1953, renouvelé en 1981, et © éd. Denoël, 1995 pour la traduction française.

se consumer : brûler.

ignifuger : rendre ininflammable.

Je dis

1. Relève les mots qui montrent que Beatty soupçonne Montag de faire des choses interdites.
2. Quel sentiment ressent Montag au fur et à mesure de cette conversation ? À quoi le vois-tu (expressions, ponctuation…) ?
3. Jouez cette scène à deux en faisant ressortir les sentiments des personnages.

Je débats

Montag

1. Montag te paraît-il heureux ? Pourquoi ?

Un monde sans livres

2. À ton avis, pourquoi les livres sont-ils interdits dans cette société du futur ?
3. Que penserais-tu d'un monde sans livres ?

J'écris

1. Recopie le texte des lignes 36 à 38. Souligne les pronoms qui s'y trouvent, puis classe-les selon leur nature.
2. Dans un cauchemar, Montag voit les pompiers brûler sa maison et ses livres. Raconte la scène à la 1re personne du singulier.

Vocabulaire : Comprendre un mot grâce au radical, au préfixe ou au suffixe, p. 142.

Virus L.I.V. 3 ou la Mort des livres

À la fin du XXIe siècle, Allis, une jeune fille sourde et muette, se livre à une expérience de Lecture interactive virtuelle.

naïf : simple et coloré.
une bâtisse : une maison.
reprendre pied : ne plus ressentir de vertige.
TGB : Très Grande Bibliothèque.

J'observai la couverture. Un dessin naïf représentait une jeune femme en robe rose au bras d'un homme souriant. En arrière-plan se dressait, au milieu d'un parc, une grande bâtisse bourgeoise. Je ne prêtai même pas attention au nom de l'auteur ; je feuilletai l'ouvrage pour arriver très vite au chapitre 1 et me mis à lire.

5 *Lorsque Valérie Morris arriva au domaine de Bois-Joli, elle fut aussitôt éblouie par les grands arbres centenaires de l'allée qui menait à la somptueuse demeure.*

Sur le seuil, une domestique l'attendait. En la voyant approcher, elle lui adressa un sourire radieux et s'inclina en murmurant :

10 *« Mademoiselle Harret ? Comme je suis fière d'être la première à accueillir la fiancée de Monsieur !*

– Oh non, s'empressa de rectifier Valérie, je suis seulement l'infirmière qui a été engagée pour… »

À cet instant de ma lecture, je sentis ma vue se
15 brouiller ; tout ce qui m'entourait bascula dans un vide coloré.

Il me fallut quelques secondes pour reprendre pied – et pour comprendre…

Comprendre que je ne me trouvais plus dans
20 les sous-sols de la TGB mais sur le seuil d'une

Lorsque Valérie Morris ar

Je comprends

1. Qui est la narratrice de ce texte ? Qu'a-t-elle de particulier ?
2. Où se trouve-t-elle au début du texte ?
3. À quel type d'expérience s'apprête-t-elle à se livrer ?
4. Que lui arrive-t-il pendant sa lecture ?
5. Où se retrouve-t-elle ?
6. À qui parle-t-elle ?
7. Qui pense-t-elle être à la fin de l'extrait ?

Je repère

1. Quel pronom te montre que la narratrice et le personnage principal sont une seule et même personne ?
2. À quoi correspond le paragraphe du texte écrit en italique (lignes 5 à 13) ?
3. Ce passage se termine par des points de suspension. À quel endroit du texte l'action interrompue reprend-elle ?
4. Quelle question se pose la narratrice à la fin du texte ? Quel élément du texte lui fait comprendre ce qui lui arrive ?
5. De quel genre de roman est extrait ce texte ? Quels éléments te permettent de répondre ?

maison inconnue ! Face à moi, je *reconnus* le parc, les arbres… et l'héroïne du roman que je venais de commencer. Oui : *je reconnus même la domestique* qui pourtant ne figurait pas sur la couverture ! Mais elle était telle que je l'avais imaginée. Au fait, l'avais-je vraiment *imaginée* ? Non, pas exactement ; son
25 visage et son expression étaient restés dans ce flou où sont noyés les personnages secondaires d'un texte. Mais maintenant que je l'avais en face de moi, je savais que c'était elle.

Cette réalité reconstituée était parfaite. Trop parfaite, même : la maison paraissait tirée d'une image de magazine ; le paysage ressemblait à un tableau
30 bon marché ; Valérie Morris, face à moi, avait des airs de poupée fragile, et sa robe semblait sortir de chez le teinturier.

Je déplaçai mon regard. J'avançai. J'étais réellement *ailleurs*. À l'intérieur du texte en quelque sorte ! Mais pas dans la réalité : car, miracle, *j'entendais*. Oui : je percevais le frisson du vent dans les arbres et les cris des oiseaux ; je me
35 tournai vers Valérie Morris qui insistait d'une petite voix acidulée :
« Je ne suis pas mademoiselle Harret, je suis l'infirmière…
– Ah ! Venez, je vais vous montrer votre chambre. »

Le ton de la domestique était devenu froid, impersonnel. Elle pénétra dans le vestibule ; Valérie la suivit, en oubliant sa valise sur le seuil où je me trouvais.
40 Mais *qui* étais-je dans cette histoire ? Un fantôme ? Non : en avançant la main, je m'aperçus que j'existais bel et bien. Je m'emparai de la valise ; je pus estimer son poids à une dizaine de kilos et sentir sous mes doigts la dureté de sa poignée en plastique.

Christian Grenier, *Virus L.I.V. 3 ou la Mort des livres*,
© Le Livre de Poche Jeunesse, 2007.

percevoir : sentir.
acidulée : aiguë.

impersonnel : neutre, sans chaleur.
le vestibule : l'entrée.

Je dis

1. Relis le texte des lignes 17 à 35 et relève les signes de ponctuation utilisés. Que traduisent-ils ?
2. Dis ce texte en faisant sentir que l'héroïne va d'étonnement en étonnement.

Je débats

La narratrice

1. À ton avis, dans la seconde partie du texte, l'héroïne se trouve-t-elle dans la TGB ou bien dans le domaine de *Bois-Joli* ?

Une expérience de « lecture interactive virtuelle »

2. Qu'est-ce qu'une expérience de « lecture interactive virtuelle » ?
3. Aimerais-tu vivre la même expérience ? Que pourrait-elle apporter à tes lectures ?

J'écris

1. Écris une phrase pour expliquer le mot **impersonnel**. Pense au sens du préfixe **im-**.
2. Raconte à ton tour une expérience de lecture virtuelle : recopie un court passage d'un livre que tu aimes bien puis deviens l'un des personnages qui intervient dans une scène.

Le récit de science-fiction
Thème 9 : Le livre
Atelier de lecture

Le point de vue

Je lis

1. Lis cet extrait de roman.

Assise au soleil sur le pas de la porte, Eunice était plongée dans *La Vieille Zyvitch de Mars* quand une ombre sur la page lui fit lever les yeux. C'était Arnold [...].
– Ce bouquin-là, tu devrais le lire, dit-elle à Arnold en lui montrant la couverture.
Il fit la moue :
– Je ne sais pas, ça a l'air un peu long. [...]
– Long ? dit-elle. Pas tellement. Et ça se lit vite, tu sais. C'est une histoire de sorcière de l'espace qui voyage à travers les trous noirs et qui essaie d'aspirer la lumière du Soleil. Je n'en suis qu'au chapitre six, mais ça ferait une rudement bonne bande dessinée.
Arnold dressa l'oreille.
– En bande dessinée, je ne dis pas non.

Nancy Hayashi, *Camarade cosmique*, D.R.

2. Quel est le titre du livre que lit Eunice ? Que raconte-t-il ?

3. Qu'en pense Arnold ? Quels arguments lui donne Eunice pour le rassurer ?

4. Lis cet extrait d'un autre récit.

Confortablement installée, Liva s'empara, les yeux brillants de plaisir, de son combilivre. Elle tapota la surface de l'écran avec son stylet et accéda aussitôt aux deux millions de volumes de la Librairie Intergalactique. Elle adorait les vieux romans du début du XXIIe siècle qui racontaient la conquête de nouveaux systèmes solaires. Elle contemplait le menu pour faire son choix quand la voix désagréable de Piotr résonna à ses oreilles : « Salut, Liva. Toujours plongée dans ton vieux truc poussiéreux ? Tu sais, plus besoin aujourd'hui de déchiffrer des petits tas de signes pour voyager dans le temps, ajouta-t-il d'une voix moqueuse. Nous vivons à l'époque de la téléportation instantanée ! »

5. Qu'aime faire Liva ?

6. Qu'en pense Piotr ? Pourquoi ?

J'ai appris

- Dans un récit, celui ou ceux qui racontent l'histoire **donnent leur point de vue sur le déroulement des événements**. Ces points de vue peuvent être :
  - **complémentaires** (ex. : Arnold pense que le livre *La Vieille Zyvitch de Mars* est un peu long mais Eunice le rassure en lui disant que ça se lit vite) ;
  - **opposés** (ex. : Liva adore les vieux romans du XXIIe siècle, mais Piotr pense que leur lecture est dépassée).
- L'expression de points de vue permet de faire ressentir au **lecteur les émotions, les sentiments, les motivations et les pensées des personnages**.

Exprimer un autre point de vue

Je lis

1. Voici un extrait d'une nouvelle de science-fiction.

Au début de cette nouvelle, Martin, un écrivain, reçoit un étrange message de Kim, l'héroïne de ses romans.

Son cerveau était en ébullition. Une mystification[1] ? Impossible : aucune des dix personnes qui connaissaient son adresse e-mail personnelle ne lui aurait adressé un tel message. D'ailleurs, le caractère instantané de la réponse à son courrier achevait de le troubler. [...]

Il fixait stupidement l'écran. Kim existait, évidemment. Mais jusqu'ici uniquement dans ses romans. [...]

Pour ma part, j'apprécierais que nous dialoguions d'une façon plus vivante...

Devant Martin, qui n'en croyait pas ses yeux, le texte disparut de l'écran pour faire place à un visage souriant... un visage qu'il identifia aussitôt : celui de Kim tel qu'il figurait sur la couverture de son deuxième roman. Il grommela : « C'est impossible... »

1. Une mystification : une mauvaise blague.

> Texte de Christian Grenier, « Un personnage en quête de cœur », extrait de *Graines de futurs*, coll. « Autres Mondes » dirigée par Denis Guiot, © éd. Mango Jeunesse, 2000.

2. Quel est le métier de Martin ? Qui est Kim ?

3. Qu'a reçu Martin ?

4. D'où la phrase en italique est-elle extraite ? Que comprends-tu de cette phrase ?

5. De quel personnage a-t-on le point de vue dans cet extrait ?

J'écris

• **Raconte cette scène selon le point de vue de Kim.**

Étape 1 : Je réfléchis

1. Qu'est-ce qui a pu arriver à Kim pour qu'elle devienne « réelle » ?

2. Pourquoi a-t-elle envoyé un e-mail à Martin ?

3. Pourquoi souhaite-t-elle le rencontrer ?

Étape 2 : Je me prépare à écrire

1. Présente la scène en expliquant comment Kim est en train de devenir une véritable personne.
• *Ex.* : l'ordinateur surpuissant de Martin est capable de rendre ses personnages réels.

2. Imagine quel type de personnage est Kim.
• *Ex.* : une duchesse du XVIIIe siècle – une ouvrière du XXe siècle – une femme qui vit à la même époque que Martin...

3. Indique comment elle prend conscience qu'elle existe.
• *Ex.* : elle se retrouve dans un lieu qui n'est pas dans son livre.

4. Recherche les sentiments qu'elle peut exprimer.
• *Ex.* : de l'étonnement – de la curiosité – de la peur...

5. Imagine comment se termine la scène.
• *Ex.* : l'image de Kim s'anime et sort de l'écran de l'ordinateur.

Étape 3 : Je me relis

• J'ai donné le point de vue de Kim.
• J'ai repris l'action de la scène présentée.
• J'ai indiqué les pensées et les émotions de Kim.
• J'ai écrit mon texte à la 1re personne du singulier.

Grammaire : La proposition relative, p. 146.
Grammaire : Identifier les verbes conjugués
et leurs sujets dans des phrases complexes, p. 148.
Conjugaison : Les temps du passé, p. 152.

Le Monde d'En Haut

Nous sommes en 2096. Depuis 2028, l'humanité s'est réfugiée dans un monde souterrain pour échapper aux grandes pollutions terrestres. Pourtant, certains, comme Élodie, s'interrogent : est-il vraiment impossible de retourner vivre à l'air libre ?

C'était la troisième fois depuis le début de l'année scolaire que le photoclare du collège était pris pour cible par ceux que le gouvernement de Suburba continuait d'appeler des « terroristes ». Mais tout le monde savait qu'il s'agissait des membres de l'Aeres, l'Association des Enterrés pour la Remontée En Surface. Depuis
5 deux ans, l'Aeres se battait pour que l'on remonte vivre *sur* Terre au lieu de rester dans le Monde Souterrain. Des scientifiques de l'association s'étaient, paraît-il, rendus dans le Monde d'En Haut pour y effectuer des mesures. Ils assuraient que les Grandes Pollutions qui avaient ravagé la Terre en 2022 en causant des millions de morts étaient presque toutes résorbées et que, soixante-quatorze ans
10 plus tard, il était désormais possible d'y revivre. On les avait d'abord pris pour de doux rêveurs. Mais peu à peu, l'idée de remonter avait fait son chemin et l'Aeres avait regroupé de plus en plus de sympathisants. Le gouvernement de Suburba avait alors publié plusieurs communiqués assurant que, d'après toutes les études sérieuses, la Terre ne serait pas habitable en surface avant plusieurs
15 siècles et que l'Aeres se rendait coupable de diffuser des idées dangereuses pour l'avenir de la cité. Les principaux membres de l'association avaient été jugés à la va-vite et emprisonnés ; quant aux énormes portes blindées qui donnaient accès au Monde d'En Haut, leurs soudures avaient été renforcées. Cela n'avait pas empêché les idées de l'Aeres de faire leur chemin, surtout parmi les jeunes.

résorber : faire
disparaître.

un sympathisant :
une personne
qui est d'accord avec
les idées d'un groupe.
un communiqué :
un message officiel
transmis par les médias.
à la va-vite :
rapidement
et sans soin.

Je comprends

1. En quelle année se déroule ce récit ?
2. Au début du texte, que se passe-t-il pour la troisième fois ?
3. Que s'est-il passé en 2022 ?
4. Où se trouve la cité de Suburba ?
5. Que signifie le sigle Aeres ?
6. Quel est le projet de cette association ?
7. Qui est Élodie ?
8. Que contient son portefeuille ? Est-ce autorisé ?
9. Qu'en fait le garde ?

Je repère

1. Que raconte le texte des lignes 1 à 19 ?
2. Relève quelques verbes de ce passage. À quels temps sont-ils conjugués ?
3. Pourquoi les verbes des lignes 20 à 42 ne sont-ils pas tous conjugués aux mêmes temps ?
4. Quel mot utilise le gouvernement de Suburba pour désigner les membres de l'Aeres ?
5. Pourquoi est-il entre guillemets ?
6. Qu'est-ce qui est interdit dans cette société du futur ? Relève deux phrases qui le montrent.

20 Un garde s'approcha d'Élodie. Il renversa son cartable d'un geste brusque :
ses holodisques de travail et ses cahiers dégringolèrent ; le garde les feuilleta
rapidement. Les dents serrées, Élodie replaçait ses affaires dans son cartable
au fur et à mesure que le garde les examinait. Il termina par un petit portefeuille de tissu dont Élodie ne se séparait jamais.

25 — Qu'est-ce que c'est que ça ? demanda-t-il en sortant une photo qu'il lui mit
sous le nez.
— Ça ?… C'est la maison de mon arrière-grand-père. À l'époque où il habitait
le Monde d'En Haut.

Élodie tenait beaucoup à cette photo. La maison de son arrière-grand-père
30 semblait tout droit sortie d'un conte, petite, chaleureuse, pleine de trucs
incroyablement anciens dont elle ne connaissait même pas le nom. Elle avait
toujours pensé qu'on devait s'y sentir bien. Dad, son grand-père, lui avait
donné la photo quelques mois avant sa mort. Elle avait été prise à la fin du
XXe siècle : une époque où il y avait encore de l'herbe, des arbres… […]

35 Le garde s'approcha de son chef, la photo à la main. Ils échangèrent quelques
mots puis l'homme revint vers elle.
— Tu sais très bien que ces photos sont interdites, aboya-t-il ; les seules photos du
Monde d'En Haut autorisées sont celles des holodisques d'histoire et des musées.
Tes parents pourraient être condamnés à une très lourde amende à cause de ça !
40 Élodie hocha la tête.
Totalement impuissante, elle regarda l'homme déchirer la photo en petits
morceaux qu'il jeta à la poubelle.

Xavier-Laurent Petit, *Le Monde d'En Haut*, © éd. Casterman.

Je dis

1. Relis le texte des lignes 20 à 42. Combien
de fois Élodie et le garde prennent-ils la parole ?
2. Quels sentiments Élodie ressent-elle ?
3. Quelle phrase t'indique sur quel ton parle
le garde ?
4. Lisez ce passage à trois (le narrateur, Élodie
et le garde). Traduisez bien les émotions
des personnages.

Je débats

Le gouvernement de Suburba

1. Que penses-tu de ce gouvernement ?

L'avenir de l'humanité

2. Dans ce roman, pour quelle raison l'humanité
a-t-elle été obligée de se réfugier dans
un monde souterrain au XXIe siècle ?
3. Aujourd'hui, quelles mesures sont prises
pour éviter ce type de catastrophe ?

J'écris

1. Recopie la phrase complexe qui commence
ligne 7 en supprimant la proposition relative.
2. Élodie rencontre un membre de l'Aeres
qui a pu constater que la Terre est redevenue
comme avant. Écris ce qu'il lui décrit
de ce monde qu'elle n'a jamais vu.

Vocabulaire : L'origine des mots, p. 154.
Vocabulaire : Des mots pour exprimer un jugement ou un avis, p. 156.

L'Orpheline de Mars

Extrait 1

En cette fin de XXIIe siècle, sur Mars, la vie s'est organisée sous une immense bulle d'air artificielle. Mais une guerre civile éclate, mettant la population en danger. L'ingénieur de Beerbeck, père du projet, apprend qu'il a une fille qui est restée là-haut…

une oratrice : une personne qui prononce un discours.
se jucher : se percher.
le Prix Nobel : un prix qui récompense ceux qui ont le plus contribué au progrès de l'humanité.
un cercle holographique : un cercle dans lequel l'image des invités apparaît en trois dimensions.
vil : de peu de valeur.
une tribune : un endroit surélevé.
claironner : parler avec éclat.
le pays d'Eden : un pays paradisiaque.
Genesis : la ville des origines.
une amnistie : le fait d'effacer une condamnation.

L'ingénieur de Beerbeck s'avança à grands pas vers la chaise sur laquelle l'oratrice s'était juchée.

– Ah ! Stephen ! Bonsoir, très cher ! reprit Ludmilla. Te voilà donc héros de la soirée ! Et bientôt le Prix Nobel, à ce que j'ai entendu dire ?

5 – De grâce, je t'en supplie Ludmilla, descends de là tout de suite !

– Pourquoi ? On est si bien là-haut pour expliquer à monsieur le ministre ce qu'il est advenu de notre belle découverte !

Aussitôt le cercle holographique du sous-ministre s'éteignit et la réception rétrécit d'une cinquantaine de personnes.

10 – Remarque, mon pauvre Stephen, poursuivit la femme, tu n'es pas en cause. Tu n'es qu'un pion, comme moi. Toi un pion de luxe, moi un pion plutôt vil, oublié. Deux pions sur l'échiquier de la politique.

– Ludmilla !

Peu pressée de quitter sa tribune, elle claironna encore plus fort :

15 – Qui ne connaît les machines à air « de Beerbeck » ? Celles que l'on a installées sur la planète Mars, dans la biosphère, avec des milliers d'émigrants, voilà quinze ans… Qu'on s'en souvienne ! On se battait alors pour y aller… Le pays d'Eden ! La ville de Genesis ! Amnistie pour les condamnés, comme à la naissance de Rome !

20 – Tais-toi, Ludmilla !

– Moi ? Me taire ? Tu m'as oubliée à ce point, Stephen ? Ou si mal connue ? Pourtant, nous étions mari et femme, là-haut sur Mars. Tu m'as donc en plus chassée de ta mémoire ?

25 La foule commençait à toussoter et à murmurer son agacement. Deux hommes du service d'ordre s'avancèrent pour faire descendre l'intruse de son perchoir. Elle continua cependant à hurler en se débattant, tandis qu'on essayait de l'emmener :

– L'Expérience est interrompue, Stephen, tu le sais ! Je suis rentrée de Mars il y a cinq ans par le dernier convoi. Aujourd'hui, là-haut, les hommes, nos 30 frères, sont en train de mourir, en proie à une guerre civile. L'enveloppe est perforée en maints endroits, tes belles machines sont en panne, la pression baisse, ils n'auront bientôt plus d'air, et toi tu n'auras pas le Prix Nobel… Et tu le sais… Et tu ne fais rien !

– Ne l'écoutez pas, hurlait l'ingénieur à son tour. Tout cela est complètement 35 faux. L'Expérience sur Mars se poursuit dans les meilleures conditions…

D'autres invités holographiques s'esquivèrent. Les cercles s'éteignaient les uns après les autres, emportant à chaque fois cinq ou dix personnes. Mais Ludmilla échappa à ses gardes et, se précipitant sur de Beerbeck, lui pointa l'index sous le nez.

40 – Stephen, siffla-t-elle. Tu m'as abandonnée, là-haut, il y a quatorze ans. Mais je ne suis pas restée seule. J'ai eu un enfant de toi. Tu ne l'as jamais su.

– Quoi ? Qu'est-ce que tu racontes ?

– Une fille. Elle est restée dans la biosphère. Elle vit toujours. Dans quelques semaines, elle sera morte, Stephen. Morte, parce que vous tous, contrairement 45 à ce que tu prétends, avez abandonné l'Expérience. […]

maints :
de nombreux.

s'esquiver :
s'en aller
avec discrétion.

Extrait 2

Stephen de Beerbeck raconte à ses enfants comment Mars a été colonisée...

Le robot s'installa au pied du lit et tendit à chacun, à l'aide de bras articulés, un plateau qui contenait le bol de crama accompagné de deux toasts grillés recouverts de marmelade au Nectar d'Antan.

la marmelade : des fruits coupés en morceaux et cuits.

« Le crama, chantonna une voix : une boisson nutritive, chaude, délicieuse et
5 qui convient à toute la famille. Nectar d'Antan, un juste dosage des saveurs extraites de baies d'autrefois. »

une baie : un petit fruit sans noyau.

Les enfants se précipitèrent sur leurs toasts.

– On ne peut pas en avoir un troisième ? réclama Éric.

Mais devant le regard des parents, il préféra changer de sujet.

10 – Papa, raconte-nous comment c'était sur Mars, quand tu y étais.

Stephen soupira.

la colonisation : l'occupation d'un territoire par une colonie.

botanique : en relation avec les plantes.

– La colonisation proprement dite ne remonte guère à plus de soixante ans. Mais au siècle dernier, les premiers savants avaient déjà installé, pour parfaire leurs expériences botaniques, une biosphère de cent kilomètres de long sur
15 cinquante de large, au milieu de Valles Marineris, que l'on appelle aussi le Grand Canyon.

– C'est quoi une biosphère ?

le synthétique : une matière fabriquée par une transformation chimique.

un micro-organisme : un être vivant microscopique.

se dilater : augmenter de volume.

se rétracter : diminuer de volume.

une turbine : pièce d'un moteur qui tourne et sert à produire une source d'énergie.

se rembrunir : devenir triste, sombre.

– C'est une sorte de serre géante, mais celle-ci n'est ni en verre ni en synthétique. L'enveloppe est constituée de micro-organismes collés les uns aux autres et
20 qui forment un tissu mince, transparent et très résistant. Il peut se dilater ou se rétracter selon la pression intérieure. J'y suis allé pour organiser l'installation et la mise en route des turbines à air. Il fallait toujours plus d'air, car la biosphère repoussait ses limites. Elle occupe maintenant la presque totalité de *Valles Marineris*. On compte cent mille habitants, dont plus de la moitié sont
25 nés sur Mars.

– Comme ta fille ? interrompit Geoffrey.

Le visage de Stephen se rembrunit.

– Les enfants, dit Élise, nous n'allons pas revenir éternellement sur ce problème.

– Si ! répliqua Geoffrey. Moi je veux qu'on en parle ! Si elle existe, cela veut
30 dire que nous avons une sœur.

– Une demi-sœur, rectifia son frère aîné.

– Bon, d'accord, que papa termine sur les machines à air !

un procédé : un moyen qui permet d'obtenir un résultat.

– Elles sont capables, par un procédé chimique rapide, de sortir du sol l'oxygène ainsi qu'un gaz neutre que j'ai découvert ; ils composent ensemble un air
35 respirable, reprit Stephen. Nous en avons monté cinq à l'intérieur de la biosphère, plus une trentaine d'autres réparties à l'extérieur. Notre but était de créer une couche atmosphérique sur l'ensemble de la planète. Elles devront donc fonctionner éternellement à plein rendement pour la maintenir, car Mars

ne possède pas une masse suffisante pour retenir d'elle-même une atmosphère.

40   – Et il y aura des villes et des jardins ? demanda Éric.

    – À l'intérieur de la biosphère, on vit déjà comme sur Terre. Il existe sur Mars les quatre saisons, qui durent chacune six mois. Sous le dôme, on connaît la neige aussi bien que les vagues de chaleur, la chute des feuilles en automne et des milliers d'espèces de fleurs.

45   – Et il y a des écoles virtuelles ?

    – Non, sourit Stephen. C'est plutôt… comme dans le temps. […]

Extrait 3

À la tête d'une nouvelle mission, Stephen arrive sur Mars. Il y retrouve sa fille et découvre que la planète est sous la coupe de trafiquants d'or dirigés par le gouvernement terrien…

Tout était désert. Dehors, Stephen alluma un feu, réunit autour tout son petit monde et prit la parole.

– Il va bientôt faire nuit et nous allons gonfler pour vous quelques igloos, puisque vous n'avez pas voulu de cette maison pourtant plus confortable.

5 Nous vous les laisserons jusqu'à ce que la température soit plus clémente dans la biosphère. Ensuite, quelques hommes resteront ici, mais moi, dans huit jours au plus, je vous quitterai. Et j'emmènerai Lorindel avec moi. Ses deux jeunes frères l'ont réclamée et l'attendent sur Terre. C'est en partie à eux que vous devez ma présence ici.

10 Lorindel et Aristide se dressèrent, bouleversés.

– Mais… je ne veux pas y aller ! s'écria la jeune fille.

renchérir :
aller encore plus loin
dans ses arguments.

– Nous avons juré de ne jamais nous séparer ! renchérit le garçon.

Apparemment, Stephen n'avait pas envisagé cette situation.

– Mais… Mais… Tu dois me suivre… Lorindel… Voyons…, bégaya-t-il.

15 Tu es ma fille. Tu dois… enfin…

– Monsieur, dit Lorindel, je vous remercie d'avoir supporté tout ce voyage et de nous avoir délivrés. Mais je ne quitterai pas Aristide !

D'autres enfants se levèrent, eux aussi mécontents.

– Nous ne voulons pas être séparés d'eux !

20 – Nous voulons les garder !

– Ils nous ont guidés.

– Nous sommes nés sur Mars, plaida Aristide. La Terre peut nous tuer, la pesanteur y est trop forte.

Je comprends

1. À quelle époque se déroule ce roman ?
2. Quelle expérience les hommes mènent-ils sur Mars ?
3. Qui est le père de ce projet ?
4. Quelles machines a-t-il inventées pour permettre la vie sur Mars ? Comment fonctionnent-elles ?
5. Qu'apprend le personnage principal au début de ce roman ?
6. Quels problèmes y a-t-il sur Mars ?
7. Qu'organise le héros pour les résoudre ?
8. Que se passe-t-il dans l'extrait 3 ?

Je repère

1. Dans l'extrait 1, quels mots t'indiquent que la scène se déroule dans le futur ?
2. Dans l'extrait 2, relève des éléments qui montrent que l'expérience menée sur Mars était à l'origine un beau projet.
3. Dans les extraits 1 et 3, relève des éléments qui montrent que ce projet a mal tourné.
4. Dans l'extrait 3, quel jugement exprime le héros sur les dirigeants terriens ?
5. Ces trois extraits te permettent-ils de reconstituer l'ensemble de l'histoire ? Pourquoi ?

Stephen échangea avec les militaires un regard étonné.

25 – Et puis souvenez-vous : la loi l'interdit, ajouta l'un d'eux avec un petit sourire.
Il était à la recherche d'un autre argument lorsque, tout à coup, il y eut une
déflagration suivie d'un sourd grondement. Le sol vibra. En haut de la plate-
forme d'atterrissage, une vive lumière était apparue.
– La navette, s'écrièrent les hommes.

30 Elle décollait toute seule. Les soldats poussèrent des cris, des jurons… L'un
d'eux mit en batterie un récepteur radio, d'autres se précipitèrent vers la porte
de la biosphère comme s'il était encore temps… Mais la radio se mit à parler.
– Ici Gallieri, le prévôt des transports. Bonne chance sur Mars, monsieur de
Beerbeck. Vous ne pensiez tout de même pas que cet appareil avait été affrété
35 pour les beaux yeux de mademoiselle votre fille. J'avais pour mission de vous
conduire ici dans le seul but de vous faire remettre en état les machines à air.
Nos jeunes ouvriers ont besoin de respirer convenablement, pour produire.
Ah, j'allais oublier… J'en ai profité pour prendre au passage un chargement
de ce minerai. Sur Terre, ces cailloux pèseront une vingtaine de tonnes. Vous
40 aviez raison sur toute la ligne, monsieur de Beerbeck. Les liaisons n'ont jamais
vraiment cessé avec Mars. Il y en avait une chaque année pour venir chercher
le précieux métal… C'était peu. L'administration martienne était plutôt
molle, disons. Maintenant que le pouvoir a changé de mains sur ce caillou,
je crois qu'il nous faudra tripler les convois, pour le moins. Darkner et ses
45 sbires ne vont pas vous laisser chômer. Bien sûr, vous essaierez de reconquérir
la biosphère, c'est tout naturel, mais je doute que vous réussissiez. Vos muni-
tions s'épuiseront. Et puis d'autres surprises vous attendent…
– Vous n'êtes donc que de vils trafiquants ! hurla Stephen dans le micro.

François Sautereau, *L'Orpheline de Mars*, © François Sautereau.

une déflagration : une explosion violente.

mettre en batterie : brancher.
un prévôt : un magistrat responsable des transports.
affréter : louer un véhicule pour transporter des passagers ou des marchandises.
un minerai : une roche renfermant un métal.

chômer : rester sans travail.

Je dis

1. Relis la réplique du prévôt dans l'extrait 3 (lignes 33 à 47). Comment qualifierais-tu ce personnage ?
2. Que ressent-il en disant cela ?
3. Dis cette réplique en utilisant le ton qui convient.

Je débats

Vivre sur Terre ou sur Mars ?

1. À la fin de ce roman, le héros veut ramener sa fille avec lui sur Terre. Est-elle d'accord ?
2. Comprends-tu ses arguments ? Que ferais-tu à sa place ?

L'avenir de l'humanité

3. Qu'est-ce qui a permis à l'humanité de coloniser Mars dans ce roman ?
4. Selon toi, est-ce important que dans l'avenir les hommes puissent aller s'installer sur d'autres planètes ? Pourquoi ?

J'écris

1. Cherche l'origine et la définition du mot **holographique** dans un dictionnaire ou une encyclopédie. Écris ta propre définition.
2. Le héros de l'histoire a retrouvé sa fille sur Mars. Écris leur dialogue : chacun explique à l'autre comment il vit sur sa planète.

Le roman de science-fiction

Je lis

1. Lis ces deux premiers extraits du roman de science-fiction *Métalika*.

A. Sur Métalika, il y avait environ trois robots pour deux Humacs. La vie sans robots était inimaginable sur cette planète. Ils assuraient la plupart des tâches quotidiennes. Chaque Humac, à sa naissance, recevait un robot qui veillerait sur lui pendant toute son enfance, le protégerait en cas de besoin.

B. « Bienvenue à bord de l'*Apollonius*, un croiseur de classe II. »
Lorsque les turbines à photons furent allumées, l'*Apollonius* quitta Métalika pour l'espace profond. Salma et Robin, aidés de leurs robots, étaient aux commandes sous l'œil attentif du capitaine. Une fois les limites du système solaire franchies, Salma enclencha la procédure de passage dans l'hyperespace.

2. Sur quelle planète se déroule l'action de ce roman ? Comment s'appellent ses habitants ?

3. Qu'est-ce qui montre que leurs technologies sont plus avancées que les nôtres ?

4. Relève dans l'extrait B les mots qui renvoient à des lieux et à des moyens de transport.

5. Lis ce troisième extrait du même roman.

C. Salma était parfaitement consciente de l'angoisse de Robin. Mais le moment n'était guère propice à la réflexion. Pour l'instant, ils devaient fuir à tout prix ! Avant qu'une autre torpille sonique puisse les atteindre, les étoiles s'allongèrent et ils plongèrent dans l'hyperespace.
– Nous voici pour quelques heures en sécurité, fit le capitaine Randall.
Alors se tournant vers Corvin et Pyrrhus, il les interrogea :
– Avez-vous des explications supplémentaires sur ce qui vient de se passer ?
– Pas grand-chose de plus. Apparemment, il y a trois jours standard, les robots ont pris les commandes de Métalika, contraignant tous les Humacs à quitter les villes.

Alain Grousset, *Métalika*, © éd. Gallimard Jeunesse, 2007.

6. Que s'est-il passé sur Métalika pendant que Salma et Robin étaient dans l'hyperespace ?

7. L'existence de robots presque humains est-il une bonne chose dans ce roman ?

J'ai appris

- Le roman de science-fiction se déroule **dans un futur très différent de notre présent**.
- L'univers présenté est à la fois **familier** et **fantastique** à travers la description :
  - **des objets aux technologies très avancées** : robots, machines, moyens de transport…
  - **des lieux** : espace, autres planètes, étoiles…
  - **des personnages** : robots, extraterrestres, animaux extraordinaires…
- Pour décrire cet univers, l'auteur invente des mots ou des expressions nouveaux (ex. : les Humacs).
- Le roman de science-fiction invite souvent le lecteur à s'interroger sur **l'avenir de l'humanité** et **les dangers qui la guettent** afin de les éviter (ex. : la pollution).

Écrire un récit de science-fiction

Je lis

1. Lis ces deux articles qui présentent la planète Autremer.

« Autremer est couverte à quatre-vingt-dix-huit pour cent d'eau. Cette belle planète d'où sont originaires les vaisseaux spatiaux nommés « Abîmes », est LA planète maritime de L'Essaim. Mis à part quelques grandes îles, l'ensemble ne forme qu'un immense océan. »

CosmoNet Reportage

« Pour qui arrive sur Autremer, la première difficulté consiste à mémoriser les repères géographiques de l'océan planétaire. Divisée en zones suivant des lignes artificielles de longitude et de latitude, la planète possède huit grandes capitales de zone : Apalanche, Aênora, Callisto, Miyande, Obériel, Rhéa, Théthys et Umbrione. »

Encyclopédia Galactica. Doc.

Danielle Martinigol, *Les Abîmes d'Autremer*, © Le Livre de Poche Jeunesse, 2008.

2. Quelle est la particularité de la planète Autremer ? Combien comporte-t-elle de capitales ?

3. Quelle est la difficulté majeure pour qui arrive sur Autremer ?

4. Qu'y fabrique-t-on ?

J'écris

• **Imagine l'expédition d'un groupe de Terriens sur la planète Autremer. Raconte leur arrivée sur cette planète et ce qu'ils y découvrent.**

Étape 1 : Je réfléchis

1. Qui participe à cette expédition ?
2. Comment vont-ils se rendre sur Autremer ?
3. Quels sont leurs sentiments en arrivant sur cette planète ?
4. Que découvrent-ils sur ses habitants ? sur les vaisseaux qu'ils fabriquent ? sur leur façon de vivre ?

Étape 2 : Je me prépare à écrire

1. Nomme les personnages et caractérise-les : leur prénom – leur fonction dans l'expédition (capitaine, géographe, médecin…) – leur qualité principale et/ou leur défaut majeur (sportif, intelligent, doué pour l'organisation, bricoleur, tête brûlée, peureux, maladroit…).
2. Choisis leur moyen de transport et décris-le avec un vocabulaire scientifique ou inventé.
  • *Ex.* : un vaisseau à turbines – un holodisque géant – une soucoupe à turboréaction…

3. Raconte leur voyage et leur arrivée sur Autremer :
  • Le voyage : sa durée – la vie de l'équipage à bord du vaisseau spatial…
  • La planète Autremer : vue de l'espace (aspect, couleurs…) – description une fois sur place (îles, capitales, océans, objets…)…
4. Indique qui ils rencontrent et ce qu'ils découvrent.
  • Les Autremériens : leur portrait physique et moral – leur mode de vie…
  • Les vaisseaux « Abîmes » qu'ils fabriquent : leurs particularités – leurs performances…
  • Les objets : leurs noms étranges – leurs particularités…

Étape 3 : Je me relis

• J'ai situé mon récit dans le futur.
• J'ai introduit des éléments scientifiques dans mon récit.
• J'ai créé un univers fantastique.
• J'ai inventé des mots nouveaux pour désigner des objets du futur.

Faire un exposé sur un phénomène scientifique

J'observe et je réfléchis

1. Lis ce texte et observe ce dessin.

L'effet de serre est un phénomène naturel qui permet à l'atmosphère de la Terre de se maintenir à + 15 °C en moyenne. Sans lui, la température serait plutôt de – 18 °C en moyenne !

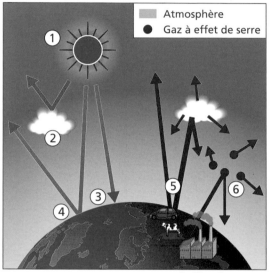

■ Atmosphère
● Gaz à effet de serre

L'effet de serre.

A. Le Soleil émet des rayons.

B. Une partie des rayons du Soleil est rejetée par l'atmosphère.

C. Une partie des rayons du Soleil entre dans l'atmosphère et réchauffe la surface de la Terre.

D. Toute l'énergie solaire qui arrive sur Terre n'y reste pas : une partie « rebondit » et est renvoyée hors de l'atmosphère.

E. La surface du globe terrestre renvoie de la chaleur dans et hors de l'atmosphère.

F. Les gaz à effet de serre présents dans l'atmosphère retiennent une partie de la chaleur renvoyée par la Terre : plus il y a de gaz à effet de serre, moins la chaleur peut s'échapper de l'atmosphère.

2. Découvrir le document :
- Quel est le thème de ce document ?
- Pourrait-on vivre sur Terre sans le phénomène décrit ? Pourquoi ?

3. Classer les informations :
- Quel est le mot-clé de ce document ?
- Associe chaque couleur de flèche à une catégorie d'informations.
- Observe bien le schéma puis associe chaque numéro à l'une des légendes (A, B, C…). Recopie-les.

4. Préparer l'exposé :
- Que vas-tu dire pour introduire ton sujet ?
- Comment vas-tu expliquer le schéma ? Identifie les étapes en deux ou trois catégories et donne-leur un titre.
- Prends quelques notes pour les avoir sous les yeux quand tu parleras.
- Quelle va être ta conclusion sur l'effet de serre ?
- Tu peux compléter les informations ci-dessus avec d'autres éléments (photographies, textes…).

Je fais un exposé

- **À partir de la lecture du document et de son analyse, propose un exposé qui informe ton public sur l'effet de serre.**

Pour faire un exposé

- J'introduis le sujet.
- Je regroupe les idées en grandes parties.
- Je présente mon exposé sans lire mes notes d'une voix claire et posée.
- J'utilise des connecteurs chronologiques et logiques.
- Je fais une conclusion.

Bilan

Pour faire le bilan de tes lectures, recopie les phrases qui correspondent le mieux aux extraits de récits de science-fiction que tu viens de lire. Puis explique tes choix en répondant aux questions.

Thème 9 : Le livre

1. Vrai ou faux ?
   a. Dans les romans de science-fiction, tous les livres ont disparu.
   b. Dans certains romans de science-fiction, l'auteur imagine que le livre pourra prendre d'autres formes qu'aujourd'hui.
   c. Les livres ne serviront plus à rien dans le futur.
   d. La technologie permettra dans le futur d'autres façons de lire pour vivre encore plus intensément les histoires.
2. De nombreux romans sont adaptés au cinéma. Quelle différence fais-tu entre lire une histoire et voir cette même histoire racontée au cinéma ? Prends des exemples.
3. Quels supports de texte autres que le papier connais-tu aujourd'hui ? Imagines-en de nouveaux.

Thème 10 : Vivre ailleurs

1. Vrai ou faux ?
   a. Dans les romans de science-fiction, l'histoire se déroule dans le futur.
   b. Les romans de science-fiction présentent des univers dans lesquels les progrès technologiques prennent une grande place.
   c. Dans les romans de science-fiction, on ne trouve aucun mot inventé pour décrire les objets du futur.
   d. Les romans de science-fiction amènent les lecteurs à s'interroger sur l'avenir de l'humanité.
2. Qu'est-ce qui te plaît dans les romans de science-fiction : l'univers présenté, les personnages, le type d'histoire ?
3. La façon dont est présenté le futur dans ces romans te donne-t-elle des inquiétudes sur l'avenir ou, au contraire, l'envie d'y vivre ? Qu'en pensent tes camarades ?

Lectures en réseaux

• Le livre
– *Pages blanches* et *Magie noire*, Christophe Lambert, éd. Hachette Livre, 1998.
– *L'Enfant-Mémoire*, Danielle Martinigol et Alain Grousset, éd. Hachette Livre, 1996.
– *Les Buveurs des rêves*, Michel Honaker, Castor Poche Flammarion, 2000.
– *Le Livre du temps – Tome 1 : La Pierre sculptée*, Guillaume Prévost, éd. Gallimard Jeunesse, 2006.
– *Camarade cosmique*, Nancy Hayashi, éd. Castor Poche Flammarion.

• Vivre ailleurs
– *Métalika*, Alain Grousset, éd. Gallimard Jeunesse.
– *Les Abîmes d'Autremer*, Danielle Martinigol, Le Livre de Poche Jeunesse.
– *Classe de lune*, François Sautereau, Rageot Éditeur.
– *Le Voyage d'Alphonse*, Jacques Tardi et Antoine Leconte, éd. Casterman / Petits Duculot, 2003.

Les principaux préfixes

Préfixes	Sens	Exemples
a-, an-	absence, privation	**a**moral – **a**normal
ac-, ad-, af-, al-, ap-	rapprochement	**ac**courir – **ad**joindre – **af**faiblir – **al**longer – **ap**porter
anti-	contre	un **anti**gel
archi-, extra-	plus, très	**archi**plein – **extra**ordinaire
bi-	redoublement	une **bi**cyclette
co-, com-, con-, col-	avec, ensemble	un **co**locataire – **com**porter – **con**centrer – **col**latéral
dé-, dés-, des-, dis-	contraire, séparation	**dé**faire – le **dés**ordre – **des**sécher – **dis**paraître
en-, em-, im-	éloignement ou à l'intérieur	**en**lever – **em**porter – **im**porter
hyper-	très, au-dessus	un **hyper**marché
il-, im-, in-, ir-, mal-	contraire	**il**légal – **im**battable – **in**actif – **ir**réel – **mal**heureux
inter-	entre	une **inter**action
multi-	nombreux	**multi**colore
para-	protection contre	un **para**chute
pré-	avant, devant	le **pré**chauffage
r(e), ré	répétition ou inversion	**re**dire – **r**entrer – **ré**chauffer
sur-	au-dessus	**sur**voler
sou(s)-	insuffisance, en dessous	le **sous**-développement – **sou**ligner
télé-	à distance	la **télé**vision

Les principaux suffixes des adjectifs et des noms

Suffixes	Sens	Exemples
-able, -ible	possibilité	lav**able** – lis**ible**
-ard(e), -asse	péjoratif ou habitant de	vant**ard** – une Savoy**arde** – fad**asse**
-ade, -age	ensemble, action ou résultat d'une action	une fusill**ade** – le pel**age** – un atterriss**age**
-ail	instrument	un attir**ail**
-ain(e), -ais(e), -ois(e)	habitant	afric**ain** – franç**aise** – lill**ois**
-aison, -ance, -ation, -ison, -ition	action ou son résultat	la pend**aison** – la puiss**ance** – l'opér**ation** – la guér**ison** – la fin**ition**
-eux(se)	qualité ou défaut	courag**eux** – orgueill**euse**
-ée	contenu, mesure ou durée	une poign**ée** – une journ**ée**
-(l)et(te)	diminutif	maigre**let** – une fill**ette**
-eur(se)	agent d'une action ou objet fonctionnel	un imprim**eur** – une agraf**euse**
-if(ve)	défaut	malad**if** – négat**ive**

Les « Mini Syros », c'est comme les bonbons, quand on commence, on ne peut plus s'arrêter !

La collection « Mini Syros » propose des textes courts et de tous les genres (polar, littérature, conte) pour s'évader et découvrir de grands auteurs à l'âge des premières lectures !

MiNi SYROS

Format : 11 x 16,5 cm
32 ou 48 p. / 2,90 €

Contes du monde entier, drôles ou merveilleux... avec les *Mini Syros Paroles de conteurs*.

Suspense, énigmes, enquêtes... avec les *Mini Syros Polar*.

Tendresse, émotion, humour... avec les *Mini Syros Romans*.

Retrouve toute la collection sur **www.syros.fr**

Crédits photographiques

Achevé d'imprimer en Espagne par Orymu, S.A.
Dépôt légal: mai 2014 - Collection n° 42 - Edition n° 08 - 11/6551/3

La conjugaison des verbes aller, dire et faire

aller	dire	faire
Présent (de l'indicatif)		
je **vais** tu **vas** il, elle **va** nous allons vous allez ils, elles **vont**	je dis tu dis il, elle dit nous disons vous dites ils, elles disent	je fais tu fais il, elle fait nous faisons vous faites ils, elles font
Futur (de l'indicatif)		
j'**irai** tu **iras** il, elle **ira** nous **irons** vous **irez** ils, elles **iront**	je dirai tu diras il, elle dira nous dirons vous direz ils, elles diront	je ferai tu feras il, elle fera nous ferons vous ferez ils, elles feront
Passé composé (de l'indicatif)		
je **suis** allé(e) tu **es** allé(e) il, elle **est** allé(e) nous **sommes** allé(e)s vous **êtes** allé(e)s ils, elles **sont** allé(e)s	j'**ai** dit tu **as** dit il, elle **a** dit nous **avons** dit vous **avez** dit ils, elles **ont** dit	j'**ai** fait tu **as** fait il, elle **a** fait nous **avons** fait vous **avez** fait ils, elles **ont** fait
Imparfait (de l'indicatif)		
j'all**ais** tu all**ais** il, elle all**ait** nous all**ions** vous all**iez** ils, elles all**aient**	je dis**ais** tu dis**ais** il, elle dis**ait** nous dis**ions** vous dis**iez** ils, elles dis**aient**	je fais**ais** tu fais**ais** il, elle fais**ait** nous fais**ions** vous fais**iez** ils, elles fais**aient**
Passé simple (de l'indicatif)		
j'all**ai** tu all**as** il, elle all**a** nous all**âmes** vous all**âtes** ils, elles all**èrent**	je dis tu dis il, elle dit nous dîmes vous dîtes ils, elles dirent	je fis tu fis il, elle fit nous fîmes vous fîtes ils, elles firent
Présent (de l'impératif)		
va – allons – allez	dis – disons – dites	fais – faisons – faites

La conjugaison des verbes pouvoir, partir et prendre

pouvoir	partir	prendre
Présent (de l'indicatif)		
je peux	je pars	je prends
tu peux	tu pars	tu prends
il, elle peut	il, elle part	il, elle prend
nous pouvons	nous partons	nous prenons
vous pouvez	vous partez	vous prenez
ils, elles peuvent	ils, elles partent	ils, elles prennent
Futur (de l'indicatif)		
je pourrai	je partirai	je prendrai
tu pourras	tu partiras	tu prendras
il, elle pourra	il, elle partira	il, elle prendra
nous pourrons	nous partirons	nous prendrons
vous pourrez	vous partirez	vous prendrez
ils, elles pourront	ils, elles partiront	ils, elles prendront
Passé composé (de l'indicatif)		
j'ai pu	je suis parti(e)	j'ai pris
tu as pu	tu es parti(e)	tu as pris
il, elle a pu	il, elle est parti(e)	il, elle a pris
nous avons pu	nous sommes parti(e)s	nous avons pris
vous avez pu	vous êtes parti(e)s	vous avez pris
ils, elles ont pu	ils, elles sont parti(e)s	ils, elles ont pris
Imparfait (de l'indicatif)		
je pouvais	je partais	je prenais
tu pouvais	tu partais	tu prenais
il, elle pouvait	il, elle partait	il, elle prenait
nous pouvions	nous partions	nous prenions
vous pouviez	vous partiez	vous preniez
ils, elles pouvaient	ils, elles partaient	ils, elles prenaient
Passé simple (de l'indicatif)		
je pus	je partis	je pris
tu pus	tu partis	tu pris
il, elle put	il, elle partit	il, elle prit
nous pûmes	nous partîmes	nous prîmes
vous pûtes	vous partîtes	vous prîtes
ils, elles purent	ils, elles partirent	ils, elles prirent
Présent (de l'impératif)		
non utilisé à l'impératif	pars – partons – partez	prends – prenons – prenez